LUA NO CÉU
DE CABUL

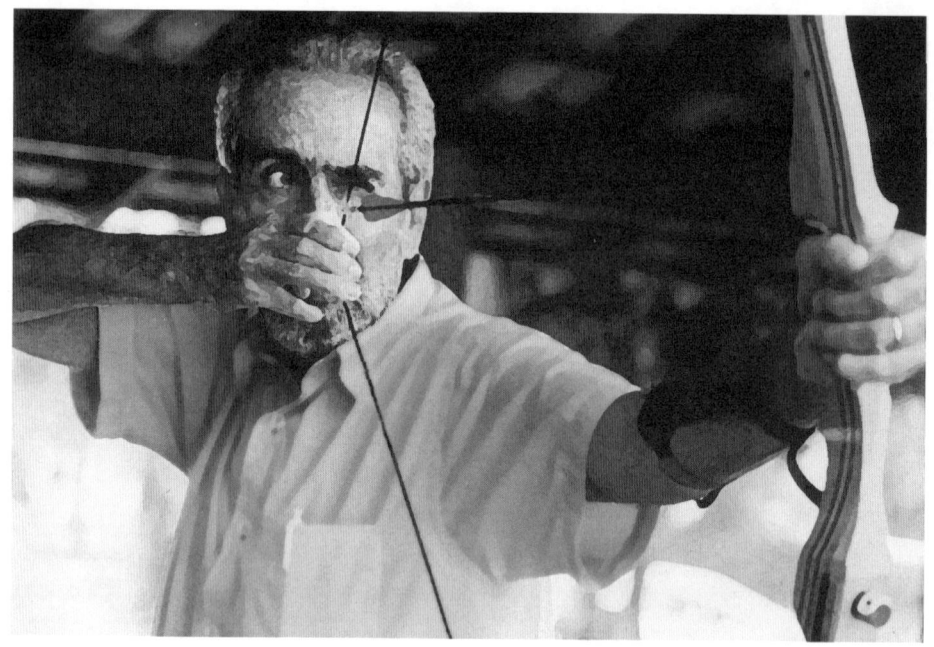

O Arqueiro

GERALDO JORDÃO PEREIRA (1938-2008) começou sua carreira aos 17 anos, quando foi trabalhar com seu pai, o célebre editor José Olympio, publicando obras marcantes como *O menino do dedo verde*, de Maurice Druon, e *Minha vida*, de Charles Chaplin.

Em 1976, fundou a Editora Salamandra com o propósito de formar uma nova geração de leitores e acabou criando um dos catálogos infantis mais premiados do Brasil. Em 1992, fugindo de sua linha editorial, lançou *Muitas vidas, muitos mestres*, de Brian Weiss, livro que deu origem à Editora Sextante.

Fã de histórias de suspense, Geraldo descobriu *O Código Da Vinci* antes mesmo de ele ser lançado nos Estados Unidos. A aposta em ficção, que não era o foco da Sextante, foi certeira: o título se transformou em um dos maiores fenômenos editoriais de todos os tempos.

Mas não foi só aos livros que se dedicou. Com seu desejo de ajudar o próximo, Geraldo desenvolveu diversos projetos sociais que se tornaram sua grande paixão.

Com a missão de publicar histórias empolgantes, tornar os livros cada vez mais acessíveis e despertar o amor pela leitura, a Editora Arqueiro é uma homenagem a esta figura extraordinária, capaz de enxergar mais além, mirar nas coisas verdadeiramente importantes e não perder o idealismo e a esperança diante dos desafios e contratempos da vida.

LUA NO CÉU DE CABUL

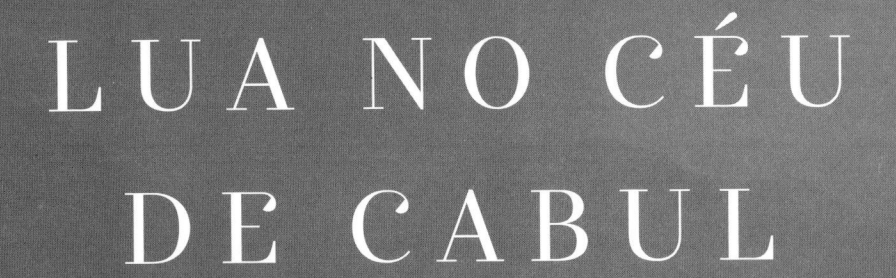

NADIA HASHIMI

Título original: *When the Moon Is Low*
Copyright © 2015 por Nadia Hashimi
Copyright da tradução © 2021 por Editora Arqueiro Ltda.

Todos os direitos reservados. Nenhuma parte deste livro pode ser utilizada ou reproduzida sob quaisquer meios existentes sem autorização por escrito dos editores.

TRADUÇÃO: Livia de Almeida
PREPARO DE ORIGINAIS: Rayssa Galvão
REVISÃO: Midori Hatai e Suelen Lopes
PROJETO GRÁFICO E DIAGRAMAÇÃO: DTPhoenix Editorial
CAPA: Mumtaz Mustafa
IMAGEM DE CAPA: Shutterstock – Lenar Musin (mulher); majeczka (árvores)
ADAPTAÇÃO DE CAPA: Natali Nabekura
IMPRESSÃO E ACABAMENTO: Associação Religiosa Imprensa da Fé

CIP-BRASIL. CATALOGAÇÃO NA PUBLICAÇÃO
SINDICATO NACIONAL DOS EDITORES DE LIVROS, RJ

H279L

    Hashimi, Nadia, 1977-
       Lua no céu de Cabul / Nadia Hashimi; [tradução Livia de Almeida]. – 1. ed. – São Paulo: Arqueiro, 2021.
       368 p.; 23 cm.

       Tradução de: When the moon is low
       ISBN 978-65-5565-136-2

       1. Ficção americana. I. Almeida, Livia de. II. Título.

21-70139
                                                                         CDD: 813
                                                                        CDU: 82-3(73)

Camila Donis Hartmann - Bibliotecária - CRB-7/6472

Todos os direitos reservados, no Brasil, por
Editora Arqueiro Ltda.
Rua Funchal, 538 – conjuntos 52 e 54 – Vila Olímpia
04551-060 – São Paulo – SP
Tel.: (11) 3868-4492 – Fax: (11) 3862-5818
E-mail: atendimento@editoraarqueiro.com.br
www.editoraarqueiro.com.br

*Para Zoran, que fez de mim a garota mais
sortuda do mundo ao prometer que seria
meu melhor amigo para sempre*

O homem pequeno
Constrói gaiolas para todos
Que ele
Conhece.
Enquanto o sábio,
Que precisa se curvar
Quando a lua está baixa,
Vai deixando chaves a noite inteira
Para os
Belos
Prisioneiros
Desordeiros

"Deixando chaves", de Hafez, poeta sufi do século XIV

NORUEGA
FINLÂNDIA
SUÉCIA
ESTÔNIA
LETÔNIA
DINAMARCA
LITUÂNIA
IRLANDA
REINO UNIDO
BELARUS
Londres
HOL.
ALEMANHA
POLÔNIA
BÉLG.
Calais
LUX.
REP. TCHECA
Paris
UCRÂ
ESLOVÁQUIA
ÁUSTRIA
MOLDÁVIA
SUÍÇA
HUNGRIA
FRANÇA
ROMÊNIA
ESLOV.
CRO.
SÉRVIA
BÓSNIA
ITÁLIA
BULGÁRIA
MONT.
MAC.
Roma
ALB.
PORTUGAL
ESPANHA
GRÉCIA
Quios
Esmi
Patras
Atenas
TUNÍSIA
MARROCOS
ARGÉLIA
LÍBIA
MAURITÂNIA
MALI
NÍGER
CHADE
BURKINA FASO
GUINÉ
NIGÉRIA

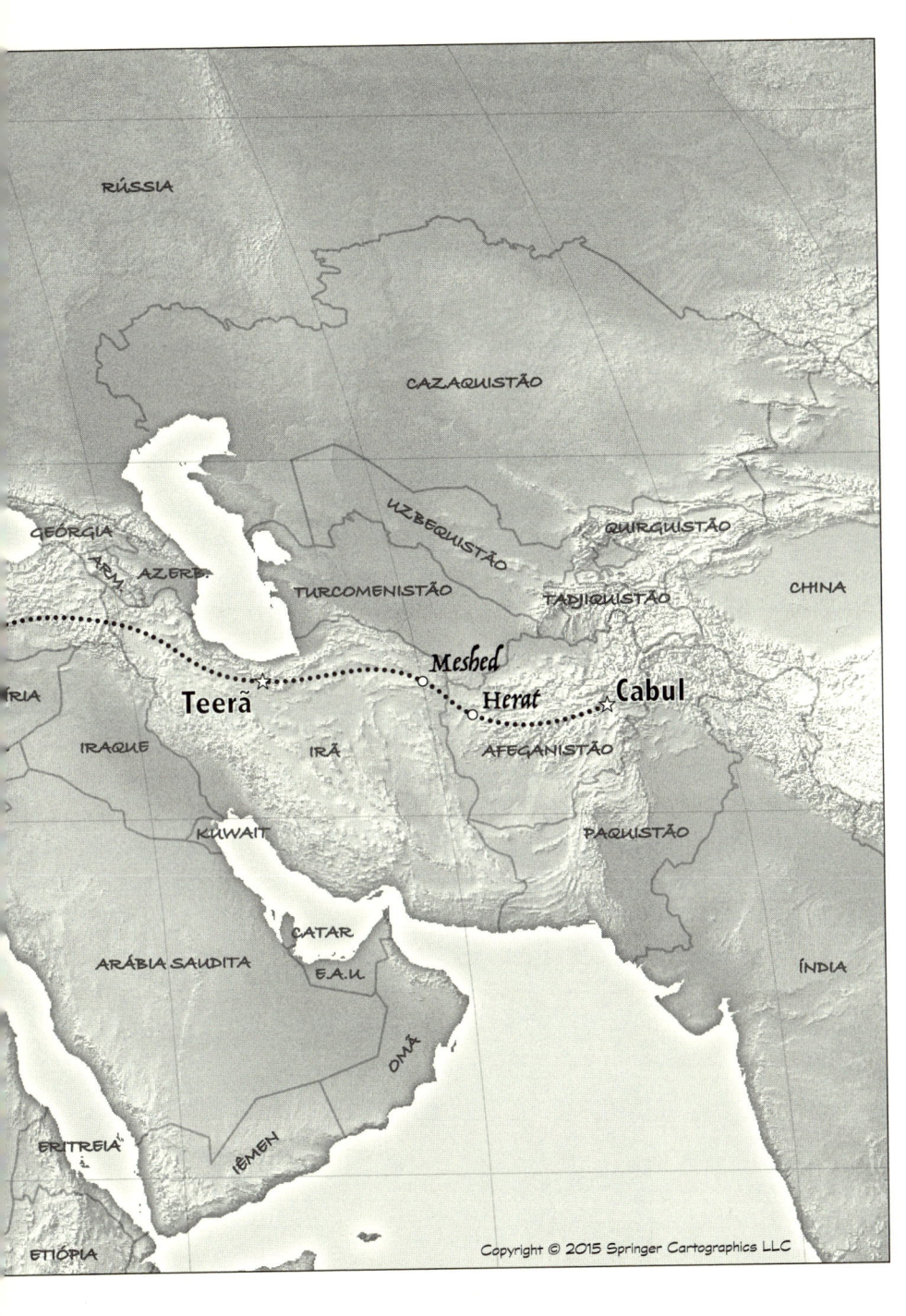

PRÓLOGO

Fereiba

Embora eu adore observar meus filhos dormindo, no silêncio de seu sono profundo, minha mente inquieta refaz nossa jornada. Como vim parar aqui, com dois de meus três filhos encolhidos sobre a colcha áspera de um quarto de hotel? Tão longe de casa, tão longe das vozes familiares.

Na minha juventude, a Europa era a terra da moda e da sofisticação. Cremes perfumados para o corpo, blazers bem-cortados, universidades de renome. Cabul admirava os imperialistas de pele clara que habitavam o outro lado dos montes Urais. Flertávamos com sua cultura e combinávamos seu requinte com nosso exotismo tribal.

Quando Cabul desmoronou, desabaram também os sonhos ingênuos da minha geração. Não víamos mais os luxos da Europa. Mal dava para enxergar o que havia além das ruas, tão densa era a fumaça da guerra. Quando meu marido e eu decidimos fugir de nossa terra natal, a sedução da Europa se resumia à sua única e mais atraente qualidade: a paz.

Não sou mais moça nem uma jovem esposa. Sou mãe e estou mais distante de Cabul do que jamais estive. Meus filhos e eu cruzamos montanhas, desertos e oceanos para chegar a este quarto de hotel cheio de umidade, completamente desprovido de sofisticação ou perfume. Esta terra não é o que eu esperava. Que bom que tudo que cobicei em minha tão distante juventude não tem mais nenhuma importância para mim.

Tudo que vejo, ouço e toco não me pertence. Meus sentidos ardem com a estrangeirice dos dias.

Não ouso perturbar as crianças, por mais que meu coração deseje que despertem e interrompam meus pensamentos. Deixei que dormissem porque sei como estão exauridas. Somos um povo cansado, às vezes exausto demais até para trocar sorrisos. Por mais que eu queira dormir, me sinto obrigada a permanecer acordada e ouvir o martelar nervoso em minha cabeça.

Anseio por ouvir os passos determinados de Salim no corredor.

Não uso nada no pulso. As pulseiras de ouro se foram, levando embora seu tilintar melancólico. O plano era vendê-las; estamos com os bolsos vazios para o restante da jornada. Ainda há uma longa estrada pela frente até chegarmos ao nosso destino.

Salim está impaciente para demonstrar seu valor. Ele se parece mais com o pai do que seu coração adolescente poderia imaginar. Considera a si mesmo um homem, e boa parte disso é culpa minha. Muitas vezes, dei a ele motivos para pensar que é mesmo um homem. Mas Salim mal passa de um menino, e o mundo cruel está ansioso para reforçar essa verdade.

Eu vou, Madar-jan. Se nos escondermos em um quarto toda vez que ficarmos nervosos, nunca chegaremos à Inglaterra.

Havia verdade naquelas palavras. Segurei a língua, mas o aperto no estômago me condena. Até que meu filho mais velho volte, ficarei fitando essas paredes brancas doentias, os quadros de âncoras, as flores artificiais desbotadas. Esperando as paredes desabarem, as âncoras despencarem e as flores virarem cinzas. Preciso que Salim volte.

Penso mais em meu marido agora do que quando ele estava ao meu lado. Como nossos corações são tolos e ingratos...

Fico esperando a maçaneta girar, meu filho entrar no quarto gabando-se de que fez pela família o que eu mesma não consegui fazer. Daria qualquer coisa para que ele não se arriscasse tanto. Mas não tenho nada para negociar em troca da realização desse desejo tão ingênuo. Tudo o que tenho está diante de mim: duas almas inocentes se remexendo de leve em meio ao sono turbulento.

Lembro a mim mesma de que ao menos ainda posso tocá-los. E Salim voltará, se Deus quiser, então estaremos tão completos quanto possível. Um dia, não olharemos mais para trás com medo, não dormiremos nessa terra emprestada com um olho aberto e vigilante, nem estremeceremos ao ver um homem uniformizado. Um dia, teremos um lugar para chamar de lar. Levarei meus filhos – os filhos de meu marido – o mais longe que puder e rezarei para chegarmos aonde também poderei dormir um sono tranquilo.

Parte Um

CAPÍTULO 1

Fereiba

Meu DESTINO FOI SELADO EM SANGUE NO DIA em que nasci. Enquanto eu lutava para entrar neste mundo perverso, minha mãe renunciou à sua estadia aqui, levando consigo minhas chances de ser uma filha de verdade. A parteira cortou o cordão umbilical e liberou minha mãe de qualquer outra obrigação comigo. Seu corpo empalideceu enquanto o meu se tornava rosado, sua respiração cessou no momento em que eu aprendia a chorar. Fui limpa, enrolada em uma manta e levada para meu pai, que graças a mim se tornou viúvo. Ele caiu de joelhos, o rosto sem cor. Padar-jan contou que se passaram três dias até ele conseguir segurar nos braços a filha que levara embora sua esposa. Tenho quase certeza de que, se pudesse decidir, teria escolhido manter a vida de minha mãe em vez da minha.

Meu pai fez o possível, mas não estava à altura da tarefa. Em sua defesa, aquela época não era nada fácil. Na verdade, época nenhuma foi fácil. Padar-jan era filho de um vizir com influência local. As pessoas da cidade procuravam meu avô em busca de conselhos, empréstimos e mediação de disputas. Meu avô, Boba-jan, era um homem equilibrado, resoluto e sagaz. Era rápido em tomar decisões e não vacilava diante da oposição. Não sei se estava sempre certo, mas falava com tanta convicção que as pessoas acreditavam nele.

Logo depois de se casar, Boba-jan se envolvera em uma negociação muito inteligente que o tornara proprietário de uma boa quantidade de terra. Os frutos desta terra alimentaram e abrigaram gerações de nossa família. Minha avó, Bibi-jan, que morreu dois anos antes de meu trágico nascimento, lhe dera quatro filhos, sendo meu pai o caçula. Os quatro garotos cresceram desfrutando dos privilégios garantidos pelo pai. A família era respeitada na cidade, e meus tios fizeram bons casamentos, herdando parte da terra, onde começaram suas próprias famílias.

Meu pai também possuía terras – um pomar, para ser exata – e trabalhava como funcionário público na cidade em que morávamos, Cabul, a movimentada capital do Afeganistão, escondida no seio da Ásia Central. A geografia só mais tarde se tornaria importante para mim. Padar-jan era uma cópia desbotada de meu avô, um rascunho, sem a impressão de qualquer característica forte. Tinha as boas intenções de Boba-jan, mas lhe faltava determinação.

Padar-jan herdara sua parte da propriedade ao se casar com minha mãe. Ele se dedicou ao pomar, cuidando da terra dia e noite, subindo nas árvores para arrancar as melhores frutas e bagas para minha mãe. Nas noites quentes de verão, ele dormia entre as árvores, inebriado pelo aroma dos pêssegos maduros e dos ramos frescos. Trocava parte dos frutos que colhia por serviços e produtos domésticos e parecia feliz com o que conseguia. Estava satisfeito, não queria da vida muito além do que recebia.

Minha mãe, pelo que descobri do pouco que ouvia enquanto crescia, era uma bela mulher. Madeixas espessas de ébano que iam até abaixo dos ombros; olhos calorosos, maçãs do rosto altivas. Cantarolava enquanto trabalhava e sempre usava um pingente verde. Era famosa pelo *aush* delicioso – um macarrão delicado com carne moída temperada em molho de iogurte –, que aquecia barrigas durante o inverno rigoroso. O curto casamento foi um arranjo feliz, a julgar pela forma como os olhos de meu pai ficavam marejados nas raras ocasiões em que falava dela. Embora tenha levado quase uma vida inteira, juntei tudo o que sabia sobre minha mãe e me convenci de que ela teria perdoado minha transgressão. Eu nunca a veria, mas ainda precisava sentir seu amor.

Mais ou menos um ano depois do casamento, minha mãe deu à luz um menino saudável. Meu pai fitou o filho robusto e o chamou de Asad, o leão. Foi meu avô quem sussurrou o *azaan*, o chamado para oração, no ouvido do recém-nascido, sagrando-o muçulmano. Duvido que Asad fosse diferente naquela época. Não deve nem ter ouvido o *azaan* de Boba-jan, já perdido pela desobediência e ignorando o apelo às virtudes.

Asad parecia ter nascido achando que era dono do mundo. Era, afinal de contas, o primogênito de meu pai, fonte de imenso orgulho para a família.

Levaria adiante o sobrenome, herdaria a terra e cuidaria de nossos pais na velhice. Como se soubesse o que o esperava, ele consumiu o que podia. Mamava até deixar minha mãe ferida e exausta. Meu pai se esforçava para construir brinquedos para o filho, planejava sua educação e estava ainda mais determinado a levar para casa o suficiente para manter a esposa, mãe recente, com boa saúde e bem nutrida.

Minha mãe estava orgulhosa de ter dado um filho ao marido, ainda mais um filho saudável. Temendo que vizinhos ou parentes invejassem sua sorte e lançassem o olho gordo no menino, ela costurou uma pedrinha azul, o *nazar*, um amuleto para afastar o mau-olhado, na roupinha de bebê que ganhara de presente da cunhada. Não foi a única coisa que fez. Tinha um arsenal de truques para combater as muitas faces do *nazar*. Se Asad parecia mais pesado em seus braços ou se um visitante comentasse sobre as bochechas rosadas e carnudas, ela olhava na hora para as próprias unhas. Pontuava os elogios com sussurros de *nam-e-khoda*, louvando o nome de Deus. A arrogância atraía o *nazar* com a ferocidade de um relâmpago em campo aberto.

Asad engordava a cada dia, graças ao leite de nossa mãe, o rosto tomando forma, as coxas engrossando. Quarenta dias depois do parto, minha mãe suspirou aliviada, pois o filho sobrevivera à fase mais perigosa. Ela havia visto o bebê da vizinha enrijecer e estremecer em desespero duas semanas após o nascimento, como se subjugado por uma onda maligna. O espírito do recém-nascido foi levado antes que ele sequer pudesse ganhar um nome. Aprendi, mais tarde, que cortar o cordão umbilical com uma faca suja provavelmente transmitia bactérias tóxicas para o sangue do bebê. Seja isso falso ou verdadeiro, não importa: nós, afegãos, acreditamos que só devemos contar com os pintinhos quarenta dias depois de terem saído do ovo.

Como tantas mães, Madar-jan invocava os poderes das sementes de arruda silvestre, a *espand*. Deixava um punhado de sementes negras queimar e crepitar diretamente sobre uma chama, a fumaça pairando acima da cabeça de Asad enquanto cantava:

Manda embora o mau-olhado, que é espand
Traga a benção do rei Naqshband
Olho do nada, olho das gentes
Olho dos amigos, olho dos inimigos
Quem o mal procurar nessas brasas deve queimar

A canção remonta ao zoroastrismo, uma religião pré-islâmica, mas os muçulmanos confiam em seus poderes. Meu pai assistia a tudo, satisfeito de que a mulher tomasse tais cuidados para salvaguardar o herdeiro. Ah, como deve ter funcionado bem! A morte de minha mãe não afetou a vida de meu irmão como afetou a minha. Ele permaneceu primogênito e conseguiu ter sucesso na vida, em geral às custas dos outros. Suas ações descuidadas magoaram quem estava à sua volta – e a mim com frequência –, mas ele sempre parecia sair intacto. Nos dois breves anos em que recebeu os cuidados de minha mãe, Asad ganhou força suficiente para garantir seu lugar no mundo.

Só que minha mãe morreu antes de conseguir prender um amuleto nas minhas roupinhas, antes de sussurrar *nam-e-khoda*, antes de poder olhar para as unhas a cada elogio, antes de envolver minha cabeça na fumaça de *espand*. Minha vida se tornou uma série de infortúnios, resultado de muitos maus-olhados desimpedidos. Meu nascimento foi assombrado pela morte de minha mãe, e, enquanto Boba-jan sussurrava um *azaan* triste em meu ouvido, uma oração muito diferente era pronunciada sobre o corpo dela. O *azaan*, na voz de meu avô, abriu caminhos até as profundezas do meu ser, aconselhando que eu tivesse fé. Minha salvação foi ter dado ouvidos a esse apelo.

Mamãe foi enterrada num cemitério novo, perto de casa. Não fiz muitas visitas – em parte porque ninguém queria me levar, em parte por conta da culpa perene que me acompanhava. Sabia que ela estava lá por minha causa e que as pessoas sempre me lembrariam disso.

Meu pai se tornou um jovem viúvo, com um filho de 2 anos e uma filha recém-nascida. Meu irmão, sem se deixar perturbar pela ausência de nossa mãe, levava sua vida de menino pequeno e irritadiço enquanto eu procurava ingenuamente o seio de minha mãe. Com dois filhos no ninho, meu pai enterrou a esposa e começou a procurar uma nova mãe para as crianças.

Meu avô apressou o processo, sabendo que um recém-nascido não prosperaria sob os cuidados pouco intuitivos de um homem. Por ser vizir, conhecia todas as famílias da vizinhança. Um agricultor local tinha cinco filhas, e a mais velha estava na idade de se casar. Boba-jan convenceu-se de que o homem, sobrecarregado com o sustento de cinco meninas até os respectivos casamentos, receberia com bons olhos as intenções de seu filho.

Então foi até a casa do agricultor e, tecendo ao filho elogios de pessoa nobre e digna de confiança, mas que tivera o infortúnio de ficar viúvo muito jovem, conseguiu negociar o compromisso da mais velha com meu pai. Mesmo enfatizando delicadamente que o bem-estar das duas crianças deveria ser levado em consideração, o processo andou depressa. Em questão de meses, Mahbuba entrou em nosso lar, onde recebeu um novo nome, como acontecia com a maioria das noivas – um "nome de casa". A intenção era o respeito, para não chamar a mulher por seu nome familiar. Acho, porém, que é mais do que isso: é um modo de dizer à noiva que ela não deve olhar para trás. E, às vezes, isso é bom.

KokoGul, a primeira de cinco irmãs, cuidara das mais jovens desde cedo e era perfeitamente capaz de cuidar de duas crianças. Decidiu depressa não viver sob a sombra de minha mãe. Reorganizou as poucas peças decorativas da casa, descartou as roupas da outra mulher e apagou todas as evidências de sua existência, exceto por meu irmão e eu. Éramos a única prova de que KokoGul não era a primeira esposa – uma distinção importante, mesmo que esta estivesse morta.

Naquela época, era comum que os homens tomassem múltiplas esposas, uma prática originada nos tempos de guerra e da necessidade de cuidar das viúvas, pelo que ouvi. Do ponto de vista prático, criava tensões veladas entre as mulheres. A condição de primeira esposa não podia ser equiparada por nenhuma das subsequentes. KokoGul foi privada dessa oportunidade por uma mulher que nem chegou a conhecer, a quem não podia desafiar. Em vez disso, foi obrigada a criar os filhos dela.

Mas não era uma mulher perversa. Nunca me fez passar fome nem me surrou ou me expulsou de casa. Na verdade, ela me alimentou, me banhou, me vestiu e fez todas as coisas que uma mãe deve fazer. Quando balbuciei as primeiras palavras, chamei-a de mãe. Meus primeiros passos foram na direção dela, da mulher que cuidou de mim durante as febres e os machucados da infância.

No entanto, ela fazia tudo isso com certa distância. Não demorou para que eu percebesse esse ressentimento, embora ainda tivesse precisado de muitos anos para conseguir nomear aquilo que sentia entre nós. Meu irmão era igual, mas diferente. Em poucos meses, ele transferiu o título de mãe para KokoGul e esqueceu que existira outra mulher. A nova mãe cuidava de suas necessidades com um pouco mais de diligência, sabendo que aquela era a chave para o coração de meu pai. E meu pai, complacente, ao menos quando estava em casa, ficava satisfeito por ter encontrado uma mãe adequada para seus filhos. Meu avô, mais astucioso com a idade, sabia que deveria olhar por nós. Ele era uma presença constante.

Eu não era órfã. Tinha pais e irmão, uma casa aquecida e comida suficiente. Deveria ter me sentido completa.

Mas não ter mãe é como ser despida de todas as roupas e lançada na neve. Meu maior medo, o terror que aumenta junto com o amor que sinto pelos meus filhos, é deixá-los na mesma situação.

E eu me pergunto se esse medo um dia passará.

CAPÍTULO 2

Fereiba

KokoGul era uma mulher de boa aparência, mas não chamaria atenção numa sala cheia. Era quase tão alta quanto meu pai, com cabelo negro e espesso que batia nos ombros. Era o tipo de cabelo que perdia os cachos assim que se tiravam os rolinhos. Tinha um corpo roliço demais para parecer elegante, mas esguio demais para imprimir autoridade. KokoGul fora pintada com uma paleta de cores medianas.

Dois anos depois do casamento, minha madrasta teve sua primeira filha, uma decepção que ela logo atribuiu ao fantasma de minha mãe. Essa meia-irmã recebeu o nome de Najiba, em homenagem à minha falecida avó. Najiba tinha o rosto redondo de KokoGul e os olhos escuros emoldurados por sobrancelhas espessas e arqueadas. E minha madrasta, seguindo a tradição, usou o *kohl* para delinear as pálpebras da filha, a fim de que tivesse uma visão saudável e olhos marcantes. Durante os dois primeiros meses, KokoGul passava horas preparando misturas de sementes de funcho e ervas para mitigar as cólicas de Najiba, na tentativa de fazer com que parasse de berrar. Até seu temperamento se abrandar, mãe e filha formavam uma dupla mal-humorada e sofriam com a privação de sono.

A paciência de KokoGul com os enteados diminuiu consideravelmente quando sua primogênita nasceu. Ainda mais consciente de que não éramos seus filhos, ela logo se exasperava e nos atacava com os golpes rápidos de uma víbora. Éramos disciplinados pelas costas de sua mão. Quando meu pai estava fora, as refeições eram servidas com desinteresse e inconsistência. Só comíamos juntos, como uma família, quando ele voltava para casa, no fim do dia.

Com o nascimento de Najiba, o ventre de KokoGul gostou de carregar filhos e gerou mais três meninas nos quatro anos seguintes. A cada gravidez, sua paciência diminuía. Meu pai, preferindo os dias de paz, mas mostrando-se incapaz de exigi-los, ficava cada vez mais distante. Sultana nasceu um ano depois de Najiba. KokoGul não se esforçou para esconder o fato de que desejava um menino, ao contrário de meu pai, que se mantivera curiosamente desinteressado.

Na terceira gravidez, quase dois anos depois, KokoGul rezou, deu esmolas relutantes aos pobres, comeu todos os alimentos que diziam serem propícios para um menino. A chegada de Mauriya foi uma decepção, e ela passou a acreditar que o espírito de minha mãe rogara uma praga poderosa sobre seu ventre. Quando nasceu Mariam, minha quarta meia-irmã, KokoGul não ficou nem decepcionada nem surpresa. Frustrada por minha mãe morta, decidiu, amargurada, não ter mais filhos. Asad seria o único filho homem de meu pai.

Minha primeira lembrança deveria ser da escola ou de alguma boneca favorita, mas essa não foi a infância que tive. KokoGul estava deitada em uma almofada da sala de estar, com Mauriya recém-nascida aconchegada a seu lado, toda enrolada num xale de oração. Eu tinha 5 anos.

– Fereiba! – berrou KokoGul.

Mauriya fez uma careta. A pequena estava enrolada demais para reagir de outro modo.

– Sim, Madar-jan.

Eu estava a poucos passos. KokoGul ainda se recuperava do parto e não podia fazer nada além de amamentar. Eu sabia porque ela fazia questão de me lembrar disso com frequência.

– Fereiba, sua tia deixou um pouco de ensopado de frango ainda no fogo. Mal é suficiente para nós. Por que não vai lá fora e pega umas batatas para todos termos o que comer?

Isso significava duas coisas. Primeiro, meu pai e meu irmão seriam os únicos a comer frango naquela noite; o resto de nós teria que se contentar com batatas cozidas. Segundo, eu teria que ir até o quintal coberto de gelo e cavar para pegar as batatas. Logo no início da estação, enterramos batatas, rabanetes, cenouras e nabos atrás da casa para que ficassem refrigerados.

– Madar-jan, não pode pedir que Asad pegue as batatas?

Estava frio, e eu já imaginava as dificuldades que teria com a pá.

– Ele não está aqui e precisamos das batatas agora ou não estarão prontas para o jantar. Vista seu casaco e as luvas que seu pai comprou. Só vai levar uns minutinhos.

Eu não queria ir.

– Vá logo, meu bem. Ajude sua mãe, por favor.

Aquela ternura funcionava como açúcar salpicado em pão queimado. Eu a engolia com vontade.

Lembro-me de brigar com uma pá quase tão grande quanto eu, para então desistir e encontrar uma espátula que eu conseguia manipular. Meu hálito parecia se cristalizar no ar gelado, e meus dedos ficaram dormentes, mesmo com as luvas. Peguei depressa quatro batatas e estava prestes a enterrar as outras de volta quando vi uns rabanetes. Por nenhum motivo que eu lembre, levei os rabanetes também, que enfiei nos bolsos, pois minhas mãos estavam cheias.

– Aqui estão, Madar-jan! – anunciei, da cozinha.

– Boa menina, Fereiba. Deus a abençoe. Agora lave e descasque as batatas, depois jogue todas na panela, para cozinharem no molho de tomate.

Mauriya tinha começado a choramingar.

Fiz como KokoGul instruiu, cortando as batatas do jeito que ela ensinara, com cuidado para não machucar os dedos. Por capricho, também lavei e cortei os rabanetes, jogando-os na panela num impulso de criatividade culinária. Mexi uma vez, tampei a panela de alumínio e fui olhar minhas outras irmãs.

– Que cheiro horrível é esse? Fereiba! O que você fez? – A voz de KokoGul atravessou a casa como se tivesse pernas e determinação.

Eu já reparara no cheiro, mas não dera importância, despreocupada como qualquer criança de 5 anos.

E não achei que tivesse alguma relação comigo até KokoGul se levantar e ir até a cozinha, onde levantou a tampa da panela de alumínio. Uma nuvem de vapor pungente encheu o ambiente. Cobri o nariz com a mão, surpresa por não ter prestado atenção no cheiro.

– Fereiba, sua idiota! Sua idiota! – repetia ela sem parar, balançando a cabeça e bufando, com uma das mãos na cintura.

A casca vermelha dos rabanetes cortados em cubinhos denunciava a KokoGul exatamente o que eu tinha feito. Naquele dia, aprendi que os bulbos duros soltavam um fedor terrível quando cozidos. Um cheiro que eu nunca esqueceria e uma sensação que eu sempre lembraria.

Depois de cada parto, a sequência que KokoGul empregou com Najiba foi repetida. Os olhos dos bebês foram delineados com *kohl*, compraram-se doces quando sobreviveram aos quarenta dias e rasparam-lhes a cabeça para que ganhassem grandes e densas cabeleiras. Lamentei sozinha a visão péssima, o azar e a falta de cabelo que eu teria, pois nada disso havia sido feito comigo.

Quando chegou a hora de ir para a escola, KokoGul convenceu Padar-jan de que precisava da minha ajuda com as crianças menores. Meu pai, que não podia arcar com os custos de uma serviçal, decidiu me manter em casa por mais um ano. Mesmo muito jovem, eu era útil, podia buscar coisas e cumprir pequenas tarefas. Porém, quando minhas irmãs cresceram, KokoGul manteve o argumento.

Por sorte, Boba-jan, meu avô, ficava de olho em nós. Ele sempre passava em casa, e KokoGul se comportava de forma diferente em sua presença. Boba-jan chamava Asad e eu para caminhar e tinha sempre os bolsos cheios de doces e moedas. Não havia visita que aguardássemos com mais ansiedade do que as de Boba-jan. Ele pedia que recitássemos as orações enquanto inspecionava nossas roupas e beliscava a dobra de nossos braços. KokoGul o observava de esguelha, desconfiada, e se ressentia em silêncio.

Mas as visitas não mudavam muita coisa para mim em casa. À medida que minhas irmãs foram crescendo e KokoGul se ocupava com seus cuidados, passei a receber mais tarefas domésticas. Alimentava as galinhas e cuidava da cabra. Batia os tapetes todos os dias e vigiava as meninas mais novas. Quando Najiba alcançou a idade escolar, KokoGul argumentou que não conseguiria dar conta de tudo sozinha. Meu pai concordou, e fui relegada ao lar por mais um ano. Minhas irmãs mais novas foram aprender o alfabeto e os números enquanto eu aprendia a cozinhar. Vivia com as mãos ressecadas e calejadas de tanto esfregar as roupas sujas de manchas de comida. No entanto, o que mais doía era ficar na cozinha enquanto todas se arrumavam para a escola todo dia de manhã.

A obsessão de KokoGul pelas superstições deixava tudo ainda mais enlouquecedor. Existem superstições em abundância na nossa cultura, mas ela as respeitava com um zelo especial. Não podíamos dormir de meia para não ficarmos cegos. Se alguém deixasse cair um talher, eu era incumbida de limpar a casa toda, na expectativa de visitantes. Se KokoGul tossisse enquanto comia ou bebia, amaldiçoava aqueles que, sem dúvida, estavam falando mal dela em algum lugar. Acho que essa era sua parte preferida: a convicção de que os outros tinham inveja da vida relativamente privilegiada que ela levava.

Como se as superstições populares não bastassem, KokoGul inventou outras. Dois pássaros voando alto significavam que ela brigaria com alguma amiga. Se as cebolas queimavam, alguém estava falando mal de seus talentos culinários; se ela espirrasse mais de duas vezes, era obra de espíritos malignos. Padar-jan não reclamava para ela, mas sempre nos dizia, baixinho, que superstições eram invenções da mulher e que não deveriam ser compartilhadas com outras pessoas. Ele nem precisava ter se dado ao trabalho. KokoGul não fazia o tipo que mantinha os pensamentos para si; todos os vizinhos conheciam suas teorias fantásticas.

Num canto do pomar havia um grupo de amoreiras com galhos cheios e caídos, oferecendo frutas minúsculas ao alcance da mão. As árvores eram mais velhas, com troncos pesados e bem enraizados. Uma das amoreiras no centro tinha tantos nós no tronco e uma casca tão encarquilhada que KokoGul jurava que conseguia ver o rosto de um espírito maligno na superfície da madeira. Ficava aterrorizada com o rosto esculpido no tronco, mas adorava as amoras. Sempre que tinha vontade de comer amora, ela me convocava.

– Fereiba-jan – dizia, com doçura, pegando uma tigela de cerâmica no armário. – Preciso que traga amoras do pomar. Sabe que ninguém consegue arrancar essas frutinhas com tanta delicadeza quanto você. Se eu mandar outra pessoa, vou acabar comendo purê de amora.

A adulação era desnecessária, mas eu sorria só de saber que KokoGul tinha medo de cuidar daquilo pessoalmente. Aos 12 anos, magrela e com cabelos desgrenhados, eu a temia bem mais do que o misterioso labirinto de árvores. Na verdade, à luz do dia, quando a casa estava cheia, o pomar era meu refúgio.

Uma noite, no meio da semana, enquanto minhas irmãs se debruçavam sobre o dever de casa, KokoGul teve uma vontade súbita de comer amoras.

Obediente, me arrastei pela porta dos fundos, levando uma tigela vazia até a árvore já familiar, com aquele rosto feroz da casca sob a luz âmbar do luar. Sem o sol para ajudar a enxergar as frutas, passei os dedos de leve por entre as folhas, buscando as amoras. Não tinha arrancado mais do que duas ou três quando senti uma brisa suave nas costas, delicada como um sussurro.

Quando me virei, vi uma silhueta luminosa e masculina de pé, atrás de mim. Não ousei respirar quando ele pôs a mão em meu ombro, com tanta leveza que mal pude sentir seu toque.

Segui seus dedos longos até o braço a fim de contemplá-lo por inteiro. Era velho, baixo, com a barba branca cobrindo o queixo e rugas por todo o rosto. As sobrancelhas brancas e grossas pendiam pesadas, deixando os olhos azul-acinzentados ocultos, meras fendas. Era um amigo, eu soube disso no mesmo instante. Meu coração acelerado se acalmou com sua voz suave.

– Fereiba-jan. Na escuridão, quando você não conseguir enxergar o chão sob seus pés, quando seus dedos não alcançarem nada além da noite, você não estará sozinha. Estarei com você, como o luar permanece sobre a água.

Pisquei, e o homem não estava mais lá. Olhei em volta, esperando vê-lo se afastando em meio às árvores, mas não vi nada. Repassei suas palavras, ouvindo o eco de sua voz na mente. Sussurrei-as, para que durassem mais tempo. Era raro ouvir alguém dizer meu nome com tanto carinho.

– Fereiba! – gritou KokoGul, impaciente, de dentro da casa.

Mais do que depressa, peguei tantas amoras quanto consegui, os dedos roxos com o sumo maduro. Corri de volta para casa, por vezes olhando para trás, caso o velho reaparecesse. Minhas mãos tremiam quando pousei a tigela diante de KokoGul. Ela supervisionava minhas irmãs, que trabalhavam em seus cadernos de exercícios, e começou a comer. Fiquei ali parada, imóvel.

– O que foi? O que aconteceu?

– Madar-jan, eu estava lá fora... debaixo da amoreira.

– E daí?

– É que enquanto eu estava lá... eu vi um velho. Ele veio da luz, do *roshanee*. Disse meu nome e me falou que eu não estava sozinha. Disse que me acompanharia...

Enquanto contava, ouvia a voz na minha cabeça.

– Um velho? E para onde ele foi? – KokoGul estreitou os olhos, inclinando-se para a frente.

– Desapareceu. Chegou tão de repente... Senti a mão dele no meu ombro. Assim que terminou de falar, ele desapareceu. Não sei para onde foi... simplesmente desapareceu! Não sei quem era! – Eu estava sem fôlego, mas não estava com medo. Esperei que KokoGul interpretasse o que eu tinha visto.

– *B'isme-Allah!* – exclamou minha madrasta, louvando a Deus. – Você viu um anjo! Era um anjo, sua menina simplória! Ah, não reconhecer um anjo que bate em seu ombro e promete olhar por você...

Um anjo? Poderia ser? Boba-jan tinha nos contado histórias sobre anjos e seus poderes celestiais enquanto recitava suras. Como pude ser tão cega e não reconhecer um anjo diante de mim?! KokoGul ficou resmungando que eu não sabia apreciar aquele encontro sobrenatural. Minhas irmãs estavam de olhos arregalados. A voz estridente de minha madrasta sumia enquanto as palavras do anjo ecoavam em minha mente.

Ele olharia por mim. Meu anjo da guarda traria *roshanee* para meu caminho. Eu nunca estaria sozinha.

Na Jumaa, a sexta-feira, ficamos esperando meu pai voltar da *masjid*. KokoGul o instruíra a rezar para que ela e as filhas também recebessem a visita de um anjo da guarda. Meu pai não comentara muito sobre o encontro. Eu não sabia no que ele acreditava nem em quanto acreditava.

KokoGul e eu acreditávamos juntas. Nisso, éramos unidas. Ela notava pequenas mudanças em mim, e eu notei o que essas mudanças causavam nela. Eu caminhava com a cabeça mais erguida. Seguia suas instruções, mas não estremecia diante dela como antes. Entrava e saía do pomar com audácia, fosse dia ou noite. Tinha a expectativa de que meu anjo voltasse e me oferecesse palavras doces de conforto.

KokoGul ficou fora de si. Para as amigas, gabava-se de que eu, sua filha, tinha sido visitada por um anjo. A visita era um arauto de boa sorte, e ela esperava absorver um pouco dessa luz. Começou a examinar seus sonhos com mais diligência, procurando pistas de que o Céu também estava se comunicando com ela. Ouvi suas súplicas renovadas durante as rezas. Falava comigo com um pouco mais de doçura, com uma mão delicada acariciando meu cabelo.

Minhas irmãs ficaram curiosas, mas eram incapazes de compreender a ansiedade que KokoGul sentia para encontrar o homem que eu vira no pomar. Najiba, que tinha a idade mais próxima da minha, ficou intrigadíssima com as reações da mãe.

– Como era o anjo, Fereiba? Você sentiu medo? – perguntou, cheia de curiosidade.

Estávamos sentadas no chão, de pernas cruzadas, tirando ervilhas das vagens.

– Parecia um velho, como se fosse o avô de alguém. – Minhas palavras soavam muito simples, mas eu não sabia o que mais responder.

– Avô de quem? Nosso avô?

– Não, nenhum avô que a gente conheça. Só um vovô... – Hesitei, querendo fazer jus ao anjo. – Ele reluzia e sabia meu nome.

Joguei um punhado de ervilhas na tigela entre nós. Najiba ficou quieta por um tempo, considerando minha explicação.

– Bem, então estou feliz por não ter visto. Acho que teria ficado com medo.

Eu poderia ter dito a mesma coisa se não tivesse sido comigo, se não tivesse encarado aqueles olhos cinza-azulados. A voz delicada do anjo preenchera a escuridão sem deixar espaço para o medo. Mesmo assim, Najiba me fez sentir corajosa.

KokoGul não via as coisas desse modo. Começou a absorver meu encontro como se fosse sua própria experiência indireta. Ouvi-a conversando com duas amigas certo dia:

– Então ele sumiu? Simples assim?

– E você esperava o quê? Que fosse embora numa charrete com vinte cavalos? – retrucou KokoGul, no tom sarcástico que era sua marca registrada. Quando não eram as vítimas daquele sarcasmo, as amigas se divertiam com o jeito dela.

– Deus deve estar cuidando da menina, para ter enviado um anjo... – sugeriu uma.

– Ah, a pobrezinha... O espírito da mãe toma conta dela do Céu. Deve ter alguma relação com isso – comentou a outra, cheia de compaixão.

A referência à minha mãe inspirou a imaginação de KokoGul.

– Fui eu quem mandou Fereiba ao pomar naquela noite. É raro eu sentir esse desejo por amoras, mas foi uma sensação muito misteriosa... Senti a língua formigar, desejando aquelas frutinhas doces. Tentei ignorar, mas não consegui resistir. Era como se alguma coisa no meio daquelas árvores estivesse me atraindo, e minha vontade era correr até lá, mas eu estava ocupada ajudando as meninas com o dever de casa, então pedi a Fereiba que colhesse algumas amoras. Ela é uma filha tão boa que foi ao pomar na mesma hora. Pensando nisso, não sei bem a quem o anjo queria encontrar. Talvez o desejo tenha sido a forma dele de me chamar. Mas mandei Fereiba-jan. Então nunca saberemos.

As mulheres não pareceram muito impressionadas com a teoria de KokoGul, mas não se manifestaram. Entrei no aposento equilibrando cuidadosamente uma bandeja com três xícaras de chá quente em uma das mãos e um pote com açúcar na outra.

– Esses tapetes afegãos foram feitos já pensando em Fereiba-jan – comentou KokoGul. – Como são vermelhos, não se percebe quando o chá é derramado.

As mulheres riram, e eu mantive a cabeça baixa. Sorri com educação ao colocar uma xícara diante de cada mulher e ofereci cubinhos de açúcar. Percebi que me examinavam minuciosamente.

– *Afareen*, Dokhtar-jan – elogiou KokoGul. *Muito bem, filha querida.*

Retirei-me para a cozinha com a bandeja metálica vazia. Naquele dia, eu era sua filha.

Na verdade, eu era sua filha na maioria dos dias. Como não frequentava a escola, passava muito tempo em casa com KokoGul. De fato, o peso das tarefas domésticas recaía principalmente sobre meus ombros, e ela me repreendia com severidade quando as coisas não eram feitas a seu gosto. Mas era eu quem ficava mais tempo com ela. Passávamos horas juntas, preparando refeições, limpando a casa, cuidando dos animais... Sua língua afiada precisava de plateia... ou de um alvo. Eu adorava ir à quitanda junto com ela. Enquanto inspecionava uma pilha de tomates meio amassados, KokoGul perguntava ao vendedor se por acaso sua esposa robusta se sentara nos frutos sem querer. Na loja de artigos para a casa, queria saber se os pratos caros eram da coleção particular do rei. Com sua sagacidade, KokoGul ou irritava os vendedores ou conquistava uma risada e um desconto.

Éramos aliadas quando pechinchávamos os artigos de que necessitávamos, as carnes, as verduras, os sapatos... Eu imitava seu comportamento descarado e negociava o melhor preço que conseguia. Ela assentia em aprovação. No mercado e nas tarefas domésticas, minhas irmãs mais novas não conseguiam fazer nada melhor do que eu.

– Najiba, olhe isso aqui – reclamava minha madrasta. – Essa camisa ainda deixa a água escura. Como você pode achar que está limpa? Já viu como sua irmã consegue fazer uma espuma boa? Quantas vezes eu já disse que a camisa não se limpa sozinha? Ainda bem que tenho pelo menos uma filha que me ajuda de verdade.

Eram os momentos em que eu me sentia ligada a ela, a mulher que era minha mãe sem ser minha mãe.

CAPÍTULO 3

Fereiba

À NOITE, MEU IRMÃO E MINHAS IRMÃS FAZIAM A LIÇÃO, o lápis na mão direita, a borracha logo à esquerda. Ficavam sentados com os cotovelos apoiados na mesa, o queixo apoiado na mão enquanto liam, decoravam, somavam e subtraíam. A princípio, tropeçavam nas letras, aprendendo como cada uma delas se conectava à vizinha com seus traços curvos. Os pontos e traços cuidadosamente colocados davam vida às palavras. Então vieram frases, sentenças curtas e simples que descreviam as atividades cotidianas de meninos e meninas obedientes. Senti ainda mais inveja quando eles começaram a aprender o árabe complexo do Corão. Eu tinha aprendido a recitar as orações sob a orientação de meu avô, mas não aprendera a ler o texto.

Meus irmãos brincavam com os números. Com a ajuda de musiquinhas ritmadas, aprendiam a multiplicação. Eu ouvia. No papel, manipulavam algarismos e símbolos. Aprendiam a calcular e a encontrar sentido nos dígitos.

Aprendiam histórias. A história de nosso país. A ascensão de reis e de seus herdeiros. Como nosso país foi esculpido nas montanhas. Meu irmão foi o primeiro a decorar o hino nacional; ele o cantava com a mão erguida em saudação. Minhas irmãs aprenderam cantigas com as colegas, o ritmo e as rimas seguindo a cadência em seu andar despreocupado enquanto caminhavam de mãos dadas.

Cuco-co, pega a folha do plátano
Meninas sentadas, em fila, bem quietas

Catando caroços de romã
Ah, se eu fosse uma pombinha
Lá no céu, batendo as asinhas
Peneirando a areia do regato
Bebendo as águas do rio sagrado

De manhã, eu ficava observando minhas irmãs vestirem os uniformes cinza e sisudos. Puxavam bem as meias e afivelavam os sapatos, apressadas, com medo de se atrasarem e com mais medo ainda de parecerem maltrapilhas. As professoras levavam essas questões muito a sério. Todos os dias, eu me ressentia de vê-las correndo para a escola enquanto eu ficava em casa. Invejava as mochilas de papéis, lápis e histórias. Sabia que eu era tão inteligente quanto minhas irmãs – talvez até mais.

Meu irmão sempre tirou boas notas; podia não ser o melhor da turma, mas era bom o bastante para que meu pai e meu avô não reclamassem. Tenho certeza de que ele poderia ter se saído melhor se quisesse, porém fazia as tarefas correndo para cuidar de outros assuntos, como jogar bola com os meninos da rua, subir nas árvores do pomar e andar de bicicleta perto de casa. Na adolescência, passou por sua fase mais desajeitada, com a pele cheia de espinhas e a voz oscilante. Assim que atravessou a puberdade, sua voz assumiu o tom de um homem confiante que quer conhecer o mundo.

Eu já tinha tocado no assunto da escola com meu pai no passado. A resposta exausta era sempre a de que KokoGul precisava de ajuda em casa com as crianças menores, mas estava começando a não servir mais. Mariam, minha irmã caçula, já tinha 7 anos e frequentava a escola primária. Não havia mais bebês em casa.

Tínhamos acabado de retirar os pratos do jantar quando fui falar mais uma vez com meu pai. Eu estava com 13 anos e era bastante determinada. Sabia que as meninas que não frequentavam a escola se casavam mais cedo, e eu não queria me casar. Cada ano me deixava mais distante da oportunidade de estudar e mais próxima do casamento.

– Padar-jan?

Ele olhou para mim e abriu um leve sorriso. Girou um botão e desligou o rádio; o noticiário da noite tinha acabado. Deixei uma xícara de chá verde quente a seu lado, os dois cubos de açúcar ainda se dissolvendo. Ele sempre tomava o chá da noite com açúcar.

– Obrigado, minha querida. Era exatamente do que eu precisava, depois de um jantar tão gostoso – agradeceu, batendo na barriga e soltando um suspiro intenso.

– *Noosh-e-jan* – respondi, expressando meu desejo de que seu apetite estivesse satisfeito. – Padar-jan, queria lhe pedir uma coisa...

Meu pai ergueu uma sobrancelha e tomou um gole cauteloso do chá.

– Padar-jan, quero ir para a escola, assim como minhas irmãs.

– Ah, isso de novo... – Ele suspirou.

KokoGul, debruçada sobre as agulhas do crochê, ficou paralisada assim que mencionei o assunto.

– Ainda posso ajudar em casa, porque são apenas algumas horas de estudo. Todas as outras meninas vão, e não temos mais nenhuma criança pequena em casa. Quero aprender o que minhas irmãs estão aprendendo.

Era o máximo que eu conseguia dizer sem me debulhar em lágrimas. Baixei a cabeça, infeliz por não ter conseguido me expressar melhor sem que minha voz vacilasse. Fiquei esperando ou que o nó na minha garganta se desfizesse ou que meu pai falasse. Não sabia ao certo o que aconteceria primeiro.

– Fereiba-jan, achei que, a esta altura, você não estivesse mais interessada em ir para a escola. Suas irmãs começaram quando eram mais jovens. Você já é uma moça e não assistiu a um único dia de aula.

Ele parecia intrigado, franzindo o cenho. Apertei os lábios, me concentrando na frustração.

– Sei disso – respondi, simplesmente.

KokoGul voltou ao trabalho a toda velocidade, satisfeita porque o resultado da discussão daquela noite não seria diferente das outras ocasiões.

– É porque você quer ler? Talvez Najiba possa passar algum tempo ajudando você a aprender a ler. Ou até mesmo Sultana... ela está indo muito bem com a escrita e adora ler poesia.

Eu nunca tinha ficado tão zangada com meu pai. Fiquei magoada com a sugestão condescendente e me ressenti de seu sorriso caloroso. Não queria que minhas irmãs me ensinassem a ler. Minhas irmãs voltavam para casa todos os dias citando as professoras. A voz delas só reforçava tudo o que eu estava perdendo.

Moallim-sahib diz que minha letra melhorou. Moallim-sahib diz que devemos tomar um copo de leite por dia para ficarmos fortes e saudáveis.

Eu não queria olhar para minha irmã mais nova como minha *moallim*. Ela poderia conseguir me ensinar o básico sobre o alfabeto e sobre como pronunciar as palavras, mas não tinha como ser uma verdadeira professora, não como as que ficavam de pé diante da sala de aula, obrigando os alunos a decorar a tabuada, monitorando o progresso... Eu queria mais.

– Não, Padar-jan. – Senti que minha traqueia reabria, a voz voltando com determinação. – Não quero aprender com uma aluna. Quero aprender com uma professora.

A resposta deve ter surpreendido meu pai. Ele devia pensar que minhas aspirações eram infantis, fantasiosas. Devia pensar que eu só queria usar uniforme e escapar de parte das tarefas da casa. Só que eu desejava mais do que conseguia expressar e sabia que estava ficando sem tempo. Meu pai me analisou com atenção, os cantos da boca se curvando.

– Não seria fácil. Você teria que começar do início, em uma turma de crianças.

– É verdade. Você vai ser uma gigante junto dos bebês. É uma ideia horrível. Como uma galinha tentando voltar para o ovo! – advertiu KokoGul.

– Não me importo – garanti.

Uma mentira necessária. Era a primeira vez que eu via meu pai refletir de verdade sobre meu desejo de estudar.

– Vou conversar com a direção da escola. Quero ver o que dizem. Mas sua mãe com certeza vai sentir sua falta durante o dia.

– Isso não é bobagem? Por que ela vai se dar ao trabalho de ir à escola agora? A menina tem tudo de que precisa em casa. – KokoGul estava claramente surpresa com o rumo da conversa.

– Não estou prometendo nada. Só vou conversar na escola e ver se existe essa possibilidade – retrucou meu pai.

Sem querer se comprometer, ele deixou tanto eu quanto KokoGul esperançosas.

Para surpresa dele e decepção de KokoGul, a escola concordou com minha matrícula, desde que eu começasse do início. Entrei no primeiro ano com seis anos de atraso. Na véspera do meu primeiro dia, passei a saia e a blusa com rigor, querendo causar uma boa impressão na *moallim-sahib*. Mauriya e Mariam, minhas irmãs mais novas, acharam engraçado me ver de uniforme quando saímos juntas de casa, na manhã seguinte.

Najiba e Sultana, mais velhas, pareceram meio preocupadas com o que os outros diriam ao ver uma adolescente na turma do primeiro ano. No caminho para a escola, Najiba tentou me preparar:

– A *moallim-sahib* vai olhar para garantir que você tenha lápis e caderno. E pode ser que peça que você se sente no fundo da sala, sabe, já que você vai ser mais alta do que as outras alunas.

Apreciei a delicadeza com que Najiba verbalizou sua previsão. Sultana concordou, mas foi menos diplomática:

– É, ninguém vai conseguir ver o quadro com sua cabeça na frente.

Najiba repreendeu Sultana, que voltou os olhos para os sapatos, diminuindo o ritmo.

– Daqui a pouco você deve mudar de turma. Já sabe praticamente o alfabeto inteiro. Vai começar a ler bem depressa.

Sorri para Najiba, agradecida. Não erámos muito próximas, mas suas palavras eram sinceras, e eu precisava mesmo daquilo, especialmente naquele dia.

– Se Sultana conseguiu aprender, eu com certeza não terei problema.

Sultana bufou e apressou o passo, o olhar cheio de fúria voltado para a frente. Eu não tivera a intenção de fazer aquele comentário mordaz. Envergonhada, virei-me para Mauriya e Mariam, atrás de nós. As duas andavam de mãos dadas, as mochilas penduradas nos ombros.

Minhas irmãs me distraíram do nervosismo causado pelo primeiro dia de aula. Najiba apontou para minha sala assim que cruzamos os portões de ferro forjado da escola. Sultana logo desapareceu na própria sala. Mauriya e Mariam acenaram animadas para mim, despedindo-se.

Entrei hesitante, vasculhando a sala com o olhar. Não sabia o que fazer primeiro: me acomodar numa carteira ou andar até a frente e me apresentar para a professora. As outras alunas estavam entrando em fila, ocupadas em tomar seus lugares. Resolvi que era melhor registrar minha presença, em vez de deixar que a professora reparasse em mim depois e fizesse uma cena. Eu estava quase mais próxima de ser mulher do que menina, mas ali estava, sentada junto das crianças. Em outro cenário, eu podia ter sido a responsável pela turma. Ali, era apenas uma colega de classe.

– Bem-vinda, querida. Fiquei sabendo que você se juntaria a nós. Você terá que ficar lá na última fileira, no fundo. É nosso último lugar vago. Aqui, pegue esse livro. É isso que estamos aprendendo agora. Conhece as letras?

Minha primeira professora era uma mulher firme mas bondosa e gostou de mim à primeira vista. Ainda bem. Falava comigo em um tom diferente do que usava com minhas colegas e não fazia com que eu me sentisse estranha, como devia parecer, sentada junto de crianças tão pequenas. Grata e determinada, estudei com dedicação. Eu tinha prestado atenção enquanto minhas irmãs aprendiam o alfabeto, então conseguia pronunciar as letras com facilidade.

Em dois meses, passei para o segundo ano. Fiquei feliz por progredir, mas triste por ter que deixar a professora para trás. E isso antes de conhecer minha próxima *moallim*. A professora do segundo ano parecia incomodada por ter uma pupila tão grande na turma. Ela me chamava com frequência para fazer a leitura em voz alta e tinha grande prazer em me observar enquanto eu tropeçava nas palavras. Quando as outras alunas davam risadinhas, ela as censurava com ar zombeteiro:

– Chega! Lembrem-se: não se deixem enganar pelo tamanho de Fereiba. Ela é nova no segundo ano!

Eu me esforcei ainda mais e, depois de passar numa prova de competência, a mulher não teve escolha senão me passar para o terceiro ano. Todas as tardes, eu voltava da escola e me empenhava nas tarefas domésticas que não podia evitar. Como prometera continuar ajudando KokoGul e não queria que ela se queixasse com meu pai sobre atrasos com as tarefas domésticas, eu continuava batendo a poeira dos tapetes, lavando a roupa e cuidando dos animais no quintal. Só depois de terminar tudo e finda a refeição familiar é que eu me sentava para estudar. E ficava empenhada até tarde da noite. Padar-jan percebeu.

– Fereiba-jan, você anda estudando com mais dedicação do que suas irmãs jamais demonstraram. A prova disso são as notas que tem tirado. Está dando conta de tudo?

– Estou, Padar-jan. Só quero conseguir chegar à turma em que eu deveria estar.

– E suas colegas? Está se dando bem com elas?

Eu sabia o que ele queria dizer. Estava perguntando se eu, a adolescente do terceiro ano, andava atraindo muita atenção negativa.

– Elas são ótimas. Não me incomodam. De qualquer forma, espero mudar de turma em breve.

Satisfeito, meu pai me deixou fazendo os deveres. Repetiríamos essa conversa de vez em quando, até que eu passasse para o quinto e o sexto ano, quando as matérias exigiam mais concentração e aprendizado. A leitura foi fácil, mas a matemática era um desafio à parte.

Aprendi a matemática simples no mercado. Se o homem da esquina me dizia um preço para 1 metro, eu sabia quanto custaria 5 metros. Sabia calcular o preço de um quarto ou de meio quilo de passas se soubesse o valor do quilo inteiro. Geometria e álgebra eram mais difíceis, mas eu consegui aprender.

Memorizava as fórmulas à luz de velas. Recitava as lições enquanto tirava a poeira da sala de estar. Meu dedo esboçava na perna palavras e parágrafos invisíveis enquanto jantávamos. Eu aproveitava todos os momentos em que podia absorver tudo o que eu precisava aprender.

Consegui alcançar a turma certa. Aos 16 anos, cheguei ao décimo primeiro ano, onde estavam as garotas da minha idade. Poderia me formar dali a apenas um ano. Estava orgulhosa, assim como meu pai. Ele lia todos os boletins escolares com atenção. Examinava os números e os comentários e me encarava. Em seus olhos, eu via o que ele não conseguia dizer em palavras. Os cantos da boca subiam num sorriso astuto, mas ele tentava parecer indiferente na sua avaliação.

– Muito bom.

Meu avô ouvia, de um canto, com um travesseiro apoiado sob o cotovelo e as costas apoiadas na parede, manuseando as contas do *tasbih*, seu rosário. O olhar em seu rosto era de quem não estava nem um pouco surpreso.

CAPÍTULO 4

Fereiba

Apesar do jejum, que ia do amanhecer ao crepúsculo, o Ramadã era um mês feliz. Em geral, eu estava tão consumida pelas tarefas escolares e domésticas que os dias de fome passavam depressa, indolores. Enquanto o céu estava claro, as barrigas roncavam, mas, depois do pôr do sol, desfrutávamos das comidas que passávamos o dia inteiro preparando – pratos especiais como recompensa pelo estoicismo.

Meu irmão, Asad, sempre ficava ranzinza e maldoso nas tardes do Ramadã. Certo dia, ele entrou na sala enquanto eu colocava uma almofada nas costas de Boba-jan. Sem dizer uma palavra, ele jogou uma de suas camisas nas minhas costas. Virei-me, surpresa.

– Asad! O que você está fazendo?

Era uma camisa de manga comprida que eu tinha lavado e passado havia pouco tempo.

– Asad, *bachem*. Por que você fez isso? – ralhou Boba-jan.

– Boba-jan, preciso dessa camisa limpa, mas ainda está manchada. Ela deveria ter tirado a mancha!

– Que mancha?

– De suco de amora.

– Ah, então é compreensível. Não se deve esperar que suco de amora saia de uma camisa. Sabe por quê?

– Por quê, Boba-jan?

Fiquei atenta; eu também não tinha a mínima ideia.

– Sente-se para que eu possa contar. É um bom modo de passar as horas até o *iftar*, quando podemos interromper o jejum e a agitação que o acompanha. Muito bem: havia e não havia, sob um céu carregado...

E com essa abertura, que funcionava como um "era uma vez" para as histórias afegãs, Boba-jan começava sua narrativa.

– Havia uma bela donzela...

Ele contou a história de uma jovem e um arqueiro que se conheceram por acaso na floresta. Quando a bela donzela ouviu o rosnado gutural de um tigre em meio às árvores, entrou em pânico, e seu nariz começou a sangrar. A jovem fugiu correndo, deixando para trás seu lenço ensanguentado. O arqueiro, ao encontrar o lenço com manchas escarlates e notando o tigre escondido ao longe, presumiu o pior. Com o coração partido e querendo vingar a morte da amada, o homem atacou o tigre, que o matou sem dificuldade. Quando a jovem donzela reuniu coragem para voltar à floresta, chorou ao ver o arqueiro estraçalhado e sem vida. A moça desabou ao lado de um arbusto com frutos venenosos e, sofrendo uma dor abismal, estendeu a mão e levou à boca um punhado tóxico, desejando que sua alma reencontrasse seu bem-amado no outro mundo.

– Desde então, aquela amoreira e todas as outras deram frutos que deixam manchas da cor do sangue que uniu aqueles dois corações. Uma mancha que nada consegue apagar.

Asad ouvira com atenção, mas, quando Boba-jan terminou a história, pareceu decepcionado por não ter a quem culpar pela camisa irremediavelmente manchada. Ele bufou e pegou a roupa do chão, perto de mim.

– Bem, não importa, essa camisa já está velha mesmo. Tenho outras melhores.

Eu estava pensando na história de Boba-jan enquanto andava pelo bazar, um ano depois, em busca de tâmaras rechonchudas para nosso *iftar*. Eu caminhava com leveza, pois estava ansiosa para chegar em casa e compartilhar as boas notícias. Tinha recebido a segunda maior nota na prova de matemática. Minha professora anunciara, alto o bastante para que todos ouvissem:

– Fereiba, nota quase perfeita. Só ficou abaixo de Latifa. Muito bom.

Sabia que os olhos de Boba-jan brilhariam de orgulho, daquele jeito que dizia mais do que palavras. Queria encontrar as tâmaras e chegar em casa cedo para ver meu avô.

Sheragha era dono de uma loja de especiarias e produtos secos: nozes, cardamomo aromático, sal-gema, açafrão moído vibrante e pimentas ardentes. Embora eu achasse a loja muito colorida e agradável aos sentidos, Sheragha parecia menos impressionado. Caminhava a passos lentos e pesados, tinha a largura de dois homens, e sua testa reluzia de suor mesmo no frio extremo do inverno. Eu raramente tinha sucesso ao negociar com ele, mas naquele dia o homem parecia generoso. Mantive a cabeça baixa e peguei um saco de tâmaras, com cuidado para não esbarrar nos dedos grossos e peludos de Sheragha.

Antes de voltar para casa, ajustei o xador na cabeça e contei as moedas na bolsa. KokoGul ficaria impressionada. Satisfeita com meu triunfo, não percebi a sombra que me seguia pela estreita rua transversal. Duas moedas caíram da minha mão na rua empoeirada. Agachei-me para pegá-las, então ouvi passos e palavras tão imundas que meu rosto corou. As moedas escaparam por entre meus dedos quando me levantei de um salto e me virei. A poucos centímetros estava um dos moleques de olhar malicioso do mercado. Dei um passo para trás e fiz cara feia. O cabelo dele estava grande, caindo sobre a testa. Os olhos eram escuros e muito juntos. O garoto deu um sorriso afetado, deixando à vista o escárnio e os dentes amarelados com uma falha no meio.

– Aonde está indo? Por que não fica um pouco? Tenho *nakhod* aqui no meu bolso. Pegue um pouco – zombou, abrindo o bolso da calça o suficiente para deixar cair alguns grãos-de-bico secos.

– *Be-tarbia!* – berrei. *Grosseirão*.

Dei meia-volta e saí correndo, torcendo para que o couro deformado das velhas sandálias aguentasse a disparada até a rua principal. O garoto gargalhou.

Entrei com tudo na cozinha, suando. KokoGul estava cortando carne e jogando os pedaços crus em uma panela com cebolas fritas.

– Ah, Dokhtar! – exclamou ela, lançando um olhar de surpresa e advertência.

Com a faca, ela apontou para o canto da cozinha onde havia um embrulho encostado na parede, envolvido por um cobertor verde e áspero.

KokoGul estava fazendo iogurte e precisava da mais absoluta tranquilidade para que a cultura vingasse.

– Você tem a graça de um elefante – acrescentou.

– Perdão – pedi, ofegante.

– O que aconteceu? Você parece agitada.

Eu estava constrangida demais para relatar o que acontecera.

– Tive medo de me atrasar e não poder ajudar com o jantar.

– Pois se atrasou demais. Já está quase pronto. Lave-se e prepare pelo menos uma salada. Minhas costas estão começando a doer. Trouxe *khormaa*? – perguntou ela, lembrando-se da tarefa que me confiara naquela manhã.

– Trouxe.

Peguei o saco de tâmaras junto do meu material escolar e entreguei-lhe o troco. Ela contou as moedas. Faltavam aquelas poucas que haviam caído enquanto eu fugia apressada.

– Parecem frescas. Em qual loja você comprou?

– Na de Sheragha. Ele estava com o humor pior do que o normal – menti, torcendo para que aquilo pudesse explicar a quantia que aparentemente fora gasta nas tâmaras.

KokoGul estalou a língua e pôs o saco de lado.

– Nada escapa das patas daquele urso. Vá para a sala. Seu avô estava esperando você.

Fui me lavar, evitando a sala de estar. Estava convencida de que meu avô podia enxergar meu interior de um jeito que KokoGul jamais conseguiria. Eu não tinha como encará-lo com o rubor de vergonha ainda no rosto.

Outro dia, pensei, e levei a prova para o quarto.

CAPÍTULO 5

Fereiba

No meu último ano no ensino médio, o pomar começou a me atrair cada vez mais. Os galhos carregados de frutos dobravam-se como dedos, me convidando a entrar. Sob o abrigo dos pessegueiros, chupando a seiva gosmenta e de cor âmbar que eu descascara do tronco, pensava no que faria depois da formatura. Algumas meninas iam para a universidade. Outras queriam se tornar professoras. Muitas se casariam. Eu não sabia bem o que desejava, mas não estava nem um pouco interessada em me casar, muito menos no trabalho doméstico que viria junto com isso.

Depois de concluir minhas tarefas, eu escapulia com um livro até o pomar. A grama parecia fresca sob meus pés, e as folhas macias faziam cócegas em meus dedos. Eu lia encostada numa amoreira, às vezes deitada de bruços na grama. Minhas irmãs me perguntavam por que eu me sentia tão atraída pelas amoreiras, e eu respondia que era porque ali eu sonhava melhor.

– Com o que você sonha? – indagavam.

– Sonho com o amanhã.

– O que vai acontecer amanhã?

– Não sei. Não consigo me lembrar do que acontece, mas sempre acordo com a sensação de que é espetacular. Uma história que vale a pena contar para os outros.

Foi naquele verão que meu avô ficou doente. Era uma tosse severa, incessante. Ele passou dias de cama, tomando xícaras de um chá de ervas que deveria exorcizar a doença de seu corpo. Fiquei atenta à sua respiração pesada, notando o suor sobre o lábio superior. Padar-jan convocou um médico, que aplicou uma injeção e deixou dois vidros com comprimidos. Ajudei meu avô a tomá-los, levando um copo d'água até seus lábios para ajudar a engolir os comprimidos ásperos.

Eu ia vê-lo quase todos os dias, esperando encontrar sinais de melhora. Mas o rosto empalidecia e a febre subia. Na quarta visita, preparei sopa e chá doce. Boba-jan tomou apenas alguns goles antes de implorar que eu o deixasse descansar.

Chamamos o médico outra vez. Meu avô parecia tão frágil e pequeno na cama. Queria muito vê-lo se levantar, pegar a bengala e andar até a cozinha. Meu pai e eu ficamos quase o tempo todo na cabeceira, mas nenhum dos dois comentou como Boba-jan parecia frágil. Padar-jan não falava muito, mas era o jeito dele, parecendo com medo da própria voz.

– Fereiba-jan – chamou meu avô.
– Sim, Boba-jan?
– Minha neta querida. Está quase acabando a escola, não é?
– Sim, Boba-jan. Só falta um ano.
– Bom, bom. E o que vai fazer depois de completar seus estudos?
– Não sei bem. Estava pensando em ir para a universidade, mas...

Ele estava com os olhos semicerrados. Eu me calei, achando que meu avô tinha caído no sono. Não tinha.

– Mas o quê? – perguntou ele.

Eu não sabia. Dei de ombros e passei um pano fresco na testa dele.

– Fereiba-jan, já viu seu pai trabalhar no pomar, não é? Os talentos dele vivem naquele lugar. Ensinei o que pude quando seu pai era menino, mas, antes de ele se tornar homem, já dava para perceber que havia mais ali dentro. Ele é um mestre na arte de cultivar e enxertar árvores.

Era verdade. Certo inverno, vi meu pai cortando um rebento cuidadosamente selecionado de uma macieira. Eu o segui até a beira do pomar, onde ele escolhera uma macieira bem enraizada, de uma variedade de casca bem vermelha. Cantarolando, papai acariciou a árvore e fez um círculo no tronco, procurando o lugar perfeito para introduzir o enxerto. Com precisão cirúrgica, ele cortou um galho em um ângulo certeiro, criando uma abertura. Lá dentro, enfiou a ponta mais fina do rebento, deixando as faces cortadas da madeira em contato direto, integrando as duas espécies. E não parou de cantarolar enquanto amarrava o enxerto no anfitrião com longas tiras de pano, circulando a junção. Cobriu a ponta do enxerto e seus três botões com um saco de papel, protegendo-o da secura do ar. Na primavera, tínhamos um novo tipo de maçã, originada de um ramo que deveria ter ressecado e morrido. Em vez disso, duas espécies vivas, que respiravam, passaram a fornecer uma nova fruta, exclusiva de nosso pomar. Uma fruta que era criação de meu pai.

– Queria que seu pai pudesse exercitar os talentos dele dentro de casa, mas tudo parece sumir quando ele passa pela porta. Isso deixa as coisas nas suas mãos, Fereiba-jan. – Boba-jan balançou a cabeça.

Eu quis discordar, argumentar que meu pai não era nada parecido com KokoGul, mas meu avô prosseguiu:

– Até seu irmão encontrou um caminho, sem obrigações com ninguém. Não sei a quem culpar. Ele tem o corpo de um cavalo, mas a mente de um jumento.

– Mas o senhor sempre cuidou de mim – lembrei, segurando sua mão.

– Talvez eu seja rígido com seu pai porque ele é parecido demais comigo. Mas você... você é diferente. É mais parecida com sua mãe, que a paz de Alá esteja com ela. Era uma mulher que via além do próprio nariz. Com ela, seu pai era melhor. Uma pena. Ela teria transformado seu pai em um homem.

Minhas pernas estavam ficando dormentes, sentada ali, ao lado de Boba-jan, mas eu não queria me mexer. Queria gravar na memória todas aquelas palavras.

– Mas não adianta falar essas coisas. Você é uma menina inteligente. Confie em si mesma para decidir o que é melhor para você.

– O senhor sempre sabe o que é melhor para mim, Boba-jan. Sempre posso contar com o senhor.

– É melhor não depender daqueles que têm cabelos brancos. Estamos muito perto de Deus para oferecer apoio firme – alertou ele, com um suspiro cansado.

Vovô estava exausto, então mudei de assunto. Conversamos sobre as roseiras que cresciam no jardim da casa dele. Falei sobre o vendedor de galinhas que teve que perseguir as aves cacarejantes pela rua do mercado quando uma criança abriu o trinco da gaiola. Boba-jan sorriu e assentiu, os olhos vagando à medida que o sono tomava conta de seu corpo.

Beijei as mãos dele e prometi voltar na manhã seguinte, mas, em algum momento entre minha visita e o alvorecer, Boba-jan partiu para ficar ao lado de Deus e de minha mãe. Fiquei imaginando se o anjo do pomar teria aparecido para levá-lo. Chorei por duas semanas, me isolando de meu pai, KokoGul e minhas irmãs. Queria ficar tão sozinha quanto me sentia, e achava que o único lugar que me permitiria isso era o pomar.

Quarenta dias após o falecimento de meu avô, fui outra vez ao pomar. A morte de Boba-jan me fizera pensar de novo no anjo que encontrara na infância, embora eu estivesse quase convencida de que não era nada além da minha imaginação juvenil me pregando peças. Mesmo assim, pensei que, se o visse outra vez, perguntaria sobre meu avô e minha mãe.

O pomar do vizinho ficava logo atrás de uma fileira de amoreiras, separado do nosso por um muro alto de barro. Ao longo dos dias, passando cada vez mais tempo à sombra das amoreiras, comecei a sentir que não estava sozinha. Era diferente da ocasião em que vira o anjo da guarda. Daquela vez, a presença parecia terrena. E, naquele dia, a presença espirrou.

Endireitei a postura, de repente muito constrangida. Fechei o livro e arrumei a saia, procurando a origem do espirro. Não havia um só pássaro à vista. Eu estava andando por entre as árvores quando ouvi um farfalhar de folhas mortas logo atrás do perímetro do muro e uma batida seca, seguida pelo som de passos que se afastavam correndo. Alguém estava me observando!

Nos dias seguintes, eu não sabia se deveria voltar para aquele canto do pomar. Mas, no fundo do coração, sabia que a amoreira sempre me trouxera sorte. Então voltei a caminhar perto delas, em silêncio, prestando atenção nos ruídos. Uma semana depois, me arrastei para junto do muro e observei as árvores do vizinho. Fiquei surpresa ao ver pernas em um galho pesado.

Era ele, eu tinha certeza. Tentei enxergar melhor o resto do corpo, mas só via as pernas das calças. Sandálias de couro pendiam dos pés, que balançavam.

Só podia ser o filho da família ao lado. Era alguns anos mais velho, mas eu nunca o vira. Se minha vida acadêmica não tivesse se atrasado tanto, poderíamos ter nos conhecido na escola. O que fazia um garoto, um rapaz daquela idade, pendurado numa árvore?

Reuni coragem e pisei de propósito em alguns galhos, depois chutei uma pedra enquanto me aproximava da amoreira, assumindo meu lugar habitual sob a sombra generosa. Olhei para cima; as pernas tinham desaparecido do meu campo de visão. O rapaz estava se escondendo! Peguei meu livro e fitei a página, as palavras se embaralhando enquanto eu me perguntava por que tinha ido até ali. Depois de um silêncio interminável, eu me levantei e voltei para casa, esperando não deixar transparecer todo o pânico que sentia.

Nada é absurdo para um adolescente. Adolescentes agem sem questionar. Voltei à amoreira todos os dias depois daquele, esgueirando-me por entre as árvores, espionando as tais sandálias de couro e assumindo meu lugar sob a árvore. Minha rotina era: escola, tarefas domésticas e pomar. Ficava acordada até tarde da noite trabalhando nos deveres porque no pomar eu não conseguia me concentrar. Depois de duas semanas de silêncio, resolvi que o desconhecido deveria saber que eu estava ciente de sua presença. Aquele impasse estava me deixando doida.

Fui da escola para casa tentando controlar a ansiedade. Quando entrei no pomar naquela tarde, estava munida de tanta coragem que mal me reconhecia. Caminhei fazendo barulho e me aproximei do muro. Quando tive certeza de que estava ao alcance dos ouvidos dele, falei em voz alta, mas não alta demais:

– Não é muito educado ficar espionando os outros. Seria mais respeitoso cumprimentar com um *salaam*...

Não ouvi resposta. Nem uma só palavra. Será que eu tinha imaginado tudo ou será que ele não estava ali naquele dia? Pior ainda: talvez me considerasse uma desavergonhada por ter falado daquele jeito com um desconhecido. Eu passava o tempo inteiro com meninas na escola ou em casa. Os únicos garotos da minha idade que eu conhecia eram meus primos. E era tabu interagir com garotos, eu sabia disso. Estava numa idade em que precisava me atentar ao comportamento, mas no pomar eu me sentia tão confortável e invisível que me permitia alguma liberdade.

Fiquei decepcionada e zangada por ele ter me ignorado quando ultrapassei o limite apenas para conversar. Fui embora pisando duro.

A curiosidade foi mais forte, e voltei no dia seguinte. Desafiadora, sentei-me sob a árvore por alguns minutos. Até que ouvi uma voz:

– *Salaam.*

Endireitei a postura de repente, o rosto vermelho com a certeza de que tinha mesmo ultrapassado algum limite. Fiquei subitamente envergonhada e assustada. Eu me levantei, respondi *salaam* meio sem jeito e voltei correndo para a casa.

Foram dias cheios de constrangimento. Durante duas semanas, Koko-Gul tinha sugerido, toda animada, que uma família rica queria nos fazer uma visita. Eles tinham um filho, um jovem bem-apessoado que provavelmente seguiria os passos bem-sucedidos do pai. Meu pai conhecia o pai do rapaz, Agha Firuz, encarregado de negócios oficiais. O homem via potencial em formar uma união com meu pai, que herdara a influência de Boba-jan junto à comunidade. Aspirações de prosperidade e de influência local levaram a esposa de Agha Firuz até nossa porta.

Fiquei ansiosa. Como qualquer garota, eu sonhava em ter pretendentes, em ver meus pais recusando propostas insistentes antes de resolvermos escolher uma suficientemente boa. O cortejo também me parecia atraente, a sensação de ser desejada por uma família inteira... Isso sem falar nas celebrações extravagantes e nos presentes que vinham com o compromisso.

Mas alguma coisa não me parecia certa. O interesse parecia cúmplice e mercantil. KokoGul me abordou numa sexta-feira, enquanto meu pai fazia as orações da Jumaa. Usava um vestido recém-passado e seu xador mais delicado, de chiffon cor de malva, com acabamento em uma renda num tom mais escuro. Ela entrou na cozinha cantarolando, animada, e me encontrou fazendo um lanche de pão e nozes.

– A esposa e a filha de Agha Firuz vêm nos visitar hoje à tarde. Por que não vai escovar o cabelo e vestir uma roupa bonita? Que tal aquele vestido roxo? Quando vierem, sirva chá e biscoitos salgados. Nada de doces! Não sei bem qual é o assunto da visita, mas não quero nenhum constrangimento.

Doces eram servidos à família de um pretendente como um sinal afirmativo, uma concordância em dar a mão de uma filha em casamento. Seria vergonhoso e despudorado servir amêndoas confeitadas ou chocolate para convidadas de uma primeira visita.

– Se me ouvir pedindo *chá*, significa que quero que *você* vá até a sala e sirva as convidadas. Isso é tudo. Não quero que elas aproveitem a oportunidade para tirar sua roupa e examinar cada parte de seu corpo. É só para dar um gostinho. Coloque as xícaras na frente delas, ofereça biscoitos e então retire-se para a cozinha com uma cortesia. Agora, se me ouvir pedindo mais *biscoitos*, peça que uma de suas irmãs leve a bandeja. E não entre na sala de jeito nenhum.

Era um jogo estratégico, e KokoGul não queria mostrar a mão até ter certeza das cartas das oponentes.

Perdi o apetite, então fui me arrumar para ficar apresentável. Remexi nas peças do guarda-roupa enquanto tentava imaginar uma forma de escapar daquela visita orquestrada, sem saber muito bem por que me sentia tão mal com uma coisa que toda menina devia querer. Eu só desejava poder desaparecer no pomar.

Quando bateram ao portão, Najiba correu para receber as visitas. Ela as conduziu pelo pátio e pelo jardim modestos. KokoGul esperava na entrada principal, ansiosa por acolhê-las. Fiquei olhando da janela do andar de cima enquanto as duas recém-chegadas dobravam os xales bordados e os jogavam por cima dos braços quase em sincronia. KokoGul e as duas trocaram beijos no rosto e gracejos enquanto minha madrasta as conduzia até a sala. Fui para o alto da escada na ponta dos pés, a fim de ouvir a conversa.

A esposa de Agha Firuz era uma mulher baixa e robusta, com cabelo grisalho e um sinal pouco auspicioso logo acima da sobrancelha esquerda. O lábio inferior fazia um biquinho, numa expressão de reprovação não intencional. Os olhos vagavam por toda parte, examinando e comparando com a própria casa. KokoGul levou as convidadas até o sofá esculpido à mão, um presente de casamento de Boba-jan a meus pais.

A filha de Agha Firuz se comportava como a mãe, mas era fisicamente muito diferente. Parecia ter quase 15 centímetros a mais, porém com metade da largura. As sobrancelhas grossas, pintadas a lápis, arqueavam-se sobre olhos delineados com *kohl*, e o batom fúcsia muito vibrante combinava perfeitamente com o vestido. Pareceu quase bonita, até que deu um sorriso educado para KokoGul. Do meu esconderijo, percebi que os dentes eram tortos e feios. Senti o estômago se revirar com aquele sorriso, mesmo sem saber muito bem o que causava aquela reação tão visceral.

Eu conhecia KokoGul bem o bastante, sabia que estaria avaliando a filha de Agha Firuz, decidindo em que eu me equiparava a ela. Os olhos se moviam depressa, assim como os da esposa de Agha Firuz, enquanto minha madrasta calculava o que a família pensaria de mim. Embora estivesse longe de ser uma beldade, eu herdara a pele clara e o cabelo escuro de minha mãe. Sabia que KokoGul já estava calculando os efeitos da união das famílias. Se meu pai ajudasse Agha Firuz a expandir seu comércio têxtil, com certeza haveria benefícios para os dois. KokoGul estava inquieta, sua mente já gastando o dinheiro que ela antecipava.

– Fereiba-jan, por favor, traga *chá* para nossas convidadas! Devem estar morrendo de sede, depois de andarem nesse calor. Os últimos dias têm sido bem quentes, não? – disse KokoGul, mantendo a pose.

Desci a escada com os degraus que rangiam e fui para a cozinha. Arrumei as xícaras e os pratos de porcelana de KokoGul em uma bandeja de prata e levei-os para a sala. Meu rosto ardeu quando senti os olhares sobre mim. Mantive os olhos fixos na bandeja, segurando-a com tanta força que os nós dos dedos ficaram brancos.

– *Salaam* – cumprimentei baixinho, colocando uma xícara diante da esposa de Agha Firuz.

– *Wa-alaikum*, minha querida – respondeu ela, com um sorriso ávido.

Deixei que o xador caísse sobre meu rosto, ocultando o rubor de minhas bochechas. Com um esforço para não tremer, coloquei a segunda xícara diante da filha, depois ofereci o pratinho de biscoitos. A filha de Agha Firuz abriu um sorriso maroto e pegou dois. De perto, o sorriso também me fez sentir calafrios, mas dessa vez eu sabia por quê.

Ela tinha o mesmo sorriso de dentes separados daquele garoto atrevido do mercado.

Se as xícaras já não estivessem diante de cada convidada, eu com certeza as teria derrubado. Mantive a cabeça baixa e saí da sala depressa. Ainda ouvi a esposa de Agha Firuz sugerir casualmente a KokoGul que eu me juntasse a elas para uma xícara de chá. Minha madrasta descartou a sugestão, mas começou a exaltar minhas virtudes. Najiba estava na cozinha, bebendo um copo d'água, sempre neutra e alheia ao que se passava à sua volta.

– Najiba, pode ficar aqui e prestar atenção nos pedidos de Madar-jan? Espere um tempinho, depois encha as xícaras outra vez, por favor. Minha cabeça está girando, preciso me deitar.

Najiba me encarou, ajeitando o cabelo atrás da orelha.

– Tudo bem, Ferei – respondeu, afetuosamente.

Dei um beijo no rosto dela e saí pelos fundos da cozinha, subindo a escada da forma mais silenciosa possível.

No andar de cima, me apoiei na parede, o coração disparado. Rezei para que as emissárias de Agha Firuz se despedissem logo.

CAPÍTULO 6

Fereiba

O CORTEJO E OS PRESENTES PERDERAM O APELO romântico quando a realidade do casamento foi apresentada. Eu não conseguia me imaginar como parte da família de Agha Firuz. Como eu poderia explicar a Padar-jan como me sentia? Por meio dos comentários dissimulados de KokoGul, descobri que Padar-jan estava estudando as propostas de negócios de Agha Firuz. Eu não podia confessar minhas preocupações para minhas irmãs nem para meu irmão. Tinha muito o que discutir e ninguém com quem conversar.

KokoGul aguardava, ansiosa, uma segunda visita da esposa de Agha Firuz. Um cortejo de respeito era uma dança lenta e deliberadamente recatada entre as duas famílias. KokoGul ensaiou para aquela visita, era sua chance de fingir surpresa e hesitação. Tinha se tornado especialmente leniente em relação a mim nas últimas semanas. Fui liberada de muitas das minhas tarefas na casa, um mimo que me deixava mais desconfiada do que grata.

– Fereiba-jan, não se incomode com as panelas hoje. Esfregá-las demais vai ressecar suas mãos macias. Deixe que sua irmã ajude! – exclamava.

Baixei a toalha e virei as palmas para cima. Depois de anos lavando a roupa da família, peneirando arroz seco e esfregando panelas queimadas, criaram-se calos nos meus dedos. Sequei as mãos. O pomar me chamava.

Quando me aproximei da amoreira, as pernas com sandálias subitamente pararam de balançar. Esforcei-me ao máximo para ver seu rosto, mas o rapaz estava quase todo escondido pela folhagem, como sempre. Ele podia me ver de seu esconderijo, o que eu achava muito injusto, mas não ousava protestar. Precisava levar minha modéstia em consideração.

– *Salaam*. – Uma saudação cautelosa.

– *Salaam* – respondi.

Respirei com mais facilidade no silêncio que veio a seguir. Estava mais confortável com esse desconhecido, protegida pelo muro do pomar. Aguardei que meu vizinho ponderasse as palavras seguintes. Naquele dia havia uma tensão tranquila entre nós.

– Não trouxe o livro hoje.

– Não ando com muita vontade de ler – confessei.

– Alguma coisa a perturba.

Quanto eu poderia revelar? Estava me sentindo solitária. Ninguém na minha família sabia como eu me sentia. Ninguém sabia o motivo. Estava tudo preso na minha garganta, como algo que eu não conseguia engolir nem cuspir.

– Venho para o pomar quando estou querendo evitar alguma coisa. Ou pensar em... assuntos particulares. – A voz dele foi baixando.

Mantive os olhos fixos na grama. Não queria ver o rosto dele nem nenhuma outra parte. Naquele momento, as oscilações inseguras de sua voz eram tudo de que eu precisava.

– Meu pai ama o pomar, faz até as orações do alvorecer aqui. Acredita que suas orações alimentam as árvores, mas provavelmente é o contrário – comentei. – Ele esvazia o coração para as árvores, para seus galhos e raízes, e elas, em compensação, adoçam sua boca com frutas. Durante as tardes, o pomar é meu. Minhas irmãs têm muito medo para se aventurarem tão longe no meio das árvores.

– Algumas pessoas temem o que não conseguem ver.

– Eu vi, e não há nada a temer por aqui. É o que há além deste pomar que me assusta.

Houve outro momento de silêncio.

– Você estava lendo Ibrahim Khalil da última vez.

Fiquei surpresa. De fato, era o que eu estava lendo. Minha habilidade de leitura tinha se desenvolvido muito, e eu andava estudando os escritos de poetas afegãos contemporâneos.

– Estava, sim.

– Por quê?

Por quê? Era uma pergunta que eu não poderia responder com muita eloquência. Havia algo de potente na clareza e na concisão dos versos. Como era impressionante condensar os pensamentos mais profundos em algumas linhas, cozinhá-las e moldá-las num pacote rítmico encantador. E eu adorava abrir esses pacotes e decifrar os versos, era como desembrulhar um presente só para mim.

– Ele é uma bússola – expliquei, enfim. – Há dias em que durmo e acordo com um dilema. E posso pensar e pensar, mas não consigo compreender nenhum detalhe. No entanto, mais de uma vez, li os versos dele e aí... não sei bem como descrever. É quase como se ele tivesse escrito respostas para as perguntas que nunca fiz.

– Hum.

Ele estava achando ridículo?

– É como entendo – acrescentei. Senti que estava corando.

– Posso recitar um de meus favoritos?

Assenti. Ele pigarreou e começou o recital. Reconheci como um dos poemas que eu tinha sublinhado e selecionado com um marcador.

Enquanto trilha o caminho ao templo da sua busca suprema
Uma centena de picos cria dificuldade extrema
Com o machado da persistência, passo a passo, avance
E deixe que suas aspirações fiquem a seu alcance

Sim, pensei, olhando para o horizonte e vendo a centena de picos que separavam Cabul do resto do mundo. Houve silêncio enquanto as palavras simples tornavam a distância entre nós exígua e insignificante. O trecho escolhido fez parecer que ele sabia de todos os pensamentos que eu nunca ousara compartilhar. Ele tinha me envolvido num abraço carinhoso. Foi minha primeira experiência de intimidade, ao mesmo tempo empolgante e assustadora.

– É um lindo poema – elogiei, por fim. – Obrigada.

Desejei-lhe bom-dia e fui embora com um nó na garganta, sem querer chorar diante dele. Já havia revelado o suficiente em um dia.

Voltei correndo para casa e passei por KokoGul ao subir a escada. Ela estava fazendo bainha numa saia e mal ergueu os olhos.

– Vai cair e quebrar a perna, aí vamos ver quem vai carregar você. Comporte-se como uma menina da sua idade!

Dias depois, KokoGul recebeu a visita que vinha esperando. Os Firuz deixaram as intenções claras e oficiais. Minha madrasta estava encantada, como se fosse ela que estivesse sendo cortejada, não eu.

– Eu sabia! Sabia que dariam uma olhada no rosto da minha filha e veriam a mais bela *aroos* que uma mãe poderia desejar para o filho! Aquela mulher teria muita sorte de ter você como nora, e eles sabem disso. É bem mais bonita do que qualquer um da família deles, e nesta casa temos um bom nome. Seu Padar é respeitado como era seu Boba-jan, que Deus lhe dê a paz eterna. Agha Firuz terá que *provar* que eles merecem nossa filha. E não vamos facilitar... ah, não, não, não. Farei aquela mulher visitar nossa casa tantas vezes que ela não será capaz de dançar nas núpcias de tantos calos nos pés. E nem me importo com todo o dinheiro que eles têm.

Eu sabia que não era verdade. Depois da primeira visita, KokoGul estimara quanto tinha custado o tecido dos vestidos das duas mulheres. Avaliara costuras e moldes, comentando que apenas a costureira mais hábil de Cabul seria capaz de criar uma roupa que deixava uma silhueta tão atarracada com aparência feminina.

Fiquei aliviada em ouvir o plano de KokoGul para o dia em que voltariam. Nós duas queríamos que eu desaparecesse na segunda visita.

– Suas irmãs trarão o chá e os biscoitos. Já viram você da última vez. Deixe que fiquem um pouco com água na boca.

– Madar-jan, uma garota deve ter múltiplos *khastgaar*, não é? Você disse muitas vezes que um *khastgaar* atrai um segundo e um terceiro. Ficaria melhor para nós, certo? Talvez devesse rejeitar essa família.

KokoGul recusou meu raciocínio.

– Um segundo e um terceiro *khastgaar*? Olhe só, alguém está se achando importante! O filho de Agha Firuz não é bom o bastante? Um menino educado, de berço de ouro e pai respeitado não é bom o bastante? Ouça aqui, menina, não é porque uma família aparece batendo à nossa porta que todas as outras vão fazer o mesmo! Cabul está cheia de meninas.

A postura dela tinha mudado completamente.

– Só achei que...

– Você deveria agradecer por alguém ter aparecido! Uma garota sem mãe não é bem o tipo de esposa que uma família recebe de braços abertos.

Sem mãe. As palavras não deveriam ter doído tanto. Eu tinha passado a vida como enteada de KokoGul, ciente, a cada respiração, de não ser Najiba ou as outras. Fui herdada, uma forasteira na casa de meu pai. As vezes em que eu rira de suas piadas, em que aprendera a cozinhar os pratos que ela adora, em que eu fizera massagens para diminuir suas dores nas costas, o fato de ter passado a vida chamando-a de Madar-jan... eu queria apagar tudo isso. O coração de KokoGul era um espaço limitado, um recipiente de dimensões finitas, e cada centímetro tinha sido tomado por minhas irmãs e meu pai... Eu a encarei e enxerguei como era por dentro. Mais uma vez, e agora ainda mais inesperadamente, eu me vi sem mãe.

– Que ideia ridícula. Eu é que tenho que cuidar disso. Você é jovem demais para saber o que é bom para sua vida.

Notei o anel de lápis-lazúli esbarrando na xícara de chá. KokoGul era uma mulher tempestuosa, com sentimentos fortes. Mas em cada abraço, em cada conversa, em cada olhar para mim... ela era morna. Imaginei a casa sem mim: minhas irmãs rindo pelos corredores, meu irmão ao lado de meu pai e KokoGul com as mãos nos quadris, comandando tudo, muito orgulhosa de si.

Por que minha mãe teve que morrer?

Nada de excepcional aconteceu naquela tarde. Foram poucas palavras, nada muito diferente do que qualquer outro dia, mas foi um momento particular e cataclísmico em que pude ver aquela mulher diante de mim sem filtro.

– E eles vão voltar bem antes do que eu esperava... – comentou KokoGul, pensando alto. – Mas vou dar um jeito de mantê-las presas.

KokoGul deixava a própria boca cheia d'água, de tanto desejo.

Vi os picos de centenas de montanhas se erguerem diante de mim.

CAPÍTULO 7

Fereiba

A FAMÍLIA DE AGHA FIRUZ ME APROVAVA. Eu deveria me sentir lisonjeada.

Em vez disso, eu me perguntava se, naquela primeira visita, podia ter feito alguma coisa para desviar a atenção das mulheres.

Mas a esposa de Agha Firuz voltou, e dessa vez trouxe o filho. Proibida de aparecer, eu me mantive escondida. Esgueirei-me para dar uma olhada e confirmar minhas suspeitas: sentado ao lado da mãe, parecendo educado como um príncipe, estava o garoto do mercado. Desapareci sem que ninguém percebesse.

Enojada, sentei-me na cama. Encostei a cabeça na parede.

Ouvia KokoGul falando com aquela voz meio cantada que ela sempre usava para contar histórias engraçadas. Era mestra em contar histórias, criando suspense com o ritmo das palavras. Seus olhos se iluminavam quando recebia atenção. Desarmava as pessoas com seu jeito, imitando vozes e expressões faciais de um modo que fazia os ouvintes dobrarem o corpo de tanto rir.

As pessoas a amavam. Eu a amava.

Desde a morte de Boba-jan, meu pai se distanciara ainda mais. Certa vez, coloquei uma tigela com damascos secos e nozes a seu lado, enquanto ele lia. Meu pai tirou os olhos do jornal, assustado, murmurou alguma coisa e balançou a cabeça, o que deixou claro que não era a mim que esperava ver quando ergueu os olhos. Ainda lamentava a perda de minha mãe, assim como eu. Não dizia uma palavra sequer sobre ela, mas a melancolia em seu olhar não escondia nada. Mal se dava ao trabalho de perguntar sobre minhas aulas. Não trocávamos mais do que algumas palavras por dia.

Eu queria pedir a ele que recusasse aquele pretendente.

Mas meu pai veria as coisas do ângulo de KokoGul. Sempre via. Nem tanto por ela estar zelando por seus interesses financeiros, mas porque isso lubrificava as engrenagens em nossa casa. A vida dele ficava mais fácil quando concordava com minha madrasta.

Eu passava cada vez mais tempo no pomar. A casa cheia de gente traía a solidão que eu sentia. KokoGul andava excepcionalmente animada. Passava as manhãs na loja de tecido e as tardes com a costureira. Seu armário celebrava as novas rendas, o lenço delicado e o xale branco de lã maravilhosamente bordado, com fios de ouro e de esmeralda.

E o cortejo seguiu, as damas sempre deixando claro que estavam em busca de uma esposa para o filho de Agha Firuz. Não queriam esperar. Aquele era um rapaz educado, que herdaria os negócios do pai. KokoGul não achou bom que pedissem uma resposta tão depressa. Para ela, a dança tinha acabado de começar.

– Fereiba-jan é uma menina muito trabalhadora. Meu marido já quis contratar criados para ajudar na casa, mas Fereiba e eu damos conta de tudo juntas. E prefiro não ter desconhecidos dentro de casa, então recusei.

Balancei a cabeça. Era difícil separar a verdade da mentira nas palavras de KokoGul. Duvidava que ela mesma percebesse a diferença.

– Que bom para você ter criado uma filha trabalhadeira. Nunca permiti que minhas filhas fizessem as tarefas domésticas. Tive medo de que acabassem como criadas dos outros. Mas ter uma *aroos*, uma noiva, capaz de cuidar da casa... isso seria uma mudança muito bem-vinda!

– Sim, de fato. Minhas outras filhas não estão muito envolvidas pelo mesmo motivo.

KokoGul continuou a dança, o dedo com o anel de lápis-lazúli rodando no ar enquanto ela coreografava a conversa.

– Ferei, você vai mesmo se casar? – sussurrou Sultana, meio atordoada, enquanto eu me concentrava no trabalho de literatura.

Ignorei a curiosidade das irmãs mais novas. Eu conversava, comia e dormia muito pouco. O dever de casa era a única distração eficiente. Quando tinha tempo, ia ao pomar para ficar amuada com privacidade.

KokoGul discretamente reunia tudo o que precisava para meu *shirnee*, a bandeja de doces simbólica a ser oferecida à família do pretendente, representando a aceitação formal da proposta. Uma bandeja folheada em prata, tule dourada e uma caixa de uma confeitaria de Cabul estavam guardadas na gaveta da cômoda. Apesar da encantadora dança com a esposa de Agha Firuz, KokoGul estava ansiosa para me enfeitar de fitas e me mandar para uma nova casa. Examinei as coisas que ela havia comprado. Eu guardava a roupa de baixo lavada naquela gaveta e tive que resistir à vontade de rasgar o tule, destroçar os doces e deixar KokoGul com apenas uma pilha trágica de papeizinhos de embrulho dourados.

– Por que você está triste?

Perdida em pensamentos, eu não tinha ouvido o barulho das folhas sendo esmagadas pelos pés de meu vizinho, que se aproximava. Desde que não vissem minha cara inchada, eu não me importava com a companhia anônima. Toquei a parede. Meus dedos percorreram a superfície áspera, e uma pontinha de barro se levantou. Esfreguei com um pouco mais de força, e mais barro se desmanchou e caiu no chão. Eu me virei e me encostei no muro. A poeira cáqui permanecia na ponta dos dedos

– Tem uma família... com um rapaz. – Tentei diferentes combinações de palavras, mas não consegui dar nenhuma explicação de verdade.

– Seu pretendente?

Embora ele não conseguisse me ver, eu assenti.

– Você sabe? – perguntei.

– Minha mãe e minhas irmãs estavam falando nisso. Viram a família ir e vir, e KokoGul mencionou alguma coisa quando passou por aqui essa semana.

– Ela visitou sua casa?

Eu não tinha prestado atenção no paradeiro de KokoGul nas últimas duas semanas.

– Visitou – respondeu a voz, baixinho. – Não posso dizer que tenho uma opinião muito boa sobre esse rapaz.

– Você o conhece? – A afirmação dele só confirmava meu julgamento.

– Não muito bem. Já o vi aqui e ali, de longe. Mas frequentamos a mesma escola de ensino médio.

– Mas você tem uma opinião sobre ele, mesmo de longe.

– Algumas coisas ficam mais claras com a distância. Não sei se devo revelar mais.

– Seja o que for, você deve revelar, sim. Ninguém mais está dizendo nada digno de ser ouvido.

Ele me falou sobre o mau comportamento do rapaz. Perseguindo garotas, brigando com colegas, tirando notas ruins. Circulavam boatos sobre ele, coisas que meu confidente do pomar se recusava a contar. Como o jovem Firuz terminara o ensino médio, os pais esperavam que o casamento o ajudasse a amadurecer, já que a idade não o fizera.

Eu me encolhi no chão, abraçando meus joelhos, e soltei um gemido derrotado.

– Sinto muito. Não queria assustá-la, mas achei que você deveria saber. Que sua família deveria saber.

Como eu poderia contar tudo aquilo para minha família? Não podia repetir as informações que tinha ouvido de um desconhecido com quem andava me encontrando no pomar.

– Não sei o que fazer – murmurei. – Minha mãe acha que a família seria uma boa aliança. E meu pai... mesmo quando está ali ao lado, ele não está por perto de verdade. Só fica feliz em deixar que minha mãe resolva tudo. Tentei convencê-los de que não queria me casar ainda, mas ela não está interessada no que eu desejo. Não vai acreditar em nada que eu disser sobre esse rapaz, a não ser que eu não dê ouvidos a boatos.

– Entendo.

Meu comportamento era imperdoável. Eu tinha revelado pensamentos particulares e assuntos da família para o filho do vizinho, uma voz sem rosto que se ocultava por trás de um muro. Onde estava minha honra? E como eu poderia confiar que aquele desconhecido manteria nossas conversas em segredo? De repente, fiquei apavorada.

– Por favor, me desculpe... Eu não deveria ter dito nada. Não sei por que o incomodei com esse assunto. Por favor, esqueça – pedi, endireitando os ombros e tentando livrar a voz de emoção.

– Você está nervosa. Não fez nada errado...

– Fiz, sim. Por favor, não repita nada disso para ninguém. Eu não esperava... que fosse assim.

– Você tem minha palavra: não falarei nada a ninguém. Mas vou lhe contar mais uma coisa: estou tão preocupado quanto você com a notícia desse pretendente.

O pomar prendeu a respiração. As palavras pendiam no ar, por cima do muro que nos separava, e permaneceram ali, fora do alcance o suficiente para que ele não pudesse pegá-las de volta e eu não pudesse tomá-las para mim. Eu não queria que as palavras voassem para longe.

– Por que está preocupado com esse pretendente?

Ele ficou calado. Repeti a pergunta, mas continuei sem resposta.

– Você está aí?

– Estou aqui.

– Não me respondeu.

– Não, não respondi.

O ar ficou denso com a hesitação dele. Eu me contive, sem ousar preencher o silêncio com minhas próprias interpretações. Queria apenas suas palavras. Num rompante de sinceridade, eu enfim percebi por que tinha voltado àquele lugar dia após dia. Toquei no muro, trêmula.

– Vou voltar para casa. Bom dia.

– Fereiba-jan.

Ele sabia meu nome. Fiquei paralisada. Minha pele formigava de tanta expectativa.

– Por hoje, saiba apenas que a notícia sobre seu pretendente me angustia. Venha amanhã para que possamos pensar num modo de mudar a situação. Deus é misericordioso.

Ouvi os passos dele se afastando, imaginei a grama amassada sob as sandálias de couro. Meus olhos se fixaram no muro entre nós, a barreira que nos afastava – mas não tanto quanto nos unia, pois sem ela eu teria fugido, envergonhada, muito tempo antes. O muro era minha *purdah*, minha cobertura.

Naquela noite, meu pai chegou em casa e me viu na cozinha, descascando cenouras roxas que ele colhera na horta. Levantei-me para saudá-lo com um beijo no rosto. Ele meneou a cabeça discretamente. Parecia em conflito, como se houvesse muito que gostaria de dizer, mas não podia.

– Onde está KokoGul? Foi descansar?

– Ela foi ao mercado com Najiba e Sultana. Já devem estar voltando.
Ele deu dois passos para fora da cozinha, então hesitou e voltou.
– E você, como está? – Ele parecia preocupado.
– Eu, Padar-jan? Estou bem.
– Está?
– Estou – respondi, humildemente.
Pelo tom de voz, sabia que ele estava me perguntando mais do que isso. Eu sabia que ele me amava tanto quanto a meus irmãos. Se eu não tivesse feito minha mãe partir, talvez ele tivesse me amado mais.
– Sabe, você é muito útil para todos aqui em casa. Sempre trabalhou muito.
Fiquei escutando de cabeça baixa, respeitosamente.
– Que Alá a mantenha viva e bem, minha filha.
– O senhor também, Padar-jan.
– A cada dia, há mais dela em você. A cada dia…
Como as palavras suspensas no pomar, essas também pairavam no ar. Não tinham sido ditas nas conversas com meu pai; ficavam implícitas cada vez que ele me encarava, como se me ver lhe causasse sofrimento. Eram o tipo de palavras carinhosas que deixariam KokoGul aos berros.
Se eu não tivesse vivido isso, acharia muito difícil alguém lamentar a morte de uma desconhecida. Nunca poderia imaginar que seria algo que eu passaria a vida inteira fazendo.
Como queria puxar uma cadeira e implorar a meu pai que continuasse, que me contasse cada detalhe sobre minha mãe, para que eu pudesse, no mínimo, conhecer a mulher por quem sofria. Queria que ele me contasse sobre a primeira vez que a viu, o som de sua voz, suas comidas preferidas e o formato de seus dedos. Queria fechar meus olhos e vê-la diante de mim, ouvi-la pronunciar meu nome uma única vez. Mas tentar invocar minha mãe era como cantarolar uma canção que eu nunca tinha ouvido.
Padar-jan se afastou depressa, como se soubesse o que eu perguntaria, caso ele permanecesse ali. Ouvi seus passos apressados no aposento ao lado, enquanto, inexpressiva, fitava minhas mãos, manchadas de violeta pelas cenouras que meu pai cultivara desde as sementes.
KokoGul com certeza conversara com meu pai sobre o filho de Agha Firuz, mas, pela atitude, não dava para decifrar como ele se sentia. Eu não

esperava que meu pai falasse diretamente comigo sobre o cortejo – esses assuntos não eram tema de conversas entre pais e filhas. As mães eram as encarregadas de cuidar dessas questões, levando as informações de um lado para outro, enfeitando-as de forma que se encaixassem em suas necessidades. No meu caso, KokoGul vinha tecendo elogios ao filho de Agha Firuz como se fosse a mãe dele.

Padar-jan queria me ver casada? Havia chance de ele rejeitar a proposta? Eu só podia imaginar.

Voltei à conversa no pomar. Tinha ficado desconcertada ao ouvir a voz dizer meu nome. O anonimato do pomar se perdera. Fiquei empolgada, mas me sentia exposta. Queria conhecê-lo.

Voltei para as amoreiras na tarde seguinte. Senti o rosto corar antes mesmo de meus pés tocarem a grama. Era um jogo perigoso, mas não éramos mais culpados de flertar do que duas pipas cujas linhas se emaranham por causa de um vento inesperado, éramos?

Um assovio viajou com a brisa. Sorri para mim mesma e inspirei. Era ele. Pigarreei para anunciar minha chegada. Ele reparou.

– *Salaam* – cumprimentou.

– *Salaam*.

– Como está hoje?

– Bem. E você? – Eu estava ficando mais ousada nas minhas conversas.

– Bem.

O sol atravessou os galhos da amoreira, aquecendo meu rosto. Estreitei os olhos, mas fiquei imóvel. A luminosidade me acalmava. Perguntei-me se ele sentiria o mesmo.

– Vi seu pretendente hoje de manhã.

Ele capturou minha atenção com aquelas poucas palavras.

– Viu? Onde?

– Perto da padaria. Estava comprando massa para minha mãe. Ele estava andando por ali com uns amigos, passando o tempo como sempre passa. – As palavras eram bem medidas, cautelosas. O tom de voz revelava o que as palavras omitiam. – Foi muito bom você ter começado a frequentar a escola mais tarde. Nada que os professores fizessem controlava aquele rapaz. Ouvi dizer que todos comemoraram quando ele finalmente partiu.

Meu vizinho sabia a respeito de minha educação. Como podia saber tanto sobre mim se eu não sabia nada sobre ele?

– Você parece conhecer minha vida muito bem. E não sei nada sobre você, a não ser que gosta de espiar os vizinhos e de recitar poemas em árvores.

Ele deu uma risada.

– A altura me dá perspectiva. Mas você está certa. O que gostaria de saber de mim?

– O que está estudando? – perguntei, arrancando a grama, enquanto tentava imaginar o rosto dele.

– Engenharia. Estou quase acabando os estudos na universidade. Talvez seja por isso que eu goste de me sentar junto dos pássaros. De longe, é mais fácil ver como as coisas funcionam, como a água flui do alto para baixo.

– Parece que você gosta bastante disso.

– Gosto, sim.

– Eu também queria ir para a universidade.

– O que gostaria de estudar?

Meses antes, eu vinha pensando com frequência naquela exata pergunta, embora não tivesse chegado a uma resposta. Ocorreu-me que, naquelas últimas semanas, eu tinha parado de imaginar os amanhãs. Parara de pensar no que queria fazer. Boba-jan teria ficado decepcionado. Meu anjo do pomar, se realmente existisse, teria balançado a cabeça. O que eu *queria* fazer?

Uma resposta escorregou pela boca, como se eu tivesse chegado a uma decisão havia tempos. E era mesmo a decisão mais natural.

– Ensinar. Acho que não existe nada mais importante do que ensinar. Claro que a engenharia é importante, mas até os engenheiros precisam de professores.

– Tem razão. Professores são o fermento que faz a massa crescer. Você seria uma ótima professora.

– Não sei se terei a oportunidade – respondi baixinho.

– Sua família disse mais alguma coisa sobre aquele assunto?

– Não, e acho que não vão me dar nenhuma notícia até tudo estar decidido. Eu me sinto quase como se não fizesse parte da família. Minha mãe e minhas irmãs estão tão envolvidas com convidados, presentes e comemorações... Tudo está acontecendo à minha volta, e eu sou invisível... Sou só a garota que *costumava* morar nesta casa. – Minha voz falhou na última frase.

– Você não é invisível. Posso fechar os olhos e ver seu rosto. Posso ficar sozinho e ouvir sua voz. Você pode ser tudo, menos invisível.

Com aquelas palavras, a voz fazia uma declaração que tinha apenas uma interpretação. A voz era a única que eu queria ouvir, a única pessoa que falava comigo, que falava sobre mim. Era como se ele tivesse escalado o muro de barro entre nós e me permitisse apoiar minha cabeça em seu ombro.

– Você não deveria dizer essas coisas... – repreendi, baixinho. Minha reação era reflexiva, protetora.

Ele compreendia.

– Vamos fazer uma coisa então, que tal? Talvez uma oração? O que acha?

Eu não desconhecia o valor da oração. O chamado do *azaan*, do minarete mais próximo, me trazia calma. Cinco vezes por dia, eu tinha a chance de compartilhar meus pensamentos com Deus. Tinha a chance de pedir perdão e rezar para que Alá mantivesse minha mãe e meu avô em Seus jardins pacíficos. Talvez Deus pudesse ouvir melhor duas vozes juntas do que a minha sozinha.

– Tudo bem, eu concordo – respondi, então deixei que ele começasse.

– *Bismillah al Rahman al Raheem...*

– *Bismillah al Rahman al Raheem...*

Ele recitou uma oração simples, e eu repeti as palavras em voz baixa, de olhos fechados. Então ele encerrou com um pedido simples:

– Por favor, Alá, traga uma solução para a situação de minha vizinha. Por favor, ajude-a a evitar o caminho que estão escolhendo para ela e seu pretendente. Minha vizinha não tem sido capaz de respirar em paz nas últimas semanas, e as coisas com certeza ficariam piores com esse pretendente, como o Senhor sabe melhor do que ninguém. Por favor, encontre um modo de levá-la a um lar onde será valorizada. Por favor, encontre um modo de ajudá-la a tomar essa decisão por si mesma e ajude sua família a tomar a melhor decisão para ela. Por favor, permita que ela possa continuar os estudos e aprender a ensinar, para que então possa ajudar os outros. Por favor, não permita que ninguém a impeça de atingir seus objetivos.

Ele fez uma pausa.

– E, por favor, me ajude a alcançar meus objetivos, tanto na escola quanto na vida. Por favor, permita que tenhamos um futuro mais feliz.

Será que eu ainda teria rezado junto, caso pudesse ver o futuro e saber como nossas orações foram respondidas? Será que ele ainda teria dito aquelas palavras? Eu ficava apavorada de pensar que, sim, teríamos. E ainda mais apavorada de pensar no que poderia ter acontecido se não tivéssemos rezado.

Naquela noite, já com a cabeça no travesseiro, pensei em Rabia Balkhi, uma lendária afegã do século X. Rabia, uma princesa autêntica, levava uma vida de riqueza, num palácio com criados a seus pés. Quando o pai morreu, o irmão se tornou seu guardião. Rabia vivia em uma solidão extravagante, preenchendo os dias com versos de sua criação.

Mas o amor pode nascer até mesmo onde mal existe ar para respirar, e Rabia se apaixonou por um belo rapaz, Baktash. O relacionamento, uma troca oculta de poemas e cartas de amor, foi descoberto pelo irmão, que ordenou que Rabia fosse levada até a casa de banhos. Cortaram seus pulsos enquanto ela jazia nas águas fumegantes.

Com o próprio sangue, Rabia escreveu seu último poema nas paredes da casa de banhos, declarando seu amor eterno por Baktash.

O amor não era um assunto que podíamos abordar. Explorávamos o fenômeno apenas em poemas, letras de música ou em filmes importados de Bollywood – à medida que a história se tornava mais trágica e os enamorados sofriam cada vez mais, o amor entre os dois se aprofundava. Era o que aprendíamos, embora apenas de forma indireta. A mãe morta, o pretendente indesejado, o garoto no pomar... todos os elementos necessários estavam se reunindo para transformar minha vida numa história de amor épica. Meu coração adolescente se agitava com a expectativa do dia seguinte.

De olhos bem fechados, tentei recordar o último poema de Rabia. Mas só consegui me lembrar dos dois últimos versos:

Quando as coisas parecerem terríveis, imagine-as puras.
Tome o veneno, mas sinta doçura.

CAPÍTULO 8

Fereiba

Quando saí do quarto, KokoGul estava na porta da frente. A voz dela atravessou o corredor, o volume aumentando. Em questão de segundos, o tom tornou-se frenético.

Ela passou por mim correndo. Fui endireitar as xícaras na mesinha de vidro, que se desarranjaram com a movimentação.

– Fique aqui. Olhe suas irmãs e reze para que a notícia não seja verdade! Vou tentar entender... Nunca ouvi uma história dessas! Se for mentira, vou amaldiçoar aquela intrometida. Meu Deus, não pode ser!

KokoGul jogou o xador sobre a cabeça e passou uma das pontas por cima do ombro. A porta bateu assim que ela saiu, antes que eu pudesse perguntar aonde ia e qual era a notícia terrível. Fui cuidar de minhas tarefas com uma sensação ruim na boca do estômago. Minhas irmãs estavam ocupadas com seus trabalhos escolares e não sabiam mais do que eu. Precisávamos esperar que KokoGul voltasse.

Duas horas depois, fiquei ainda mais apreensiva. Atravessei o pátio e abri o portão da frente. Nossa rua tranquila não oferecia nenhuma pista do que acontecera. Algumas crianças corriam atrás de um cachorro vira-lata, jogando-lhe restos de comida. Um senhor mais velho caminhava apoiado em uma bengala. Nada parecia extraordinário.

Padar-jan chegou mais cedo do que o normal e me encontrou na sala de estar, batendo a poeira das almofadas. Eu não conseguia ficar parada.

– Onde está sua mãe? Não me diga que foi de novo ao mercado.

– Não, Padar-jan, acho que foi visitar uma amiga. Não falou muita coisa... Só que tinha ouvido uma notícia horrível e que esperava não ser verdade.

– Uma notícia horrível? – Ele pareceu alarmado tanto pela saída súbita de KokoGul quanto pela ansiedade na minha voz. – Ela não contou sobre o que se tratava?

Balancei a cabeça.

– Estava com pressa. Disparou porta afora sem dar explicações.

Meu pai suspirou profundamente e perguntou se eu tinha preparado o jantar. Decidiu que não deveríamos ficar agitados antes de saber do que estávamos falando. Meu pai engoliria uma colher de sal com um sorriso se aquilo garantisse a paz de sua casa.

Padar-jan estava com fome, então convoquei minhas irmãs e arrumei a mesa, tentando imaginar se KokoGul chegaria antes de começarmos a comer. O aroma do cominho fumegava no prato de arroz quente que eu segurava quando ela irrompeu na sala. KokoGul jogou o xador no encosto de uma cadeira, bufando. Sua voz retumbou naquele espaço restrito:

– Ah, meu Deus, nosso misericordioso Alá! Que notícia horrível! – exclamou ela, balançando a cabeça enquanto se sentava ao lado de meu pai. – Que eventos trágicos e inesperados nos acometeram... Ainda não consigo acreditar que isso aconteceu!

Padar-jan franziu a testa, impaciente com o prelúdio dramático.

– Diga logo o que houve, KokoGul. O que aconteceu?

A mulher ignorou a frustração do marido e continuou a história no próprio ritmo:

– Eu estava em casa hoje, garantindo que essas meninas fizessem o dever de casa, sem falar que havia muita roupa para lavar e comida para cozinhar. Eu estava ocupadíssima, como sempre – acrescentou.

Padar-jan soltou um longo suspiro, e eu me perguntei quando tinha sido a última vez que KokoGul lavara uma única meia ou tocara em uma panela.

– Habiba-jan veio bater à nossa porta para pedir um pouco de farinha... Às vezes acho que eu poderia ganhar a vida fornecendo todos os ingredientes que ela se esquece de pegar da loja... De qualquer maneira, dei àquela tola o que ela precisava, e a mulher começou a tagarelar sobre a família infeliz que precisaria providenciar um *fatiha* em apenas dois dias para o filho mais jovem, falando sobre como a história era triste. Perguntei quem havia perdido o filho, e ela me contou que tinha sido aquela família rica, do outro lado da cidade... Os Agha Firuz.

Agarrei a beirada da mesa com força. Sentia que o sangue fugia do meu rosto. Esperei que ela continuasse.

– Quando ela contou isso, minha cabeça girou, e quase desmaiei bem ali, a seus pés. Mas consegui me recuperar a tempo e perguntei se ela sabia qual dos meninos tinha sido e como o fato se sucedera. A mulher estava mais interessada em ir para casa com a farinha e não sabia muita coisa, então a dispensei. Fui para a casa de Fatana-jan, cujo cunhado mora ao lado dos Firuz. Fatana é mais bem-informada do que a KGB e me contou tudo! Meu Deus, como tudo muda de repente! Há apenas dois dias...

– Meu Deus, esposa, por favor! Fale logo o que aconteceu!

– É inacreditável, verdadeiramente inacreditável! A história inteira é inimaginável! O filho de Agha Firuz voltava do cinema com os amigos. Sabe, comentaram que ele estudava engenharia, mas Fatana disse que ele não frequentava uma aula desde o ensino médio e que nem teria se formado se o pai não tivesse molhado algumas mãos.

Trágica ou não, KokoGul não queria perder nenhum detalhe daquela saborosa história. Era a primeira vez que a contava, então era uma espécie de ensaio, porque ela com certeza repetiria aquilo muitas e muitas vezes.

– Estava voltando para casa com os amigos quando pararam para comprar *nakhod* de um dos vendedores no bazar. Esses meninos não conseguem andar nem 5 metros sem fazer um lanche! Cada um comprou um punhado de grão-de-bico torrado e todos seguiram adiante. Foi quando o garoto começou a coçar umas marcas vermelhas nos braços. Quando dobraram a esquina, ele já estava muito pior, tossindo e ficando para trás... Os outros não entendiam o que estava acontecendo, por isso decidiram levá-lo para casa. A essa altura, o coitado mal conseguia andar, então o colocaram deitado no sofá da sala.

KokoGul tomou fôlego e continuou:

– A pobre mãe estava em casa. Ela entrou na sala, deu uma olhada no filho e compreendeu o que tinha acontecido: quando era pequeno, apareciam as mesmas marcas vermelhas quando ele comia nozes. A pobre mulher berrou para os amigos do filho, pedindo que a ajudassem e o levassem ao médico, mas os meninos já tinham ido embora. Fatana acha que andaram aprontando alguma e que ficaram com medo de terem se metido em encrenca. Quando ela chamou a criada para ajudar e finalmente o médico chegou, o filho já tinha parado de respirar! Era o fim!

KokoGul cobriu o rosto com as mãos, respirou fundo, então pousou-as com força na mesa. Sua voz era tristonha.

– A família está fora de si com a dor e o choque. Enquanto conversamos, estão providenciando os preparativos para o enterro, mas deveriam estar fazendo planos para o casamento...

Padar-jan se recostou, a boca meio aberta. Minhas irmãs me encaravam. Eu mantinha o rosto impassível, insegura de meus sentimentos e sem querer que minha expressão traísse meus pensamentos.

– Que Alá perdoe seus pecados! Perder um filho, um rapaz... – Padar-jan balançou a cabeça. Estava com olhos grudados em KokoGul, mas me fitou de relance apenas uma vez, para avaliar minha reação.

– Que vergonha... Que vergonha... Justo quando estávamos conhecendo a família! Pareciam gente tão boa, com bom senso de negócios e obviamente em melhor situação do que a maioria em Cabul. Eles até têm outro filho, mas já está casado! Agora perdemos nossa chance. – KokoGul não conseguia ocultar sua verdadeira decepção.

Padar-jan a encarou e soltou um suspiro. Já fazia muito tempo que aceitara a esposa do jeito que era, mas isso não o impedia de ter esperanças, dia após dia, de que ela não fizesse com que todos os pequenos acontecimentos girassem em torno de si. Ele pigarreou antes de responder:

– Descobrirei mais amanhã sobre o *jenaaza* e o *fatiha*. Daremos as condolências à família. Agora vamos desfrutar da refeição que Fereiba preparou. Não deve ser desperdiçada. – Ele pensou um pouco antes de acrescentar: – Vamos mandar comida para eles.

– Mandar comida? Uma cozinheira prepara a comida deles! Já é difícil alimentar as bocas que temos aqui!

– Mandaremos comida e nossas condolências. Queríamos dividir dias felizes com eles, não devemos nos afastar nesse momento de tristeza – reforçou Padar-jan devagar, com propósito, estreitando os olhos para KokoGul.

Ela ficou amuada com a repreenda.

Uma família lamentava a perda de seu filho, e fiquei envergonhada de admitir que estava aliviada, como se tivessem tirado a corda do meu pescoço. Mas o peso da infelicidade da qual havia escapado foi substituído por pensamentos difíceis.

Permaneci impassível enquanto comíamos. Mexia a boca, mas não sentia gosto de nada.

Não podia ser coincidência.

Mantive o rosto baixo, com pensamentos tão ruidosos que temi que minha família me ouvisse e percebesse o que eu era. Não era mais invisível.

No pomar, eu tinha juntado as mãos, levantado o rosto e rezado para Deus. Quando meu vizinho terminou a oração fatal, eu tinha sussurrado *Ameen*. Tinha empurrado suas palavras para Alá, como se fosse da minha conta rezar com um desconhecido. Suas palavras, nossas palavras, ecoavam em minha mente.

Por favor, Alá, traga uma solução para a situação de minha vizinha. Por favor, ajude-a a evitar o caminho que estão escolhendo para ela e seu pretendente. Minha vizinha não tem sido capaz de respirar em paz nas últimas semanas, e as coisas com certeza ficariam piores com esse pretendente, como o Senhor sabe melhor do que ninguém.

Respirar em paz. Uma solução.

Por favor, não permita que ninguém a impeça de atingir seus objetivos.

KokoGul estava perturbada demais para comer, e eu me escondi atrás de seus longos suspiros. Minhas irmãs se entreolharam, curiosas, ansiosas para se afastarem do silêncio tenebroso daquela refeição e compartilharem seus pensamentos em algum lugar onde nosso pai não ouviria.

Um pânico silencioso me invadiu. Era inteiramente possível que eu tivesse sido cúmplice da morte daquele garoto. Também era possível que eu tivesse sido mais do que apenas cúmplice. Eu podia ser totalmente responsável por Deus ter tirado aquela vida.

Mastiguei com cuidado, com medo de engasgar. Alá andava com o humor instável.

Perguntei-me se o vizinho já teria ouvido a notícia. Pensar nele empurrou minha mente numa direção totalmente nova. Questionei suas intenções e o significado das palavras que ele enviara aos céus.

Lutei contra o impulso de correr porta afora, ir para o pomar, chamá-lo para explicar o que tinha acontecido.

Eu teria que esperar.

A não ser pela morte da minha mãe, eu estava convencida de que o mundo seguia girando, indiferente à minha existência. E talvez não fosse assim.

Dois dias depois, nossa casa tinha recuperado a compostura. Minhas irmãs aceitaram que eu nada tinha a dizer a respeito da morte do garoto. KokoGul se resignara a continuar a vida em seu lar de pouco destaque social. Padar-jan tinha ido até Agha Firuz para dar as condolências, um diálogo que os dois pais nunca imaginaram travar. Em meu estado de agitação, comecei a lavar roupa e percebi que tinha esquecido de pegar o sabão. E, quando fui resolver a questão, lembrei que precisava pôr a carne para marinar. Horas depois, encontrei as roupas esquecidas, empapadas, ainda aguardando por mim.

Com o peito a ponto de explodir, perambulei até o pomar. Cada passo parecia uma transgressão. Os galhos que tinham me acolhido como braços abertos pareciam apontar para mim com dedos acusadores, testemunhas do meu crime.

Tossi de leve.

– *Salaam* – saudou ele, hesitante.

– Não tinha certeza de que estaria aqui.

– Ah, é você! – constatou ele, animado. – Também não tinha certeza.

A alegria em sua voz parecia uma blasfêmia.

– Não soube das notícias? – sussurrei.

– Notícias? Que notícias? – O tom de voz ficou solene.

– Sobre o rapaz. Você não sabe mesmo?

– O que houve? Você parece nervosa.

– Ele morreu.

– O quê? É alguma piada, Fereiba? – murmurou ele em resposta. Havia uma agressividade em sua voz que me surpreendeu.

– Eu não faria piadas com um assunto desses – retruquei. Inspirei e deixei escapar o que eu queria gritar desde que KokoGul dera a terrível notícia no jantar. – É verdade. Ele está morto, e é quase como se tivéssemos rezado para que isso acontecesse… mas não fizemos isso, não é? O que pedimos? Que pecado cometemos?

– Baixe a voz – recomendou ele. – Então é verdade… Claro que nunca rezamos para pedir nada do tipo. Não seja tola. Conte o que aconteceu.

Relatei tudo o que ouvira de KokoGul. Revisitara os acontecimentos na minha cabeça tantas vezes que era quase como se tivesse passado a última tarde com o rapaz. Eu o imaginei engasgando, colocando as mãos no peito, a pele vermelha, uma tempestade avançando por dentro e se fechando na sua garganta.

– Fereiba-jan, me ouça. A notícia é chocante, e sei que pode parecer estranho, considerando nossas conversas... mas, acredite, não tive a menor intenção de desejar mal a ele. Era uma oração para Deus, não uma praga. Seja lá o que tenha acontecido, nunca esteve em nossas mãos.

– Mas rezamos...

– E foi tudo o que fizemos. Não desejamos mal a ninguém, eu lhe garanto. Só pedimos que você fosse poupada da infelicidade. Você precisa entender isso.

O pomar soltou um suspiro suave e o nó no meu peito se afrouxou. Ele tinha razão. Eu sabia que não havia nenhuma intenção fatal em nossos pedidos. E soubera, desde a primeira conversa, que a voz do pomar tinha um bom coração. Ele agira como um amigo quando eu não tinha ninguém a quem confiar meus pensamentos. Mesmo naquele momento, era meu único amigo num lugar e num tempo em que amizades entre meninos e meninas não existiam. Havia irmãos e irmãs, tias e tios, maridos e esposas... mas não amigos.

Eu não conseguia olhar para ele nem me ofereceria para apertar sua mão, apesar de tais gestos parecerem insignificantes em comparação às intimidades que havíamos tido. Senti o rosto corar ao pensar em quanto dependera daquele desconhecido para superar os dias mais terríveis.

– Tem razão. Foi um sentimento tão horrível...

– Não pense assim. Você foi libertada por acontecimentos estranhos e tristes. Não vou falar mal dos mortos, mas eu e você sabemos o tipo de pessoa que ele era. Não foi culpa sua. Também não foi culpa minha. Então não ponha esse fardo sobre nossos ombros.

Não ousei interrompê-lo quando ele dizia exatamente o que eu precisava ouvir. Olhando para trás, eu me pergunto se boa parte do que ele falava não era um pouco preciso demais. Talvez, em minha solidão, eu tivesse criado esse amigo a partir da sombra de uma pessoa e tivesse dado vida àquilo para preencher uma carência... como um truque perigoso da mente.

– Fereiba-jan? Diga alguma coisa. Diga que concorda.

Não havia espaço para dúvida quando o ouvi pronunciar meu nome. Naquele momento, ele era tão real, tão verdadeiro e tão zeloso quanto eu precisava que fosse. Eu não conseguia partir, presa a ele pelo fio indecoroso da minha própria criação.

CAPÍTULO 9

Fereiba

— Estão culpando você pela morte dele. Foi o que eu ouvi – anunciou KokoGul, categoricamente.

Minha nuca ficou quente. Parei de secar os pratos. O pano ficou pendurado na mão.

— Eu? Por que acham que é culpa minha?

— Dizem que era um rapaz perfeitamente saudável e que foi tirado do seio da família no dia anterior à visita deles para seu *shirnee*. Claro que a esposa de Agha Firuz insiste que você deve ser amaldiçoada. Primeiro sua mãe, depois seu avô e agora esse pretendente que estava a horas de se tornar seu noivo.

Meus olhos ficaram marejados. Citar essas pessoas cuja perda me doía era extremamente cruel.

— Isso não é motivo para chorar – ralhou KokoGul. – Como não chegariam a essas conclusões? Estão sofrendo e conhecem sua história. Talvez eu devesse me considerar uma pessoa de sorte por estar viva – brincou KokoGul.

Ela podia ter inventado aquilo tudo. Mas era difícil dizer, quando se tratava da madrasta. Às vezes ela se enrolava tanto com a própria versão da verdade que não conseguia identificar a história real. Voltei a lavar os pratos, mas KokoGul continuou:

— Fui prestar minha solidariedade à mãe. Assim que me encarou, ela caiu em prantos e disse que minha filha era amaldiçoada. Falou que, desde que começaram o cortejo, as coisas tinham desandado para a família. Acho que algumas mulheres sentadas ali perto ouviram, mas não muitas.

Ah, meu Deus… No silêncio de um *fatiha*, eu estava convencida de que todas as mulheres de Cabul tinham ouvido. Eu seria a donzela amaldiçoada de Cabul, e as pessoas cochichariam e ergueriam suas sobrancelhas por onde eu passasse.

– E o que você respondeu? – perguntei, hesitante.

– O que eu poderia dizer a uma mãe enlutada? Falei que pedia a Deus que lhes trouxesse paz e abrigasse a jovem alma no paraíso.

– Sobre mim. Sobre eu ser amaldiçoada.

– Fereiba, um *fatiha* não é lugar para discutir. Eu falei que esperava que não fosse verdade. – KokoGul pegou um copo e serviu-se de água. – De qualquer forma, é terrível comentar sobre esse assunto agora que o rapaz partiu, mas ouvi dizer que era um encrenqueiro… Ele desrespeitava e roubava até da própria família. Homaira-jan contou que, uma vez, ele bateu tanto no filhinho dela que o garoto não conseguiu abrir o olho durante uma semana inteira.

– Quando viu Homaira-jan? – indaguei de forma casual, mantendo os olhos nos pratos.

– Ah, há umas duas semanas, no bazar. Ela voltou da viagem à Índia e claro que está exibindo as novas pulseiras de ouro…

E durante todo aquele tempo ela vinha preparando meu *shirnee*.

Mãe. Eu passara toda a vida chamando KokoGul por esse nome radioso e cheio de esperança, desejando o toque da lã de cordeiro no meu rosto, mas com frequência não recebia nada além de um sopro gelado.

– As damas estavam conversando no *fatiha*. Agha Firuz achou que o casamento acalmaria o garoto e tiraria o mal dele. Vinham tentando encontrar uma noiva havia meses. Quem precisa disso? Não estamos aqui para oferecer nossas meninas como segunda ou terceira opção.

Bati com o pano de prato na beira da bancada.

– Ainda assim você estava disposta a dar a eles meu *shirnee*, não é verdade? Por que eu sou tão diferente?

Meu tom era incisivo. A mágoa desfraldada jazia entre mim e KokoGul, num raro momento de sinceridade.

Ela me encarou.

– Minha querida, existe uma diferença clara entre você e Najiba, e fico surpresa que me pergunte isso, a esta altura. Najiba é simples. É uma menina bonita... bonita o bastante para receber atenção. E vem de uma boa família. É inteligente e educada.

– E eu?

– Você? – retrucou KokoGul, as palavras me cutucando como um dedo nas costelas. – Tenho que ser mais cuidadosa com você. Sim, tem bons modos e traços suficientemente belos, mas *todos* sabem que perdeu a mãe. E *isso* faz de você alguém diferente. Portanto, antes de me encarar com esses olhos zangados, lembre-se de que não é culpa minha que sua mãe tenha morrido. E não é culpa minha que as pessoas falem como falam. Mas é minha responsabilidade fazer o melhor que posso por você. Pense nisso, Fereiba. Se ficar esperando para dançar na lua, talvez você nunca dance em lugar nenhum.

– Você não me ama como ama as outras.

– E você não me ama como ama seu pai. Ou seu avô. Não pense que eu não sei.

Fiquei quieta. Ela tinha razão, claro.

Inabalável, KokoGul voltou a contar sobre como tinha sido ofendida pela família do antigo pretendente.

– Lamento que tenham perdido o filho, mas lamento mais ainda por ter desperdiçado meu tempo servindo chá e biscoitos a eles.

Padar-jan não comentou mais nada sobre o assunto. Entrava e saía da casa falando baixo sobre nossas aulas, mas sem dizer uma palavra sobre Agha Firuz e seu filho. Queria que meu pai fosse diferente, mas não era algo que ele pudesse mudar. Embora eu estivesse livre do pretendente e de sua família, fiquei pensando na rapidez com que a minha se dispusera a me entregar. E em quando isso voltaria a acontecer.

O vizinho era meu abrigo. Recitava poesia e se queixava de perder pontos na última prova do curso de engenharia. Falava com paixão do trabalho que queria fazer quando se formasse. Queria sair do país e fazer um treinamento numa empresa estrangeira. Queria explorar o mundo. Eu adorava ouvi-lo falar da universidade. Ele descrevia os prédios e os professores com tantos detalhes que eu podia fechar os olhos e me imaginar caminhando por aqueles corredores.

Um dia, ele falou algo inédito:

– Seria bom conhecer você e sua família sem um muro entre nós.

Minhas bochechas ficaram quentes. Eu sorri e mexi os dedos do pé na grama.

– Mas isso significaria... Quer dizer, isso não é...

– Eu não tive a intenção de ser desrespeitoso. Só queria que você soubesse que estava pensando que nossas famílias poderiam começar uma conversa...

– Sabe o que está dizendo? – indaguei, meio constrangida. – Não diga essas coisas se não tiver a intenção.

– Eu não diria, Fereiba. Acredite em mim, *qandem*.

Qandem. Minha querida. Senti a pele arrepiar ao ouvi-lo dizer meu nome, e a delicadeza e a ousadia do "*qandem*" acomodando-se no meu ouvido como um beijo suave.

– Sabe o que eu penso em fazer todos os dias?

Deitei-me na grama e fitei os galhos, as folhas verdes em formato de gota iluminadas por trás, pelo sol desafiador. Os frutos brancos, vermelhos e pretos cintilavam em variados estágios de maturidade. A luz acariciava meus olhos.

– O que você pensa?

– Todos esses dias em que me sento aqui e converso com você, com esse muro entre nós, penso em subi-lo para poder observar você, para caminhar pelo pomar de seu pai a seu lado e conversar enquanto ouvimos música no rádio.

Prendi o fôlego. A sensação na boca do estômago – o sentimento trêmulo de despencar de um penhasco – era nova. Achei estranho que pudesse reconhecer tão fácil algo que nunca tinha visto nem sentido. Era o amor que os poetas descreviam, eu tinha certeza.

– Porém, quanto mais penso no assunto, mais percebo que não quero invadir o pomar de seu pai. Quero ser acolhido pela porta da frente. Quero caminhar com você, de mãos dadas, sem um muro entre nós, sem termos que esconder nossas vozes do resto do mundo.

Lágrimas deslizaram dos cantos dos meus olhos, escorrendo pelas têmporas e caindo na terra. Tinha passado tantos anos recebendo apenas o amor aguado dos meus irmãos, a tolerância ressentida de KokoGul e o afeto contido de meu pai... Aquelas palavras, maduras e inteiras, alimentaram o vazio que me acompanhava por toda a vida.

– Fereiba...

– Sim?

– Você não falou nada.

– Não sei o que dizer.

– Poderia me contar o que quer.

Eu me sentei e cobri o rosto com as mãos. Não conseguiria dizer aquelas palavras, não com o sol de Deus no meu rosto.

– Eu quero isso também – sussurrei, num tom apenas alto o bastante para que ele escutasse.

Dois dias depois, bateram à porta. Por sorte, eu estava afundada numa bacia com roupas, meias e água com sabão, então minha madrasta foi atender. Alguns momentos depois, KokoGul se aproximou de mim, observando enquanto eu esfregava a sujeira do colarinho da camisa de meu pai.

– Depois da escuridão vem a luz. Lave meu vestido cor de vinho também. Parece que teremos convidados na tarde de quinta-feira.

– Quem vem?

– A esposa de Agha Walid, Bibi Shirin – respondeu ela, com uma piscadela cheia de significados. – Parece que nossos vizinhos querem conversar sobre alguma coisa. Lave também o vestido verde-oliva de Najiba. Não, pensando bem, lave o amarelo. O verde sempre deixa os quadris dela grandes demais.

Eu não falei nada, só assenti. KokoGul ficaria surpresa quando percebesse que a conversa não era sobre Najiba. Minha meia-irmã, apenas dois anos mais nova que eu, desabrochara em uma jovem alta, com cabelo negro liso, ondulando nas pontas, e uma forma feminina. A pele era clara como o leite, e a boca, carnuda. KokoGul afirmava que Najiba se parecia com ela, mas era difícil ver muita semelhança.

A casa e o pomar adjacente ao nosso pertenciam a Agha Walid, pensador e engenheiro respeitado. KokoGul o tinha em alto conceito – não por achar que ele era um engenheiro brilhante, mas porque os outros achavam. O respeito e os boatos se espalhavam sozinhos em Cabul. Era bom e ruim.

KokoGul molhava os lábios de novo. Outra corte, outra rodada de lisonjas e de bazófia.

Fiquei longe do pomar e ajudei KokoGul a aprontar a sala de visitas para a tarde de quinta-feira. Ela escolheu a roupa de Najiba, um vestido que lhe caía muito bem, com mangas bem curtas e uma saia evasê, exibindo a silhueta, mas ainda mantendo a modéstia. Pouco antes da hora combinada, troquei de roupa para um vestido de corte reto com decote bordado. KokoGul ergueu a sobrancelha ao me ver usando uma roupa que eu costumava poupar para ocasiões especiais.

– Não derrame nada na roupa – avisou. – Najiba pode precisar desse vestido daqui a alguns meses.

Eu não sabia como KokoGul ou Najiba reagiriam quando descobrissem que o pretendente vinha por mim. Minha irmã tinha ficado nervosa e empolgada quando soube da visita dos Walid. Meu primeiro cortejo dera a ela um gostinho daquele processo, e Najiba estava ansiosa para se sentir sob os holofotes.

Abri o portão para Bibi Shirin, mãe de meu amigo do pomar. Ela viera na companhia da irmã. Saudei as duas em voz baixa, com medo de engasgar caso tentasse dizer mais do que algumas palavras. Conduzi-as até a sala de visitas no instante em que KokoGul apareceu no corredor. Ela abriu um sorriso e os braços para receber nossa vizinha. Beijaram-se três vezes no rosto e sorriram calorosamente. KokoGul acenou para que eu levasse chá para as convidadas.

Dei algumas olhadas furtivas para Bibi Shirin, pensando em como seria seu filho, se por acaso se parecia com ela. Os olhos castanhos suaves sorriram para mim e me ajudaram a acalmar a agitação na barriga. Olhar para ela era como receber uma mensagem do meu amigo no pomar.

Vai ficar tudo bem, ele me dizia. *Ela está aí para acertar as coisas.*

Preparei pratinhos com passas amarelas, pinhas e pistaches. Voltei ao aposento a tempo de ouvir Bibi Shirin dizendo a KokoGul que era uma honra ter uma família tão bonita na vizinhança.

– Obrigada, doce menina – falou, enquanto eu servia chá para ela e sua irmã, torcendo para que ela não tivesse percebido quanto a xícara chacoalhava no pratinho.

– É um prazer – balbuciei, antes de sair rapidamente, de volta para a cozinha.

Fiquei me perguntando quanto o filho dela contara sobre mim ou sobre nossas conversas.

Fora do campo de visão, eu ouvia tudo com atenção. Ela continuou a louvar nossa família, depois começou a falar da própria. Seu filho, dizia, concluiria os estudos em engenharia dali a alguns meses e tinha atingido a idade para formar uma família.

– Em breve ele vai andar com as próprias pernas, que é o que uma mãe deseja ver. Estamos muito orgulhosos do que ele conquistou.

– E deveriam mesmo. Então ele puxou ao pai. Agha Walid é muito respeitado.

– Ele tem sido um modelo para os irmãos mais novos e os primos, inclusive para meu próprio filho – acrescentou a tia.

– Entendo.

– KokoGul, estamos aqui hoje em nome de meu querido filho, que é a joia de nossa casa e de nossa família estendida. Que Alá seja louvado, fomos abençoados com um filho inteligente, esforçado e amoroso, e quero ter certeza de que ele terá uma esposa que lhe dará felicidade. Está na hora de ele começar uma família. Como mãe, agora que ele é homem, uma das coisas mais importantes que posso fazer por ele é... colocar a mulher certa a seu lado. Sua família é respeitável e confiável. E, que Alá seja louvado, é também linda.

– Que gentileza – retrucou KokoGul, as costas muito eretas na cadeira, as mãos dobradas no colo. Ela devorava a conversa mole de Bibi Shirin.

– Por isso viemos conversar sobre sua querida filha.

– Entendo – continuou minha madrasta, tentando ao máximo parecer pelo menos um pouco surpresa.

Prendi a respiração no corredor. Najiba permanecia no quarto, imaginando se KokoGul daria o sinal para que ela se juntasse às visitas.

– Acreditamos que sua filha mais velha seria uma boa escolha para meu filho.

– Pois bem. – KokoGul levou a mão ao peito. – Minha família está honrada em ouvir isso, mas ainda não tínhamos considerado o casamento para ela. Ainda é muito jovem.

– É jovem, sim, mas tem a idade perfeita para contemplar o casamento. São dias doces para que o amor possa crescer, não concorda?

A irmã, Zeba, ecoava os sentimentos.

– Sim, é uma idade maravilhosa para que dois jovens se conheçam melhor e se comprometam.

– Acho que seria um ótimo casamento. Nossas famílias se respeitam como vizinhas há anos. Nossos filhos estão crescidos e, como mães, nossa responsabilidade é pensar no futuro deles.

Eu ouvia o tinido das xícaras enquanto as mulheres planejavam o que dizer.

– É algo que temos que considerar com cuidado. Nem consigo começar a pensar em dar a mão de minha filha. Também nos sentimos honrados de compartilhar a vizinhança com sua família, mas... nesse momento, não há mais nada que eu possa dizer. Como mãe, sei que compreende.

– Claro, querida KokoGul. Viemos apenas para iniciar uma conversa. Quero que saiba que nossos interesses não são superficiais. Todas as minhas palavras são verdadeiras. Sei que sua família deve fazer considerações sobre o assunto e que vai precisar de tempo para pensar. Mas também tenho certeza de que deseja fazer o que é melhor para sua filha, e é minha esperança ver meu filho como a melhor opção para sua querida filha, Najiba-jan.

Najiba?

Abafei o grito que se formou na minha garganta.

– Najiba é minha filha querida, uma aluna maravilhosa, uma irmã generosa... Rezo por ela como rezo por todas as minhas filhas, para que seu *nasib* seja uma boa pessoa, um parceiro para a vida, que honrará a ela e à nossa família.

– É uma mãe amorosa, KokoGul. Seus filhos são afortunados por ter você e Agha-sahib como pais.

Era a Najiba que queriam, não a mim.

CAPÍTULO 10

Fereiba

KokoGul tinha razão. Nossos vizinhos estavam cortejando minha irmã Najiba. Quando partiram, voltei para o quarto. Najiba me encontrou sentada no chão, apenas com a roupa de baixo. Retalhos de tecido se espalhavam no meu colo, diante de meus pés e atrás de mim. Eu tinha cortado meu vestido em mil pedaços. Minha irmã arrancou a tesoura das minhas mãos e chamou KokoGul, aos berros. A madrasta examinou a cena da porta, desconfiada, invocando suas próprias teorias sobre o que motivara meu surto.

– Tire a tesoura e deixe-a quieta. Não sei por que isso, Fereiba, mas não temos como abrigar loucura ou destruição nesta casa.

Najiba parecia preocupada. Esperei que saíssem. Ouvi KokoGul sussurrando para a filha, no corredor:

– Fereiba tinha um pretendente, mas veja o que aconteceu. A inveja azeda a alma como uma gota de vinagre no leite. Bibi Shirin sabe da história dela, assim como os outros vizinhos. As pessoas querem que os filhos desposem meninas respeitáveis. Fereiba é filha de seu pai e não lhe desejo mal, mas os outros pensam nela como uma órfã, como uma menina sem mãe. Ela perdeu a única chance que tinha de se casar e fazer parte de uma família respeitável.

– Mas ela tem família, Madar-jan – sussurrou Najiba, num protesto baixo.

– Não é a mesma coisa, querida – argumentou KokoGul. – Tentei fazer com que ela se sentisse tão minha filha quanto você e suas irmãs, mas a menina sempre se manteve distante de mim. Ela se sente mais à vontade fazendo as tarefas domésticas do que convivendo com a família.

Durante minha vida inteira, KokoGul me dera o suficiente para acreditar que isso podia ser verdade. Havia dias em que me abraçava como abraçava minhas irmãs, acariciava meu cabelo como se eu fosse uma de suas filhas... Havia dias em que nos sentávamos juntas, trabalhando na casa e rindo de algo que Mauriya tinha feito... Havia exatamente o suficiente desses momentos para me levar a me perguntar se era eu quem me mantinha distante do resto da família.

Eu sabia que meu amado devia estar arrasado. Fiquei imaginando se ele sabia o que a mãe tinha feito. Não era algo inédito que as mães tomassem decisões em nome de seus filhos irresponsáveis. Os meninos só pensavam no presente; as mães consideravam o futuro. Só que meu amado não era como a maioria. Era um intelectual. Era meu confidente paciente, aquele que guardava meus segredos. Nós dois teríamos que lutar para ficar juntos. Percebi que não devia ter esperado nada menos do que isso.

Bibi Shirin acabara com nossas chances de um relacionamento promissor. Ela negara ao universo a oportunidade de se redimir por me destituir de uma mãe e de um pai amorosos e de uma infância equivalente à de meus irmãos. Ela sorrira, recatada, permitira que eu lhe servisse, então arrancara o mundo sob meus pés. Abastecida pela chama da emoção adolescente, eu me apaixonei ainda mais pelo homem que até então não tinha visto uma única vez.

PASSEI DIAS SENTADA SOB A AMOREIRA, mas ele não apareceu. Fiquei lá por horas a fio, as marcas da casca da árvore impressas nas minhas costas, como prova da minha devoção. Bibi Shirin voltou para uma segunda e uma terceira visitas. Era persistente, apressada, querendo que KokoGul concordasse em dar a mão de Najiba, como se houvesse um prazo a cumprir. Sua obstinação indicava que meu amado não tinha ideia do que ela fazia. Bibi Shirin dera ouvido aos boatos sobre mim e queria salvar o filho de um casamento com a donzela amaldiçoada de Cabul, a filha-criada-órfã da casa ao lado.

Najiba andava perto de mim pisando em ovos. Nos momentos de maior clareza, eu sentia pena dela. O que deveria ter sido uma corte alegre e empolgante fora estragada por meu comportamento rancoroso. Eu falava pouco e não sorria muito; estava preocupada em encontrar um jeito de me comunicar com meu amado sem comprometer nosso segredo.

Sob a luz noturna, escrevi o poema ensopado de sangue de Rabia Balkhi num pedaço de papel. Amassei o papel e me esgueirei para fora do quarto ao escurecer, contornando as cerejeiras, passando sob as videiras, até chegar às amoreiras próximas do muro. Fiz uma pausa, e sem ouvir nada além do coaxar distante de uma rã, lancei a bola de papel por cima do muro, num lugar onde esperava que meu amor secreto a encontrasse e percebesse que minha devoção não vacilava, apesar daqueles que tentavam nos afastar.

Durante dias procurei pedaços de papel do meu lado do muro. Imaginei as diferentes formas como ele me enviaria um recado.

Continuei sonhando mesmo quando KokoGul usou os rolos de tule dourada e a bandeja de prata que ficavam guardados na gaveta para o *shirnee* de Najiba. Mesmo quando ela colocou a bandeja de doces diante de Bibi Shirin, toda empolgada, na nossa humilde sala de visitas, com minhas irmãs assistindo escondidas, quietas e muito empolgadas, enquanto Najiba entrava na sala. Parecia recatada e manteve os olhos no chão quando Bibi Shirin beijou seu rosto e a abraçou com força. Ela beijou a mão da futura sogra.

Esperei protestos, mas ele continuou calado. Percebi que não tomaria uma atitude arrojada para nos salvar. Aquela não era a história de amor que eu havia imaginado.

Como eu poderia não encarar o noivo de minha irmã? Depois de dias esperando em vão no pomar, como poderia não encarar o homem que, agora eu via, me fizera acreditar que eu significava alguma coisa para ele? Até que era bonito, o que tornava tudo ainda pior. Tinha cabelos castanhos e olhos suaves e poéticos. Parecia confiante em seu terno cor de café de lapela larga, mas não excessivamente. Seus olhos viajavam pelo aposento, fixando-se nos convidados e nos parentes apenas o suficiente para reconhecer a presença deles. Nenhuma vez sequer – e percebi porque estava determinada –, os olhos dele pousaram em mim ou em Najiba. Fui muito criativa ao interpretar essa observação.

Finalmente não havia mais nenhum muro entre nós. Era o que desejávamos, não era? Ele beijou as mãos de meu pai e de KokoGul. Meu pai o acolheu com um abraço caloroso. Ao voltar para o lado da mãe, ele ergueu os olhos e deu um sorriso tímido para a noiva. Eu observei tudo. Cheguei a circular pela sala oferecendo chocolates embrulhados em papel laminado colorido para as poucas pessoas que compareceram. A irmã de Bibi Shirin. O marido de Bibi Shirin. Minhas tias e tios.

KokoGul, atenta a meu comportamento errático, pedira a Sultana que servisse o chá para os visitantes. Talvez estivesse certa em não confiar água quente a mim.

– Najiba – comemorou Bibi Shirin, debulhando-se em lágrimas –, deste dia em diante, você é minha filha. Você tem duas mães, minha bela menina. Deu muita felicidade para nossa família.

Meu amado. Meu rosto ficou vermelho ao pensar em nossas conversas secretas. Eu me senti pequena e estúpida. Ele devia ter visto meu poema de amor e balançado a cabeça diante de tanta tolice... Devia ter rido por ter deixado as coisas irem tão longe entre nós... ou talvez se sentisse constrangido por ter sequer considerado a mim, uma enteada sem mãe, sua esposa.

Eu queria sair correndo da sala. Queria rasgar a tule e fazer uma cena tão grande que finalmente me faria ser ouvida. Queria derramar minha dor nas paredes.

Fitei o vazio, com a percepção de que KokoGul tinha acertado se assentando aos poucos em meu coração. A inveja tinha azedado o amor que eu sentia por minha irmã. Era seu momento de felicidade, uma união entre ela e o rapaz simpático de uma família amorosa, e eu não conseguia participar da celebração porque pensamentos sombrios ribombavam em minha mente.

Um dos pensamentos ecoou mais alto do que todos os outros: Najiba tinha duas mães, e eu não tinha nenhuma.

CAPÍTULO 11

Fereiba

Ele se chamava Hamid. E, como não era mais meu, pude dizer seu nome sem corar. De certo modo, fiquei feliz por não ter dito antes. Para mim, era apenas uma sequência de fonemas vazios. Nem seu rosto me afetava. Não tinha lembrança de seus olhos nem nunca vira suas mãos. De muitas formas, Hamid era um desconhecido.

O aroma do pomar. O som de sua voz, os passos que se aproximavam – esses eram os gatilhos do sofrimento e da raiva.

Nunca mais seria tão cega.

O casal recém-formado passava tempo junto, passeando pelo bairro à vista dos outros, com sorrisos tímidos e conversas tranquilas. Najiba voltava para casa corada, e eu sabia por quê. Poderia ter contado sobre nossas conversas particulares e as promessas vazias que seu noivo fizera para mim, mas me contive. Dizia a mim mesma que era por nobreza de espírito.

Passei semanas observando as idas e vindas do casal. KokoGul sorria e se dedicava aos preparativos do casamento, passando muitas tardes ocupadas com Bibi Shirin. As duas estavam tão encantadas uma com a outra quanto a noiva e o noivo. Depois daquele primeiro dia, guardei meus sentimentos em segredo. KokoGul perdoou meu comportamento depois do *shirnee*, sem nenhum interesse em explorar o assunto. Não contou nada a meu pai sobre o vestido que eu transformara em retalhos.

Esbarrei com Hamid no pátio, uma vez. Estava esperando Najiba, que tinha entrado em casa para pegar um lenço. Era outono, e o frescor do ar noturno perdurava pelo início da manhã. A porta da casa bateu quando passei. Hamid se voltou para mim, e seu sorriso juvenil evaporou quando constatou que era eu. Percebi a tensão em suas pernas e seus braços. Cada fibra de seu corpo queria fugir, nosso pátio de repente parecendo uma pequena gaiola. Ele podia muito bem estar a centímetros do meu rosto.

Hamid balbuciou uma saudação e se virou para o lado, as mãos desaparecendo nos bolsos.

Hesitei, desejando me recolher com o cesto de roupas úmidas e voltar para casa, mas a reação dele me deu forças. Seus olhos se desviaram, envergonhados, os ombros encolhidos, como se ele estivesse tentando se dobrar ao meio.

– *Salaam* – cumprimentei, em alto e bom som. Minha voz me surpreendeu.

Hamid se encolheu.

Passei por ele devagar, ciente de cada respiração, contando os passos entre nós. Avancei para o lado da casa, ainda à vista dele, e comecei a pendurar a roupa molhada. Tirei a umidade de cada peça antes de colocá-las no lugar. Demoraria horas até que alguma secasse, naquela friagem.

De canto do olho, percebi que Hamid estava inquieto.

Queria odiá-lo.

– Fereiba... – Sua voz não passava de um sussurro.

Dei as costas para ele. Fechei os olhos. Duas gotas de água caíram da camisa úmida de meu pai direto nos dedos do meu pé.

– São questões de família. A decisão nunca esteve em minhas mãos.

Eu ouvi.

– E agora só quero que você seja feliz. Pelo bem de nossas famílias, vamos deixar tudo para trás.

Ele falava com desdém. Minha vergonha ferveu, transformando-se em indignação.

– Deixar para trás o quê? – retruquei.

– Quer mesmo que as coisas sejam assim? Sabe que eu não tinha intenção de criar problemas.

– Não sei nada de você. Najiba sabe menos ainda.

Ele bufou, frustrado. Virei-me e o encarei; ele estreitava os olhos.

– Você sabe que se contar qualquer coisa vai ficar muito feio... – disparou.

– Se eu contar qualquer coisa? É esse o problema? Não tenho a mínima intenção de estragar a vida da minha irmã – rebati, embora fosse apenas meia verdade. – Tenho é pena dela, por acabar com um homem que finge abrir o coração no alto de uma árvore.

– Você não faz ideia do que está dizendo.

– Não?

Ele deu uma olhada para a porta, e então deu dois passos na minha direção.

– Eu falei para minha mãe pedir a mão da filha mais velha do vizinho. Acha que não fiquei surpreso quando ela me arranjou um compromisso com Najiba? Qualquer coisa que eu argumentasse teria trazido vergonha para nossas famílias.

Eu o encarei, sem expressão. Existem verdades e mentiras e existem coisas que ficam no meio do caminho, águas turvas que alteram a direção dos raios de luz. Eu não conhecia o rosto dele o suficiente para decidir se falava a verdade. Não sabia interpretar o movimento de seus lábios nem as sombras sob seus olhos. Ele queria que eu *compreendesse* ou que *acreditasse*? E, se eu acreditasse, seria o suficiente para mudar o rumo de nossa história?

Najiba voltou com um dos lenços de Sultana amarrado no pescoço, um sorriso estampado no rosto. Não era mais a garota tímida, com os olhos voltados para o chão. Já começara a ficar à vontade perto de Hamid e conseguia caminhar a seu lado sem se sentir indecente. Dava para ver a empolgação em seu rosto.

Hamid e eu nunca mais falamos de nosso breve passado em comum. Eu nunca saberia ao certo se ele sentia algo mais do que um interesse de divertimento por mim ou se caíra na armadilha de um casamento não desejado. O peso da falta de decoro de nossos dias no pomar permanecia em nossas mentes, e raramente deixávamos que nossos olhares se encontrassem. Najiba nunca sentiu a sombra que pairava entre nós. E, se percebeu, nada disse. Eu teria feito a mesma coisa em seu lugar.

Nos dias logo após o casamento de minha irmã, KokoGul recebeu de novo uma visita de Bibi Shirin e da irmã. Dessa vez, era a irmã de Bibi Shirin, Khanum Zeba, que vinha em busca de uma noiva.

Mas Khanum Zeba veio atrás de mim.

KokoGul dera uma risada. Eu conhecia minha madrasta bem o bastante para não me incomodar. Não estava pronta para o casamento – não por ser jovem demais ou imatura, mas porque meu coração tinha endurecido. Eu vivera a ilusão do amor, mas nunca encontrara o artigo genuíno. Não tinha motivos para acreditar que existisse.

Khanum Zeba, porém, era a mulher mais bondosa que eu já havia conhecido. Imaginava que minha mãe a amaria. E, enquanto encarava o intrincado desenho do tapete da sala, eu a ouvi dizer coisas de mim que nunca ouvira:

Ela é tudo que desejo para meu filho.

Na primeira vez que a vi, sabia que ela deveria fazer parte da nossa família.

Tive que ver aquilo. Suas palavras me deram coragem para erguer os olhos e encará-la. As pálpebras de seus olhos castanhos límpidos se enrugavam enquanto ela explicava, serena, para uma KokoGul muito curiosa, os motivos que a levaram a me escolher.

Sonhei uma vez... há muitos anos... com o dia do casamento do meu filho. Quando despertei, eu me lembrava de cada detalhe, como se tivesse participado da celebração na noite anterior. Lembrava-me inclusive do rosto da noiva quando erguemos o véu verde para o nikkah. *Quando visitei sua casa e conheci Fereiba, eu a reconheci.*

Que bom para seu filho, gracejou KokoGul, *que a senhora não sonhou com a filha do padeiro... que tem a pele tão escura quanto o pão que ele queima.*

As outras esconderam o riso com a mão, mas os comentários de KokoGul não fizeram o menor efeito sobre minha futura sogra.

Sua filha é uma menina especial. Merece uma vida cheia de roshanee, *iluminada e calorosa como ela é.*

As palavras de Khanum Zeba eram uma linda lua reluzindo baixa no céu noturno. KokoGul ficou horrorizada e me mandou sair da sala, mas Khanum Zeba se aproximou e colocou a mão sobre a minha, para me tranquilizar.

Eu queria acreditar.

CAPÍTULO 12

Fereiba

Nos meus anos no Afeganistão, sobrevivi a muitas mudanças de regime, a começar pela morte de minha mãe e pelo segundo casamento de meu pai. Algumas mudanças foram mais difíceis de engolir do que outras.

Khanum Zeba se tornou Khala Zeba assim que KokoGul colocou o *shirnee* diante dela e concordou em dar minha mão em casamento. Eu nunca tinha visto seu filho, Mamude. De certo modo, me apaixonei por Khanum Zeba. O filho era apenas sua mão estendida. No entanto, à medida que levávamos uma vida juntos, Mamude e eu aos poucos nos tornamos marido e mulher.

Quando contei para Khanum Zeba que queria ser professora, ela insistiu para que eu fosse atrás de meus objetivos. Também tinha sido professora. Eu me matriculei num curso e avancei nos estudos com o apoio de uma família da qual ainda nem fazia parte. Meu pai e KokoGul só tinham o trabalho de se certificar de que eu frequentasse as aulas.

– Escola, escola, escola... Seu marido vai comprar giz e cadernos de presente se não deixar claro que gosta de outras coisas além de sala de aula – provocava KokoGul.

Mamude e eu nos casamos em 1979, um ano depois do noivado, quando os primeiros soldados da União Soviética, ainda com cara de bebê, puseram seus coturnos pesados em solo afegão. Depois de me formar com orgulho como professora em dois anos, eu acordava todos os dias com energias renovadas e assumia meu lugar à frente de uma turma da escola primária. As crianças eram tão ávidas em aprender quanto aves que acabavam de sair do ovo e ainda não sabiam voar. E minha função era nutrir suas mentes abertas, ensinar as palavras, os números e as ideias que as fariam abrir suas asas.

Apenas dois meses após o casamento, Mamude recebeu a notícia de que a família de seu tio, inclusive os quatro filhos, tinha sido morta por bombas soviéticas no vale Panjshir. Os recém-casados passaram os meses seguintes de luto. Eu ouvia as tias e as primas de Mamude estalando a língua diante da visão incongruente de uma jovem noiva num *fatiha* sombrio, com os visitantes aparecendo para prestar condolências à família do falecido, e não para celebrar.

É como foi avisado, vinham os cochichos. *Ela carrega uma maldição... e agora está entre nós. A própria família alertou...*

Ouvimos falar dos boatos. Minha sogra, Khala Zeba, zombou. Não comentou nada quando Mamude tomou a dolorosa decisão de se distanciar das fofocas da família. Ele me protegeu dos parentes, tanto os que olhavam com desconfiança quanto os que mantinham as crianças longe, por medo.

Mulheres ociosas são perigosas. Melhor ficar com suas colegas, mulheres que se ocupam com a casa e o trabalho, como você. Não dê ouvidos aos cacarejos do galinheiro, recomendava Mamude.

Fiquei aliviada e surpresa por ver meu marido rejeitar essas calúnias. Senti orgulho ao ouvi-lo me defender, sobretudo diante da própria família. Mamude e Khala Zeba me lembravam meu avô, cuja força moral e amor incondicional conseguiam neutralizar o efeito das palavras dolorosas de KokoGul. Mamude fez com que o solo sob meus pés parasse de estremecer. Ele me deu espaço e motivos para amá-lo.

Então eu me ocupei, como ele sugeriu. Passava uma tarde ou outra com uma amiga professora e mergulhei no ensino. Esperava muito da turma, que se esforçava bastante. Eu sabia que não era tão severa quanto outras professoras, mas disputava o afeto dos alunos com a mesma intensidade com que eles disputavam o meu.

Eu me importava com o que usava, naqueles tempos, e me esforçava para me vestir com esmero. Na casa de meu pai, andava mais como menina: jeans, saias abaixo do joelho e camisas polo. No meu novo lar, andava mais como mulher: saias de corte reto, blusas com babados, escarpins com fivela e uma bolsa a tiracolo. Com Mamude, eu tinha minha própria casa e a liberdade para decidir como gastar meu salário. Eu não era extravagante, apenas elegante o suficiente para fazer meu marido abrir um sorriso quando saíamos para uma reunião social ou visitar parentes. Olhava para mim como se eu também lhe desse espaço e motivos para me amar.

Ele acreditava no romance. Certa vez, fez uma viagem pelo país. Passou duas semanas fora e voltou com catorze cartas que escrevera, uma pilha grossa com seus pensamentos sobre nosso primeiro encontro, seu futuro profissional e seu filme indiano favorito.

Suas pobres orelhas, Ferei! Se eu tive tanto para escrever, imagine quanto devo falar!

Pelo menos naqueles dias tínhamos um ao outro para sorrir. O país sofreu perdas imensuráveis no cabo de guerra entre a União Soviética e os *mujahidin*, os guerrilheiros do Afeganistão. Mais mães enterraram filhos. Mais crianças mancavam no caminho da escola, os membros amputados por explosivos disfarçados de bonecas ou de carrinhos. Mamude e eu ouvíamos as notícias juntos, no sofá – ele passava o braço em volta do meu ombro ou eu apoiava as costas em seu peito. Ele balançava a cabeça com tristeza enquanto os afegãos fugiam do interior dilacerado e procuravam refúgio na capital.

V<small>IVEMOS SEIS ANOS SATISFEITOS</small>, como marido e mulher, mas um tanto desanimados por minha barriga nunca gerar um filho. Não falávamos disso abertamente, mas, quando sugeri que queria ser mãe, Mamude concordou que eu deveria consultar um médico. Fui ver os mais elogiados médicos de senhoras e tomei todos os comprimidos que me prescreveram, cheia de confiança. Engoli as mais horrendas combinações de ervas de uma senhora idosa da vizinhança. Mês após mês, meu sangramento descia, até que finalmente desabei enquanto me vestia para a escola, certa manhã, e solucei para Mamude que ele não devia ser privado da paternidade por causa de meu ventre estéril. Ele me abraçou com a força e a delicadeza como eu imaginava que apenas minha mãe pudesse ter e sussurrou no meu ouvido que eu nunca deveria repetir aquelas palavras. Aprendi algo muito importante naquele dia.

O amor cresce mais selvagem nos jardins das dificuldades.

Pouco depois veio Salim – uma surpresa feliz que reavivou as fofocas. *Vejam só com quem essa família se uniu*, diziam, nos anos em que não tínhamos filho. Isso logo se transformou em cochichos sobre como eu recorrera a algum tipo de magia para driblar a maldição. Por outro lado, minhas colegas professoras ficaram felizes por mim e, embora a maioria das famílias estivesse passando dificuldades em Cabul, naquele tempo turbulento, juntaram dinheiro para dar presentes para o novo bebê. Casaquinhos pequeninos tricotados à mão, cobertores de pelúcia e um prato de biscoitos doces de água de rosas. Khala Zeba comemorou conosco, caprichando na cozinha e cuidando do neto enquanto eu me recuperava de um parto difícil.

Nas visitas à minha família, eu reparava numa mudança em KokoGul: ela me tratava como uma prima de outra cidade. Não sabia o que fazer comigo, agora que eu não estava mais ao alcance das provocações de sua língua ferina. Najiba tinha saído de casa, assim como Asad, e meu pai se retirara do mundo ainda mais desde o meu casamento. KokoGul estava solitária sem sua plateia. Embora na superfície pudesse parecer que ela enfim se apegara a mim, eu sentia um afastamento entre nós. Visitava a casa com frequência para ver minhas irmãs mais novas, mas KokoGul se mantinha distante.

Quando Salim completou 4 anos, os últimos soldados soviéticos se retiraram. Era 1989. Rezamos pela tranquilidade.

Não foi o que aconteceu. As coisas pioraram em Cabul enquanto Mamude e eu nos atordoávamos com um segundo milagre na nossa casa. Nós a chamamos de Samira. Com um filho e uma filha, estávamos ainda mais desesperados para que a paz retornasse ao Afeganistão.

Os bombardeios choviam sobre a cidade enquanto facções rivais tentavam tomar a capital.

Salim estava ansioso para ter uma vida normal de menino. Chegou a me pedir para passar a tarde com um amigo do outro lado da cidade. Não permiti.

Por que não, Madar-jan?, choramingou ele. *Qasim é meu melhor amigo. Eu volto antes do jantar.*

Não, Salim-jan. Seu pai e eu já conversamos com você sobre esse assunto. Aquele bairro é um ímã para os bombardeios.

Fiz minha voz soar tão séria quanto possível, sem querer deixar espaço para discussão. Não gostava de ter que impedir Salim de brincar como eu vira os meninos brincando, quando eu tinha a idade dele, mas estávamos vivendo um tempo diferente. Salim passou o resto da tarde amuado e foi para a cama sem jantar, um castigo para nós dois.

Pela manhã, nosso vizinho, Rahim, veio conversar com Mamude. Bombardeios noturnos haviam destruído diversas casas e pelo menos duas crianças tinham morrido. Ouvi enquanto preparava pão e chá para o desjejum. Quando terminássemos, eu leria o Corão. De que outra forma poderia nos proteger?

Salim descobriu na escola o que eu, mais tarde, ouvi de uma amiga: seu amigo Qasim sobrevivera ao bombardeio, mas a irmã de 3 anos acabara morta, sufocada sob os escombros enquanto a família tentava libertá-la. Salim nada disse, e eu não tinha palavras para ele. Foi um erro. Eu não deveria ter acreditado que o silêncio podia nos proteger da horrível verdade.

O NOVO REGIME EM ASCENSÃO, O TALIBÃ, insistia que as mulheres se vestissem com mais recato e que os homens cultivassem barbas, de acordo com a tradição islâmica. Todos os dias era baixado um novo conjunto de decretos, e as punições aos infratores vinham depressa. Como mulher, eu não tinha mais permissão para lecionar. As meninas não podiam ir à escola.

Aquilo me assustava e me magoava. Os anos dolorosos em que fui mantida longe da escola se tornavam a narrativa de todas as meninas. E o que acontece ao pisarem e mexerem numa antiga ferida? Fiquei doente só de pensar em tantas salas de aula vazias.

O Talibã era bruto, religioso e agressivo. Nós os víamos pelas janelas e ouvíamos seus discursos. Embora fossem ásperos e ignorantes, alguns de nossos vizinhos apoiaram sua ascensão e o fim das lutas.

Estávamos todos desesperados pela paz, e era paz o que eles prometiam.

EMBORA SALIM AINDA ESTIVESSE NA ESCOLA PRIMÁRIA, eu me sentava numa sala de visitas com outras professoras expulsas das escolas, todas amontoadas em torno de xícaras de chá diluído. Mamude e eu conversávamos até tarde da noite. Torcíamos para que nossos filhos não ouvissem nossas vozes abafadas e ansiosas. Tias e tios apareceram para abraços e beijos chorosos antes de sair do Afeganistão. Salim perguntava para onde eles iam e ficava intrigado com a lista de países: Paquistão, Hungria, Alemanha.

Certo dia, Khala Zeba desabou enquanto fazia compras no mercado. Quando Mamude e eu fomos informados, corremos para junto de minha sogra, que tinha perdido a consciência. No hospital, um médico informou que ela tinha sofrido um derrame e que não havia nada a ser feito. Se fosse para se recuperar, ela se recuperaria sozinha. Nós a levamos para casa e passei três dias a seu lado, colocando panos limpos e molhados em sua testa e lhe dando gotinhas de caldo na boca. Mamude e eu rezamos junto com ela, mexemos nas suas contas de oração. Eu conversava com minha sogra, mesmo sem resposta. Limpava o fino fluxo de saliva que descia do canto de sua boca como tinha feito com meus bebês. Meu marido andava de um lado para outro no quarto e beijava as mãos da mãe, angustiado com a sensação de que deveria estar fazendo mais. Mas não havia mais nada a fazer. Minha sogra partiu desta vida com tanta graça quanto viveu.

Eu já deveria estar calejada àquela altura, mas não estava. Me roubaram uma mãe que eu acabara de encontrar, a primeira mulher que me tratara de verdade como uma filha. Sentia falta de nossas conversas. Ela me ensinara a embalar Salim em mantas e aliviar suas cólicas. Cuidara dele no fim da gravidez de Samira e cozinhara arroz com feijão mungo. Era difícil olhar para meus filhos sem pensar nela. Procurei encontrar um modo de me distrair.

Passei alguns meses lecionando para meninas da vizinhança, numa sala de aula improvisada em nossa casa. Mas, quando o Talibã executou três pessoas em uma semana por manterem uma escola secreta, até nossos vizinhos proibiram as filhas de sair de casa. Nosso lar, antes tão iluminado e alegre, parecia sufocante e escuro. Mamude também estava ficando amargo e taciturno, deixando crescer a barba que exigiam com relutância. Pelo menos os céus explosivos tinham se acalmado, sob esse novo regime.

Salim e Samira encontravam novas formas de brincar e de rir em casa. Eu quase conseguia acreditar que a vida era normal ao ouvi-los no aposento ao lado.

Salim entrou no sétimo ano em 1997. O Talibã, que passara a controlar Cabul, tinha prendido um punhado de europeus por tirar foto de um hospital de mulheres na cidade. Mamude e eu não comentamos sobre o assunto quando Salim começou a nos questionar.

O Talibã acredita que não é islâmico tirar fotografias das pessoas, foi tudo o que Mamude explicou. Não podíamos correr o risco de que ele repetisse algo comprometedor para os colegas.

Se eu fosse europeia, nunca teria saído de casa para visitar Cabul. Não naquele momento. Teria permanecido na Polônia, na Inglaterra ou na Itália, onde não se ouviam os assobios das bombas no céu, onde a carne e as verduras eram abundantes, e onde as mulheres não tinham medo de sair de casa. Por que largar um paraíso e ir a Cabul?

Todos os aparelhos de televisão e de videocassetes foram banidos. A música foi proscrita. Mamude estava irado, mas só ousava resmungar sobre a destruição de nossa sociedade comigo ou dentro do círculo de amigos mais próximos. Continuava a trabalhar como engenheiro civil no Ministério de Água e Eletricidade. Seu emprego original tinha como foco levar água potável de boa qualidade e energia elétrica até as periferias de Cabul, mas tudo mudava sob as novas ordens. A cada dia havia novas restrições e alertas do Talibã sobre o que podia ou não ser construído em Cabul.

– Por quantas décadas podemos seguir sem progresso e sem obras? Esse país está regredindo...

Ele andava com os ombros caídos, como se carregassem o peso do mundo. Era uma sombra barbuda do que costumava ser. Perguntei a mim mesma se voltaria a vê-lo como o homem alto e orgulhoso que costumava rodar os filhos no ar até que ficassem tontos de tanto rir.

Samira deveria estar animada com seus lápis e recitando o alfabeto para se preparar para a escola. Não conseguíamos fazer com que compreendesse por que não podia frequentar a sala de aula como o irmão. Expliquei a ela que não importava e canalizei toda a minha energia em dar lições formais em casa. Foi bom voltar a ensinar e desafiar o decreto do meu próprio jeito.

Em 1999, apesar de parecer altamente improvável, meu ventre voltou a crescer. Devíamos ter ficado felizes, mas eu me sentia sufocada. Tinha que me segurar para não chorar cada vez que conversava com Mamude sobre o futuro.

– E vamos botar mais uma criança no mundo, em Cabul? Uma Cabul que nem eu nem você conseguimos reconhecer? Para quê? Se for um menino, vai crescer sem conhecer nada além de barbas e medo. E que Deus nos proteja de que essa criança tenha a triste sorte de ser uma menina! Acho que simplesmente não suportaria. Já me sinto envergonhada por permitir que Samira veja o que me tornei... Tive que me encolher sob o tacão daqueles tiranos de turbante enquanto roubavam minha carreira, minhas amigas, minha liberdade para andar pelas ruas! Que futuro existe para minha filha?

Mamude se sentia tão derrotado quanto eu.

– Tem razão, Ferei. Está na hora de partir. Qualquer esperança que tive por este país está morta. Cada dia é pior do que o outro. Vou descobrir uma forma de sairmos e rezo para que seja antes do nascimento desta criança. Meu Deus, queria ter seguido todos. Poderíamos estar na Inglaterra, como sua irmã e meu primo. Nunca imaginei que seria incapaz de mandar minha filha para a escola.

Fiquei aliviada por estar planejando nossa fuga e temerosa por deixar nosso lar. Sem Khala Zeba, eu não sentia nenhuma obrigação de ficar. Mamude encontrou Rahim, que conhecia um funcionário do governo, título que significava cada vez menos com o passar dos dias. Em troca de quase metade de nossas parcas economias, nos prometeram passaportes falsos. Rahim agiu como encarregado em troca de seu próprio envelope de notas de dinheiro.

Cruzar a fronteira seria uma aventura arriscada, mesmo com passaportes. Rahim insistiu para que garantíssemos também passaportes estrangeiros, pois nossos documentos afegãos não nos levariam muito longe. Rahim conhecia também um falsificador, que chamava de Embaixada. Era um homem habilidoso que tinha trabalhado na gráfica de Cabul. Quando o Talibã silenciou o zumbido da impressora, Embaixada carregou para casa uma máquina de escrever, encheu os bolsos do casaco com tinta e planejou o futuro da própria família. Ele, como Mamude e eu, era um profissional privado de sua profissão.

Porém, havia uma diferença entre nós. Enquanto Embaixada tinha medo demais de deixar Cabul, nós tínhamos medo demais de ficar. Ainda não estava claro quem teria tomado a decisão mais sábia.

CAPÍTULO 13

Fereiba

TRÊS MESES ANTES DE TRAZER AO MUNDO meu terceiro filho, mandei Salim ao mercado para comprar sal. Minhas costas doíam, e Mamude chegaria em breve, ansioso pelo jantar. Sem uma pitada de sal no armário, o arroz e o ensopado seriam um fracasso.

O tempo costumava escapar das mãos de meu menino aventureiro. Olhei para o relógio e disse a mim mesma que ele encontrara amigos. O sol mergulhou por trás dos picos das montanhas. Salim já havia passado duas horas fora, quando deveria ter voltado em vinte minutos.

Eu me sentei numa cadeira e tentei massagear um nó de tensão nas costas. Meus nervos estavam à flor da pele. Corri para a sala de estar quando ouvi que o portão da frente se abria, pronta para dar uma bronca em Salim, por ter demorado, e ansiosa para que tivesse voltado. Mas era Mamude, que chegara um pouco mais cedo do que o habitual. Ele notou meu rosto e pousou a pasta no sofá. Vi que seus olhos vasculhavam a sala, em busca de uma pista.

– O que houve, Fereiba? Onde está Salim?

Caí em prantos. Não vinha dormindo bem naquela última semana e me sentia absurdamente exausta. Minhas pernas e minhas costas doíam, e a preocupação com Salim tinha sido a gota d'água. Mas eu estava sozinha em casa com Samira, e ela era sensível a meus humores, por isso tentara manter uma expressão feliz.

Mamude me abraçou e lembrou que Salim tinha que passar pela rua onde os amigos costumavam brincar e que era muito raro que nosso filho tomasse o caminho direto para casa ao ser enviado para alguma tarefa. Mamude e eu éramos muito diferentes nesse aspecto. Eu me preocupava por antecipação. Ele se preocupava tarde demais.

Seguindo a sugestão de meu marido, nos sentamos para jantar. Estendi a toalha de vinil no piso da sala. Samira, mais ansiosa em agradar quando o irmão dava problemas, arrumou as tigelas e colheres. Foi uma refeição sem sabor, com ou sem sal. Meu coração deu um salto quando ouvi a batida do portão. Já ia me levantar, mas Mamude pousou a mão sobre a minha.

– Vamos deixar que ele venha até nós, *janem* – recomendou, em voz baixa.

Assenti, mexendo no arroz do meu prato distraidamente. Olhei para Samira. Seus olhos negros cintilavam quando ela ouviu os passos do irmão.

Salim entrou com um ar sem graça na sala.

– *Salaam* – balbuciou.

Mamude o examinou com o rosto calmo, ponderado.

– Salim, vá se lavar. Está coberto de sujeira. Espero que seu futebol tenha valido o sofrimento que causou à sua mãe.

Salim baixou a cabeça. Depositou um saco de sal no balcão e resmungou alguma coisa parecida com um pedido de desculpas. Quando voltou, Samira e eu tínhamos tirado todos os pratos, menos uma pequena tigela de arroz. Constrangido mas faminto, sentou-se na toalha de pernas cruzadas. Mamude se acomodou na poltrona para ler, como tinha por hábito à noite.

Olhei de esguelha e vi que Salim engolira a comida de uma só vez. Ele fitou o tapete, inexpressivo. Senti seu pavor. A expectativa de reprimenda era sempre pior do que a própria reprimenda.

– Salim, você quer dizer alguma coisa? – perguntei de repente, secando as mãos num pano de prato.

A cabeça do menino estava muito baixa, o corpo parecia pedir desculpas, embora ele não conseguisse fazer com que sua boca pronunciasse as palavras.

Mamude baixou os óculos de leitura e pôs o livro sobre as mesinhas à direita. Estava lendo a poesia de Ibrahim Khalil, prolífico poeta de Cabul, adorado por muitos da família Waziri. Na universidade, Mamude e Hamid tiveram uma aula com Khalil. Embora eu adorasse os versos, não conseguia evitar pensar no marido de Najiba. Ter permitido que o primo de meu marido recitasse poemas de Khalil para mim me deixava tremendamente constrangida. Ele tentava, de tempos e tempos, dividir uma ou duas quadras comigo, mas não era algo que eu podia compartilhar com Mamude. Parecia desonesto.

– Levante os olhos, *bachem* – disse Mamude.

Salim, sentado diante do pai de pernas cruzadas, ergueu a cabeça devagar. Mamude fez uma pausa, voltando a pensar no que ia dizer.

– Deixe-me ler uma coisa para você – falou, e pegou o livro de Khalil na mesinha.

Saiba que teu destino não está poluído
Quando pequeno, alimentavas-te de leite não diluído
O labirinto de aflições onde te encontras apartado
De teus desejos foi nascido e criado
Para o castigo, e não do Todo-Poderoso um intento
Nem é Ele quem causa perturbação, enganos ou tormento
Sobre nossos ombros, toda a dor e o sofrer
São apenas os frutos que escolhemos colher

– Compreende o que essas palavras dizem?

– Compreendo, Padar-jan.

– Então me diga, Salim-jan, o que significam para você?

– Que eu não devo agir como uma criança.

– Salim-jan, lamento que quando você desperte a cada manhã seja esse o mundo que encontra à sua volta. Lamento que seja Cabul, no Afeganistão, o que você encontra. Desejo que tivesse dado seus primeiros passos sem bombas voando sobre sua cabeça. Não é lugar para uma criança, por isso mesmo é mais importante ainda que você se esforce. Precisa encontrar um modo de tirar proveito da situação… de colher frutos nobres.

Eu percebia o ressentimento no rosto de Salim. Tudo o que ele ouvia era "não". Isso foi o que chegou a compartilhar comigo, em mais de uma ocasião. As coisas que *podia* fazer eram poucas. As coisas que ele *não podia* eram infindáveis. Mas Salim segurou a língua e não reclamou da injustiça que o próprio Mamude admitia.

– Salim-jan, meu filho, está na hora de aprender a prestar atenção em seus próprios atos. Eu e sua mãe cuidamos de você, mas a cada dia que passa você é menos menino.

Às vezes, eu repreendia Mamude, dizia que ele precisava ser mais firme com os filhos. Eu não conseguia entender por que as crianças temiam seus castigos – ele fazia pouco mais que dar um sermão e lançar olhares decepcionados. Mas as crianças o respeitavam, assim como eu. Tantas noites as crianças e eu nos aninhamos junto a ele, competindo por espaço para ouvir suas histórias. Seus braços envolviam a todos, nos unindo num único pacote.

Eu me perdia naqueles momentos, amando meu marido mais do que me imaginara capaz. Sentia falta de Khala Zeba e desejava ter podido agradecer a ela por ter me posto nos braços dele.

À noite, enquanto as crianças ressonavam baixinho no cômodo ao lado, Mamude massageou o ponto de tensão nas minhas costas.

– Salim será um grande homem… tem o espírito de um leão nos olhos jovens – sussurrou. – Antes que a gente perceba, chegará o dia em que ele será o dono de uma casa com suas próprias crianças. Sabe o que eu peço, *janem*? Peço que esse dia não chegue nem cedo nem tarde demais.

Tirei as mãos de Mamude das costas e as coloquei na minha cintura.

– E rezo que esteja em meu *nasib* ver esse dia – completou ele.

– Se Deus quiser, nós dois veremos – foi tudo o que consegui dizer antes que o nó na minha garganta se apertasse mais.

CAPÍTULO 14

Fereiba

Um mês depois, comemorávamos o Eid. Parentes distantes e amigos vinham fazer as visitas costumeiras, apesar do clima sombrio na cidade. Quando ouvimos a batida ao portão, não achamos que era nada de mais. Mamude foi atender, e eu, por instinto, pus água para ferver, para o chá.

Só que as pessoas à porta não eram nem amigos nem familiares.

Homens de aparência rude tinham invadido o pátio e entravam pelo saguão.

– Então essa é a casa do engenheiro – zombou um deles, a voz cheia de desdém.

Contive um grito ao ouvir as vozes dos homens ressoando do interior da casa. A chaleira caiu com estrépito, a água formando uma poça no chão.

Salim e Samira estavam aos meus pés, desenhando em pedaços de papel. Lancei um olhar e apontei para o andar de cima. Assustados, os dois subiram correndo, sem protestar.

Joguei a burca sobre a cabeça e fui olhar na sala de estar.

Três homens tinham entrado na sala e observavam nossos pertences com desprezo. Usavam cafetãs soltos e pantalonas cáqui e cinza, cores sóbrias que faziam as barbas muito negras se destacarem, assim como as metralhadoras. Carregavam as armas penduradas casualmente nos ombros. O mais alto dos três estava girando o *tasbih* de Mamude, as contas de oração, no dedo. Quando me viram à porta, uma aparição em azul, me mandaram de volta para a cozinha.

Mamude parecia alarmado, mas sob controle. Ele se pusera na minha frente por instinto e me lançou um olhar silencioso, suplicando que obedecesse.

Fiquei horrorizada de deixar meu marido sozinho com os homens que invadiram minha casa, mas também pensava nas duas crianças escondidas no andar de cima e naquela que eu carregava sob a burca. Abaixei a cabeça e recuei para a cozinha, ainda podendo ouvir, mas sem ser vista.

– Você é um engenheiro.

– Sou. – A voz de Mamude seguia firma.

– E trabalha para o Ministério de Água e Eletricidade – continuou o homem. Pelo tilintar baixo, eu sabia que um deles tinha voltado a atenção para o jogo de chá em porcelana dentro da cristaleira. Tinha sido presente de casamento de Khala Zeba. As xícaras eram delicadas, folheadas a ouro nas asas e com estampas de flores em tom pastel. Não tínhamos fotografias, televisão nem rádio, graças a Deus. Torcia para que isso fosse prova de que nossa casa não tinha nada de ilegal e eles logo partissem.

– Sim, trabalho. Posso ajudar de alguma forma?

– Estamos procurando por Mamude Waziri, engenheiro que trabalha para o Ministério de Água e Eletricidade... o homem conhecido por desrespeitar as leis islâmicas.

Meu coração disparou. No alto da escada, vi a sombra de duas cabecinhas que espiavam num canto. Fiz um gesto para que recuassem.

– Desrespeitar? Mas não desrespeitei...

– Melhor vir conosco para que possamos dizer exatamente quais foram os pecados de que o acusam.

– Pecados? Meus irmãos, deve haver um equívoco. – Detectei um ligeiro tremor na voz de Mamude, mas nada comparado ao modo como eu tremia.

– Não há equívoco.

– Por favor, me ouçam por um momento. Tenho feito o melhor para obedecer aos decretos que me dispensaram...

– Não falaremos aqui, a não ser que queira trazer a esposa e os dois filhos para a sala para assistirem enquanto o *acusamos* de seus crimes.

Mamude soltou um suspiro profundo

– Não, não, não. Não é necessário. Irei com vocês.

– Mamude! Por favor, não o levem! É um homem inocente! – exclamei, minha voz esganiçada e nervosa. Fui para a porta e fiquei de joelhos.

Um dos homens avançou na minha direção, mas Mamude interveio.

– Por favor! – pediu, incisivo, antes de se voltar para mim. Seus dedos estavam nos meus ombros, me segurando, enquanto me olhava através da tela da burca. – Fereiba-jan, eu lhe imploro, deixe-me falar com esses homens. Tenho certeza de que podemos esclarecer tudo. Você precisa ficar *aqui*.

Assim que nos casamos, eu não sabia nada a respeito do meu marido. O tempo me ensinou que ele era paciente, encorajador e disciplinado. Eu era tímida demais para olhá-lo em seus olhos no primeiro mês, mas minha guarda baixou com o calor da amizade. Ele desfez tudo o que esse mundo fizera comigo. Percebi, não muito tempo depois do casamento, quando me peguei rindo de uma piada que ele já tinha contado duas vezes, que eu amava aquele homem.

Fereiba, sabe qual é a mais bela palavra para "cônjuge" na nossa língua?

Qual é?

Hamsar. *Pense nisso. "De um só pensamento." Nós somos assim, não acha?*

Era isso que Mamude fazia. Tomava palavras cansadas, enferrujadas – daquelas que as pessoas podiam dizer umas para as outras sem nada sentir –, e as revirava na palma da mão. Tirava a poeira e as fazia reluzir com um significado tão tocante que você sentia vergonha por não ter prestado atenção antes.

Ele me fazia perguntas e ouvia minhas respostas. Tinha o coração generoso da mãe e a perspicácia do pai. Não vivia com medo de Deus porque acreditava que um Deus piedoso não nos criaria apenas para nos punir por assuntos terrenos triviais. Mamude era lógico e determinado. Amava os filhos. Punia-os e, logo depois, ria de suas travessuras. Acariciava minha testa antes de dormirmos, um carinho leve que era o suficiente para que meus olhos ficassem pesados, mas ardente o bastante para me dar vontade de ficar acordada. Queria que seu trabalho deixasse uma marca no Afeganistão, que fosse algo de que os filhos pudessem se orgulhar.

Como não tivemos filhos que dispersassem nossa atenção no início do casamento, conheci muito bem meu marido. Podia ouvir o que Mamude pensava quando olhava em seus olhos.

Era meu *hamsar*.

Enquanto os homens rosnavam, ordenando que ele os seguisse, voltei-me para o rosto de Mamude – a tela azulada da burca invadindo o momento mais precioso, mais particular de nossa vida de casados. Havia tanto a dizer. Os olhos dele sussurraram para os meus de um jeito que só um *hamsar* podia.

Tome conta das crianças, janem. *Farei o possível para consertar as coisas. Lamento que eu tenha provocado isso. Daria qualquer coisa para ficar ao seu lado.*

Meu marido foi levado para fora de casa na noite mais tenebrosa de nossas vidas. Os homens bateram à porta. Duas xícaras de porcelana caíram da prateleira e se espatifaram no chão, deixando cacos brancos em tons pastel.

Ouvi passos frenéticos no andar de cima e soube que Salim havia corrido para a janela. Nunca perguntei o que ele tinha visto. Se conheço meu marido, Mamude tinha consciência de que os filhos estariam olhando. Não faria nada para tornar aquela noite mais feia do que já seria eternamente em suas lembranças.

CAPÍTULO 15

Fereiba

Salim veio até mim na ponta dos pés. Eu tinha tirado a burca e me deixara cair no chão. Ouvira o ronco do motor ao longe. Levaram Mamude. Meu filho se sentou ao meu lado, e Samira nos observava de uma distância segura. Quando o silêncio se tornou insuportável, Salim não aguentou.

– Madar-jan… – sussurrou.

Eu o interrompi antes que ele pudesse questionar qualquer coisa. Eu não tinha respostas.

– Meu filho, volte lá para cima com sua irmã e durma. Vou esperar seu pai.

Eu sabia que ele estava assustado. Sabia que ele queria ser útil. Queria fazer coisas que dariam orgulho a Mamude.

Samira tinha apenas 9 anos naquela noite. Era uma extensão de mim. Seus humores variavam de acordo com os meus, assim como as marés são atraídas pela lua. Se eu ficava melancólica, Samira se aquietava, soprando a franja escura de sua testa franzida. Se eu estava feliz, minha filha saltitava. Naquela noite, Samira se tornou silenciosa e trêmula. Com as mãos fechadas em pequenos punhos, as lágrimas escurecendo a fronha.

Salim despertou ao amanhecer e me encontrou no sofá da sala. Estava sentada com a cabeça apoiada na parede. Não consigo imaginar o que a cena devia ter parecido para ele.

– Madar-jan?

Ele teve que chamar duas vezes.

– Sim, Salim – respondi, enfim. Minha garganta ardia, ressecada.

Salim não sabia o que dizer. Apenas se sentia obrigado a romper o silêncio e a avaliar a situação.

– Dormiu, Madar-jan?

Eu estava sentada com as mãos no ventre; meus pés inchados mal alcançavam o chão.

– Dormi, meu filho.

Ele pareceu duvidar e se ofereceu para me levar chá. Olhei para Salim, que retorcia as mãos nas costas, com o rosto tenso de medo. Estava na hora de voltar a ser mãe.

– Ainda está cedo – falei. – Seria bom rezar por seu pai.

Não nos demos ao trabalho de aquecer a água para as abluções.

– Em nome de Deus... – sussurrei, e comecei a lavar as mãos, a boca, o nariz. Me preparei para enfrentar o toque gelado da água. Não demonstraria fraqueza. Lavei o rosto, a parte de trás das orelhas, as mãos e os pés.

Num ritmo ensaiado, Salim e eu nos levantamos, nos ajoelhamos e nos curvamos enquanto pronunciávamos palavras que havíamos memorizado muito cedo em nossas vidas. Sentia meus olhos se enchendo de lágrimas ao pensar na noite anterior.

Não sabia se meu marido voltaria.

Nossa casa ficou paralisada no tempo, aguardando um sinal.

Embora fosse jovem, Salim ajudava com algumas tarefas, fazendo as compras no mercado para nossas necessidades básicas. Eu estava isolada. Meus irmãos tinham fugido do Afeganistão junto com KokoGul. Meu pai ficara para trás, cuidando do pomar, a uma hora de distância da casa onde eu e Mamude tínhamos nos estabelecido. A família de meu marido estava igualmente dispersa, as irmãs morando na Austrália. Tudo o que tínhamos eram uns primos distantes que lutavam, como nós, para alimentar seus filhos e sobreviver na nova ordem de Cabul. Mandei notícias para nossas famílias. Ficaram preocupadas, mas não tinham condições de ajudar. As irmãs de Mamude suplicaram que eu as mantivesse informadas se recebesse notícias do irmão.

Raisa, a esposa de Abdul Rahim, aparecia com frequência desde que soubera do desaparecimento de Mamude. Alguns dias, mandava um prato com manteiga ou uma panelinha de arroz. Ela sempre fora uma amiga querida, mas eu temia suas visitas depois do desaparecimento de meu marido. Os olhos úmidos de piedade de Raisa eram lembretes brutais de tudo o que dera errado.

Raisa tinha uma suavidade maternal, um peito que se oferecia para acolher e para ninar como se você fosse um de seus muitos filhos. Naqueles dias sombrios, ela fazia visitas curtas. Sem dar uma pausa na conversa, arrumava a cozinha e preparava um prato rápido com qualquer coisa que encontrasse na despensa.

– Fereiba-jan, alguma notícia? – perguntava, vaga.

– Ainda não, mas tenho certeza de que chegará alguma, qualquer dia – eu respondia e acreditava.

Mamude sempre me surpreendia. Eu não tinha motivos para esperar menos dele.

– Pois bem, se houver alguma coisa de que você e as crianças necessitem...

Eu procurava encontrar forças. Tentava manter a casa em ordem, dar um jeito de fazer com que meus filhos dormissem tranquilos. Samira espelhava minha compostura durante o dia, mas, à noite, a franja escura grudava no suor frio de sua testa. Gemia e choramingava no sono, uma linguagem que eu compreendia, mas me recusava a falar.

Encontrei o caderno de Salim. Havia marcações na parte de trás. Ele vinha contando os dias desde aquela noite. Havia 47 marcas.

Éramos um lar sem patriarca, o tipo de coisa que as feras de Cabul devoravam sem pensar. Certo dia, tomada por dores intensas, percebi como estávamos isolados sem um homem na casa. Passava horas com o rosto virado para a parede, quando a pressão me avassalava. As crianças nada diziam. Cada um de nós interpretava seu papel naquela pantomima da normalidade.

Mas o medo de perder aquele que ainda não havia nascido, de ter Mamude de volta descobrindo que não havia mais filho, foi o suficiente para me tirar de casa sem um acompanhante adequado. Enfiei a burca e tomei Salim pela mão. Deixei Samira com Raisa-jan, que apertou minha filha contra o peito e assentiu. Não podia oferecer nada além disso.

– Salim-jan, me perdoe se eu apertar sua mão com força demais, *bachem*. – A dor era aguda e vinha com tamanha intensidade que eu quase me dobrava.

– Está muito doente, Madar-jan? – indagou Salim baixinho, quando saímos da rua.

– Não, *bachem*. Tenho certeza de que está tudo bem. Tudo vai ficar melhor assim que seu pai voltar.

O ar de dúvida no rosto de Salim não passou despercebido. Minha confiança começou a vacilar e a tropeçar. Samira também percebera. A cada dia, ela se recolhia mais em seu íntimo.

– O bebê está chegando? – As perguntas de Salim eram práticas. Ele se parecia tanto com o pai. Eu não percebera quanto ele crescera no último ano.

– Queira Deus que não, *bachem*. Está cedo demais. Os bebês precisam de nove meses e nove dias. Nove meses e nove dias – repeti, ouvindo a voz da minha sogra.

Ela tinha compartilhado tanto comigo antes de nos deixar, espremendo uma vida inteira de cuidados maternos em alguns poucos anos. Fora ela quem correra atrás da parteira, quando as dores do parto começaram com Salim e Samira. Ela segurara minha mão enquanto eu botava seus netos no mundo. À medida que se aproximava a hora daquela criança, mais eu sentia a ausência de minha sogra.

Com uma das mãos sobre o ventre e os olhos no chão, não notei os três homens quando virei a esquina. Faltavam apenas 100 metros para chegar ao hospital.

– Não tem respeito por si mesma, mulher? Onde está seu *mahram*?

Um globo de saliva aterrissou a meus pés. Dei um passo para trás. Meu filho segurou minha mão com mais força. Tentei me colocar diante dele.

– Este é meu filho. Está me acompanhando ao hospital. Estou com dores fortes e estou... nessa condição.

Seriam aqueles os mesmos homens que tinham levado Mamude? Saberiam de alguma coisa sobre seu paradeiro? Antes de ousar perguntar, um porrete atingiu meu ombro. Curvei-me, as mãos cobrindo o ventre.

– Por favor, não façam isso! – gritou Salim, jogando-se diante do meu corpo encolhido.

– Só as libertinas falam desses assuntos com tanta abertura! Não tem vergonha diante de seu filho? Onde está o pai? Ou talvez não tenha pai.

Meu corpo estremeceu de raiva, mas não respondi. Também precisava ser prática.

– Pedimos perdão. Por favor, permita que sigamos nosso caminho – implorei, rangendo os dentes.

– Volte para casa. Vá para casa com seu menino e tente se comportar como uma muçulmana de respeito. Não precisa de hospital. Guarde seus problemas de mulher para você e poupe seu filho da vergonha de ser visto em sua companhia.

Dores severas dilaceravam meu ombro e minha pélvis, mas eu me levantei. Puxei meu filho aturdido pela mão e dei meia-volta. Depois de apenas um passo, senti um golpe nas costas. Fui atingida mais duas vezes. Apertei a mão de Salim, antecipando sua reação.

– Madar! – Ele estava zangado.

– Não diga nada, *bachem* – cochichei. – Vamos seguir nosso caminho, meu amor. Estou bem.

O rosto de Salim ardia de fúria. Não fazer nada era algo que o machucava, mesmo quando era eu que mandava. Ao levá-lo como acompanhante, pedi que ele fosse o homem da casa. Ao lhe dizer para não fazer nada, eu o devolvera à condição de menino. Ele me apoiou enquanto me arrastei de volta para casa. Para um afegão, é mais difícil engolir o orgulho do que um saco de parafusos.

Paramos várias vezes para que eu pudesse respirar e descansar encostada numa parede. O caminho para casa pareceu bem mais longo do que eu lembrava.

Fiquei três dias de cama, pedindo a Deus que olhasse por mim e pela criança. As dores iam e vinham. Raisa ficava na casa até o anoitecer e preparava refeições simples para meus filhos. Colocava panos úmidos na minha testa e me obrigava a beber água de uma tigela de cobre com a gravação de uma sura do Corão. Salim e Samira estavam tristonhos e inseparáveis. Agarravam-se um ao outro como dois viajantes perdidos que tentavam se manter aquecidos numa noite gelada.

No terceiro dia, Raisa entrou na nossa casa com determinação renovada. Tirou de uma bolsinha um punhado de sementes pequenas e escuras, que colocou numa tigela. Enquanto derramava água fervente bem devagar, recitava orações para o vapor almiscarado. Raisa sentou-se atrás de mim, de costas para a parede, e me fez ficar apoiada no seu colo como se eu fosse um bebê, então levou a tigela a meus lábios ressequidos. Eu não tinha forças nem para perguntar o que era aquilo e deixei que o calor descesse por minha garganta.

Raisa preparou uma refeição com pão velho e pôs mais água no caldo de carne que vínhamos tomando havia quatro dias. Tínhamos dinheiro, mas não havia insumos nos mercados. Dois dias de bombardeios fizeram com que todos os vendedores de rua e donos de estabelecimentos se escondessem, deixando a barriga da cidade roncando atrás de janelas fechadas e escuras.

Acordei de noite com o luar no rosto. Respirei fundo e senti que o bebê se mexia. A dor nas costas e nos flancos diminuíra. Consegui me sentar; a cabeça rodou um pouco, depois parou.

Agradeci a Deus.

Salim me olhou com otimismo cauteloso. Não confiava nesse mundo, e eu não conseguia encontrar palavras para restaurar sua fé. Talvez me faltassem mais do que palavras.

Mandei Salim até o vizinho, para agradecer a Raisa-jan pela ajuda e informá-la de que podia cuidar de sua família sem preocupações. Meu filho voltou com a notícia de que Abdul Rahim e Raisa passariam em casa em breve.

Fervi a água para o chá e fiz uma busca nos armários para encontrar algo para servir. Não teríamos sobrevivido àquela semana sem sua bondade.

Os dois bateram à porta. Encontrei-os no pátio e levei-os para a sala, ansiosa para mostrar a Raisa que eu já estava em condições de ficar de pé.

– Você devia estar descansando, Fereiba-jan – repreendeu ela.

– Alá abençoe sua família com muitos anos felizes. – Eu a abracei com força e beijei seu rosto. – Não sei como agradecer por tudo o que você fez. Conseguiu me devolver a saúde e manteve meus filhos alimentados, mesmo tendo sua própria casa para cuidar. Mamude e eu nunca nos esqueceremos.

A expressão de Raisa parecia a de quem tinha acabado de morder algo horrível e esperava o momento certo para cuspir.

– Fereiba-jan, vamos nos sentar e conversar – pediu Abdul Rahim. – Salim-jan, vá dar uma olhada em sua irmã por um momento, *bachem*.

Quando Abdul Rahim, nosso vizinho gigante e gentil, chamou Salim de *meu garoto*, eu soube. Tudo o que eu precisava saber estava naquele tratamento carinhoso, aparentemente tão trivial... a palavra que escapara para instintivamente tentar preencher um vazio doloroso. Abdul Rahim, um pai amoroso, sabia das necessidades de um rapaz. Um rapaz precisava de alguém que desarrumasse seu cabelo, que pusesse a mão em seu ombro, que o ajudasse a consertar um relógio de pulso quebrado.

Um rapaz precisava ser o garoto de alguém.

Bachem.

Não era de surpreender que Mamude tivesse respeitado nossos vizinhos como respeitara. Ele vira a bondade neles muito antes de que precisassem demonstrar.

Meu filho tinha perdido o pai. Meus filhos tinham perdido o pai.

Salim, meu menino obediente, foi se sentar junto de Samira. Eu sabia que ficaria ouvindo e não fiz nada a respeito. Não podia proteger nenhum de nós da realidade. Sentei-me e deixei que Abdul Rahim contasse o que precisava contar.

– Meu irmão trabalha... há duas semanas... levado pelo Talibã... discordou dos atos deles... homem de ideais... corajoso... trabalhadores encontraram um corpo... um bilhete no bolso... perdoe-me por ter que dar essa notícia...

Raisa me envolveu em seus braços. Ela soluçava, o peito farto se arqueando. Eu já sabia havia semanas, mas algumas verdades precisam ser ditas em voz alta para que consigamos acreditar.

Mamude nunca voltaria. Tínhamos vivido nosso último momento juntos a alguns metros de onde eu estava. Ele dissera tudo o que precisava naquele último momento, seu destino escrito no rosto. Soubera desde o instante em que os homens entraram em nossa casa.

Salim voltou para a sala e caminhou até Abdul Rahim, que estava sentado com os ombros caídos, as mãos dobradas entre os joelhos.

– Kaka-jan – começou ele.

Abdul Rahim encontrou seu olhar.

– Meu pai... ele não vai voltar?

Não era a pergunta de um menino. Era a pergunta de um rapaz que precisava saber o que esperar do amanhã e o que o amanhã esperava dele.

CAPÍTULO 16

Fereiba

Eu precisava tirar minha família de Cabul. Sem Mamude, não havia mais nada para nós. Era quase certo que passaríamos fome depois que o dinheiro acabasse. A chegada iminente do terceiro filho complicava a situação.

Samira não falara desde a tarde da visita de Raisa e Abdul Rahim. Respondia com gestos e acenos de cabeça. Conversei delicadamente com ela, tentando fazê-la pronunciar as palavras, mas Samira permaneceu em silêncio.

Encontrei Salim no quarto do casal, fitando os pertences do pai. Sem notar minha presença, ele tocou as calças, trouxe uma camisa para perto do rosto e distribuiu as peças pelo chão, como se imaginasse o pai dentro das roupas. Pegou o relógio de pulso de Mamude na mesa de cabeceira e examinou-o em sua mão. Colocou-o no pulso e cobriu-o com a manga da camisa. Era um momento privado entre pai e filho, por isso me esgueirei de volta até o corredor antes que ele percebesse que eu estava observando.

Meu filho achava que eu estava envolvida demais com meu próprio luto para saber o que ele sofria, mas eu vi tudo. Eu o vi chutar a árvore atrás da nossa casa até tombar, choroso, os dedos dos pés tão machucados e inchados que passou uma semana gemendo a cada passo. Eu o abraçava quando ele me permitia, mas, se eu começava a falar, ele escapulia. Estava cedo demais.

Se eu pensava no meu último diálogo com Mamude, a mesma coisa acontecia com Salim. Eu via o remorso em seu rosto com tanta clareza quanto sentia no meu coração. Teríamos feito as coisas de um modo diferente, eu e Salim. Teríamos dito muito mais coisas.

Pelo que Abdul Rahim conseguiu descobrir, o Talibã local decidira transformar Mamude Waziri em exemplo. Ele acreditava que o restante da família não seria perseguido, mas ninguém podia ter certeza. Mesmo à luz do dia, havia pouca certeza em Cabul. E o manto da noite tornava tudo possível.

Eu não conseguia suportar que meus filhos ficassem fora do alcance dos meus olhos. Mandava Salim ao mercado apenas quando estava verdadeiramente desesperada. Pouco mais de um mês depois da notícia do assassinato de Mamude, meu ventre começou a doer. A princípio achei que podia ser o ar frio do inverno provocando uma cólica, mas, à medida que caminhava de um cômodo a outro, as dores familiares se tornaram evidentes.

Andava de um lado para outro, os lábios tensos, os passos lentos.

– Nove meses, nove dias... nove meses, nove dias – repetia baixinho.

Poucas horas depois, Raisa ajudou a trazer meu terceiro filho ao mundo. Dei a ele o nome de Aziz.

– Salim e Samira – consegui dizer. – Conheçam o filho de seu pai.

Aziz precisava ganhar peso antes que pudéssemos nos arriscar a deixar Cabul. À medida que eu o alimentava, seu rosto começou a assumir os traços do pai: a maneira de franzir a testa, a curva do queixo, o formato das orelhas.

Abdul Rahim mantinha o olhar atento sobre nossa família enlutada. Convidava Salim para se sentar com ele depois da escola. Não sei sobre o que conversavam, mas meu filho sempre voltava para casa reflexivo. Eu estava grata por ele ter Abdul Rahim como apoio.

Abdul Rahim e Raisa concordavam que era melhor que partíssemos. Não tínhamos família para nos ajudar. Eu temia que meu filho fosse engolido pelo Talibã e, como mulher, havia pouco que eu pudesse fazer para nos ajudar a sobreviver.

– Vamos partir – anunciei a meus vizinhos. – Não tenho escolha, tenho que tirar meus filhos de Cabul. Suas barrigas estão vazias, os lábios, ressequidos. Não há nada para nós por aqui.

Raisa assentiu.

– Não há como afirmar se as coisas vão melhorar. Podem piorar. Por mais que eu odeie ver você partir, não posso suportar vê-la permanecer na situação em que está. Se Mamude-jan, que Deus lhe dê paz, estivesse com você, tudo seria diferente. Mas, desse jeito, Cabul é pior do que uma prisão.
– Vou precisar de ajuda.
Abdul Rahim assentiu. Já vinha antecipando essa conversa.

Três meses depois de Aziz nascer, reuni meus filhos e arrumei duas bolsas com o que achei que seria mais necessário: roupas, um envelope com fotos da família e a comida que tinha sobrado. Não contei nada para as crianças até dois dias antes de partirmos. Salim pareceu ressentido por não ter sido informado. Vivíamos no mesmo espaço, com os mesmos pensamentos sombrios, mas, na maior parte dos dias, nos confundíamos. Éramos uma família sem um líder e nos debatíamos.

– E se descobrirem que estamos indo embora? – perguntou Salim em voz baixa, com medo.

– Não vão descobrir – prometi.

Não tinha outra forma de responder. Inexpressivo, Salim continuou a me encarar por mais segundos do que eu suportava. Parecia enxergar dentro de mim.

Eu me convenci de que as coisas melhorariam assim que deixássemos o ar tóxico de Cabul.

Mandei avisar meu pai que iríamos a Herat. Quis vê-lo mais uma vez antes de partir. Mas Padar-jan era um homem que preferia viver no conforto do passado. A carta que recebi não era nada diferente daquilo que eu esperava. O pomar estava em péssimas condições, de um jeito que eu não seria capaz de reconhecer, dizia. Exércitos de besouros tinham aberto túneis entre as árvores. Ele passara a dormir algumas noites no pomar, esperando que sua presença os afastasse, mas eram muito audaciosos. O último inverno fora particularmente rigoroso, e ele precisaria de muito trabalho se quisesse ver um único cesto de damascos naquele ano. Acreditava que esses frutos eram mais delicados do que crianças. Ficava triste por não ser capaz de fazer mais por nós, mas estava ansioso para nos ver na volta.

As pessoas têm formas diferentes de dizer adeus, ainda mais quando é para sempre.

Algumas semanas antes, Abdul Rahim batera à nossa porta e me entregara um grande envelope. Raisa o acompanhara. Os olhos úmidos dela desmentiam seu sorriso encorajador.

Os passaportes que Mamude adquirira estavam no envelope, até o dele. Toquei na foto do tamanho do meu polegar e senti de novo a dor por ele não estar ali para realizar aquela viagem conosco. Tomei a decisão dolorosa de pedir a Abdul Rahim que vendesse de volta o passaporte para Embaixada, pelo preço que conseguisse. Não havia espaço para sentimentalismo. Era hora de partir.

— Use seus sapatos mais resistentes. É hoje que vamos começar a viagem. E lembrem-se: se alguém perguntar, vamos visitar sua tia em Herat. Digam uma oração. Vamos precisar de Deus olhando por nós.

Quando Salim se esticou para pegar o gorro de lã no armário, vislumbrei o relógio de pulso de Mamude em seu braço. Abri a boca para dizer alguma coisa, mas resolvi me calar. Era melhor deixar esse assunto entre pai e filho.

Havia tanto que não podíamos levar. A bola de futebol de Salim, a coleção bonecas de plástico de Samira, o jogo de chá de porcelana com peças rachadas que minha sogra me dera de presente. Olhei para minhas panelas escurecidas pelo fogo. O tapete feito à mão da sala de estar, que nos vira começar como jovens recém-casados e nos transformar em família, depois testemunhou a noite em que sofremos o maior dos reveses. Lágrimas de alegria e de sofrimento tinham desmanchado seus desenhos. Deixei tudo, todas as partes da nossa vida destroçada, para Raisa. Sabia que nossa casa não ficaria vazia por muito tempo. Assim que os primos de Mamude soubessem da fuga, um deles certamente a reivindicaria. Cabul tinha se transformado na dança das cadeiras entre ocupadores, militantes e parentes se acomodando numa casa vazia antes que alguém mais pudesse reivindicá-la.

Abdul Rahim consultava o relógio, nervoso. Estávamos seguindo um cronograma. Nossos vizinhos tinham se oferecido para nos acompanhar até a rodoviária. Se fôssemos parados, Abdul Rahim diria que era meu irmão.

Eu segurava uma bolsa numa das mãos e deixava Aziz oculto pela burca. Salim tinha uma mochila nas costas e segurava a mão de Samira, seguindo

Abdul Rahim, mas na minha frente. Ele e Samira olhavam para trás com frequência, como se achassem que eu podia me perder.

A rodoviária era uma rua mais larga com ônibus estacionados em fileiras irregulares. Na porta dianteira de cada ônibus, um homem anunciava o destino do veículo. Encontramos o nosso e vimos que enchia depressa.

– Quanto tempo dura essa viagem, Madar-jan? – murmurou Salim.

– Será longa. Tente dormir... O tempo vai passar mais depressa.

As crianças e eu entramos na fila. Fui para a seção das mulheres, no fundo, com Samira e Aziz, enquanto Salim ocupava um assento vazio na parte dos homens, mais perto do motorista. Mantive Aziz no colo, e Samira sentou-se ao meu lado. Os assentos eram limitados, e mais do que um punhado de mulheres mais jovens foi obrigado a ficar de pé.

O ônibus seguiu roncando para a rua principal. As burcas se levantaram como uma cortina de teatro enquanto as conversas engrenavam.

Na segunda hora, Samira adormeceu, mesmo com os sacolejos e as guinadas que o ônibus dava na estrada esburacada. Até Aziz e eu cochilamos por um tempinho, acordando apenas quando as conversas se intensificavam. Aí percebi que não estávamos mais nos movimentando.

Minha perna formigava, dormente.

Depois de três horas mexendo no motor e praguejando, o motorista conseguiu dar partida no ônibus novamente. Voltamos para a estrada, mas nos movíamos na velocidade de uma lesma. Por mais duas vezes, o motorista precisou desembarcar e praguejar até que o motor voltasse a funcionar.

TRÊS DIAS DEPOIS, FINALMENTE CHEGAMOS ao nosso destino, com o motorista rabugento berrando para que todos pegassem seus pertences e saíssem.

Estávamos em Herat.

– Seu pai vinha para cá todos os anos, a serviço do ministério – contei para meus filhos. – Estava cuidando de um projeto aqui.

Salim chutou o chão enquanto seguia as silhuetas azuis das mulheres de burca para fora do ônibus.

– Por que ele nunca me contou isso?

– Foi há muito tempo – expliquei, reparando no ressentimento naquela pergunta.

Esperamos, como Abdul Rahim nos instruíra, e, uma hora depois de nossa chegada, um casal nos abordou. Um homem baixo, por volta dos 50 anos, sussurrou uma pergunta:

– Khanum Fereiba?

– Sou eu – confirmei, aliviada.

– Abdul Rahim e Raisa-jan nos pediram que a esperasse. – Ele gesticulou para que a mulher de burca se juntasse a nós.

Mandei as crianças caminharem na frente, e seguimos Asim e Shabnam até sua casa. Shabnam era irmã de Raisa, e as vozes e as silhuetas fartas eram extremamente parecidas. Ficaríamos com eles por apenas uma noite. Na noite seguinte, estaríamos num ônibus destinado à fronteira do Afeganistão com o Irã. Salim e Samira ficaram desapontados, ainda mais depois de conhecerem os filhos pequenos do casal. Samira brincou com as meninas enquanto Salim segurava Aziz e prestava atenção nas advertências de Asim sobre a estrada traiçoeira que nos aguardava.

– Devem ser cautelosos com as pessoas que encontrarem – recomendou, muito sério. Girou as folhas de chá no copo, profeticamente, e prosseguiu: – Herat é a porta de entrada para o Irã, então ouvimos e vemos muito do tráfego que passa. O Talibã está presente aqui, procurando qualquer oportunidade para dar exemplos. Você sabe, é claro, das regras sobre os acompanhantes *mahram*. E eles sabem que muitas pessoas estão tentando entrar no Irã, por isso mantenha os olhos abertos e tente não atrair atenção.

Asim e Shabnam moravam numa casa de três cômodos que não tinha passado imune pelos bombardeios. Partes do telhado haviam sido remendados, e as janelas estavam fechadas com tábuas. Sem a burca, a semelhança de Shabnam com Raisa era ainda mais aparente. Salim e Samira sorriram ao ver seu rosto familiar. Eu ouvia atentamente enquanto Asim descrevia:

– Vocês vão viajar num pequeno furgão. Em geral, ficam muito cheios e mal sobra espaço para respirar, então mantenha os pequenos perto de si. Ficarão nervosos. O motorista deve levá-la até a fronteira do Irã. O preço da passagem já foi pago, mas vão tentar arrancar mais. Guarde bem escondido o dinheiro e os objetos de valor. Pareça relutante e dê algo simbólico. Faça com que o motorista acredite que é tudo o que você tem.

Eu olhei para Salim, tentando lhe dizer para ele sair e brincar, para ser poupado daquela conversa. Por outro lado, talvez merecesse saber onde estava se metendo.

– Tenha em mente que o furgão só vai levar vocês até a fronteira, então terão que atravessar o resto do caminho a pé. Os contrabandistas fazem a travessia à noite. Assim que chegarem ao lado iraniano, haverá outro furgão à espera. Esse veículo vai levar todos até Meshed. Acredito que Abdul Rahim lhe deu o endereço do contato por lá. Há muitos afegãos em Meshed e, *inshallah*, eles a ajudarão a seguir seu caminho. Compreendo que depois vão para a Europa. A estrada à frente é difícil, mas muitos já a trilharam.

Suspirei fundo. Salim reparou.

– Peço a Deus que estejamos entre os muitos que conseguiram passar por ela com sucesso. É o único caminho que vejo para meus filhos. Espero estar tomando a decisão certa.

Shabnam assentiu, cheia de compaixão.

– Você é mãe, e o coração das mães nunca guia os filhos pelo caminho errado – tranquilizou-me Shabnam, a mão gorducha apertando a minha.

As crianças, esgotadas pela viagem de ônibus, dormiram bem enquanto eu cochilava, acordava de tempos em tempos e descobria que ainda estava em Herat, incapaz de crer que havia partido numa viagem tão perigosa com três crianças pequenas. No quarto escuro, em meio aos sons de respiração noturna, eu ainda me perguntava se havia tomado a decisão certa.

Seria isso que o anjo do pomar me prometera tantos anos antes?

Na escuridão, quando você não conseguir enxergar o chão sob seus pés, quando seus dedos não alcançarem nada além da noite, você não estará sozinha. Estarei com você, como o luar permanece sobre a água.

Fechei os olhos e rezei para que ele não tivesse se esquecido de mim.

CAPÍTULO 17

Fereiba

Não tive muito tempo para mudar de ideia. Se tivesse mais um único dia, talvez perdesse a coragem. O deserto diante de nós me deixava tonta de medo.

Aziz não estava se alimentando direito. Dormia muito e ficava agitado quando desperto. A viagem para Herat não tinha sido fácil e estávamos todos exaustos.

À tarde, debrucei-me sobre meus filhos adormecidos, beijei a testa deles e murmurei para que abrissem os olhos. A noite, quando a fronteira estava mais vulnerável para ser atravessada, se aproximava. Os buracos se abriam, e pessoas amedrontadas, desesperadas, rastejavam por eles. A guerra havia transformado alguns afegãos em leões, mas também transformara muitos de nós em camundongos.

Shabnam nos deu pão para a viagem. Asim nos levou ao ponto de encontro. Salim e Samira seguiram seus passos. Deram-se as mãos enquanto escurecia, o céu sem nuvens ostentando uma meia-lua brilhante no céu. Ficamos parados diante de uma oficina mecânica e esperamos. Podia levar minutos ou horas, dissera Asim, dando de ombros, mas o furgão viria.

Quarenta minutos depois, com Aziz se contorcendo e gemendo, desconfortável, um furgão contornou a esquina. Empurrei as crianças para que ficassem atrás de mim, apertando-as junto à fachada da loja. O veículo parou a poucos metros.

– *Entrem* – cochichou o motorista. – *Depressa.*

Esse era o plano de Mamude, lembrei a mim mesma, enquanto conduzia meus filhos. *Confie nele, é a coisa certa a fazer.*

Duas outras famílias estavam espremidas no furgão, cada uma com quatro ou cinco crianças. Sussurrei uma saudação e levei minha família para um canto do veículo sem assentos.

Não havia espaço para tagarelice. Preocupações demais dominavam nossas mentes. Um silêncio denso foi interrompido pela respiração ruidosa de Aziz, que se harmonizou com o motor enferrujado.

Bem na saída de Herat, o motorista parou o veículo e se debruçou sobre o banco.

– A partir daqui cruzamos o deserto e vamos para a fronteira. Vocês todos pagam agora ou ficam aqui. – O tom dele era seco.

O motorista saiu do furgão e abriu a porta de trás. Apontou para um homem sentado na minha frente, que se arrastou para fora, para acertar a passagem da família. A mulher e os filhos observavam, ansiosos, nervosos por se afastarem do pai mesmo por tão poucos metros.

Em seguida foi o pai da segunda família. Olhei para os filhos, observei-os fitando os pais descaradamente.

Devo ser tudo para eles, disse a mim mesma.

Desci do carro para encontrar o motorista, deixando Aziz no colo de Salim. Entreguei o pequeno envelope e esperei que o motorista examinasse com agilidade as mesmas notas que eu já havia contado e recontado.

– Você e seus filhos estão viajando sozinhos.

Assenti.

– É um problema. Acho que não podemos levar vocês.

Tentei manter a firmeza na voz.

– Qual é o problema? O dinheiro está todo aí.

– Sabe como é, estou correndo um risco atravessando as pessoas. Mas você, desacompanhada… compreende? É um risco bem maior para mim, e ninguém pode fazer por este preço. Não é justo.

Embora Asim tivesse previsto a situação, fiquei furiosa ao ouvir o raciocínio do motorista. Se fôssemos parados, ninguém pagaria um preço maior do que eu. Mas eu estava preparada. Jogaria o jogo.

– Por favor. Tenha piedade de mim e de meus filhos. Não temos mais nada. O que vamos fazer para comer?

– Irmã, o que se faz para comer? Também tenho filhos. Pareço um rei? Quem vai ter piedade de mim?

A fronteira estava tão perto que eu chegava a sentir o gosto.

– É tudo o que me sobrou – declarei. Então, relutante, tirei do dedo um anel de ouro com uma turquesa. – Foi um presente de casamento da minha falecida sogra, que Deus a guarde em paz. Agora rezo para encontrar um modo de alimentar meus filhos.

– Deus é bom, minha irmã – disse o homem, olhando a pedra de relance antes de enfiar o anel no bolso do casaco. – Seus filhos serão alimentados.

A ESTRADA FICOU MAIS ESBURACADA quando deixamos os limites de Herat. Quando o furgão parou de repente, prendemos a respiração. Segurei a mão de Salim.

– Aqui está a fronteira – anunciou o motorista. – A passagem com guardas fica a 10 quilômetros por ali. Tem uma trilha que corta as montanhas. Vou levar vocês. Não é fácil, mas muitos já atravessaram. Deixem as crianças por perto, em silêncio. Olhem para o chão. Há muitas pedras soltas, escorpiões e cobras para se preocuparem. Fiquem de olho na minha lanterna.

Salim e Samira se aproximaram, aterrorizados com os avisos do motorista. Sob minha burca, a respiração de Aziz parecia úmida e rápida junto a meu pescoço, como se até ele estivesse nervoso.

Caminhamos com cuidado, seguindo o distante brilho amarelo da lanterna do guia. Quando ouvi um chiado, empurrei meus filhos sem uma palavra. Já estavam suficientemente assustados sem dar nome às sombras. Passamos horas cambaleando na escuridão, caindo e ralando os joelhos, torcendo os pés. Joguei a burca para trás e a deixei presa às costas, como as outras mulheres. Enrolei Aziz com um longo tecido de musselina e amarrei-o em volta do meu peito. Segurava as mãos dos meus filhos enquanto nos esforçávamos ao máximo para andar com cuidado.

A mão de Samira se soltou da minha, e eu ouvi um grito.

– Samira! O que aconteceu? Onde você está? Forcei a vista para distinguir sua silhueta no escuro.

– Ela caiu, Madar – avisou Salim, calmo. – Estou segurando a mão dela.

Mesmo quando a perna de Samira cedeu, ele a mantivera segura.

A menina gemia baixinho, no escuro.

– Pode ficar de pé, meu amor? – Notei que a distância entre nós e os outros aumentava.

– Coloque essa menina de pé e continue andando – sibilou o motorista. – Não podemos ficar para trás.

Tateei para sentir seu tornozelo. Minha mão tocou em algo úmido e quente e percebi que ela devia ter se cortado numa pedra. Rezei para que não fosse nada muito sério. Tirei um lenço da bolsa de roupas e amarrei em seu tornozelo.

A luz do motorista ficou mais distante. Meu coração se agitou, com medo.

Minha filha continuou andando, embora desse para notar que estava mancando. Salim fez o melhor que pôde para apoiar seu peso, mas também precisava tomar cuidado com seus passos.

Deus me perdoe por ter feito meus filhos passarem por isso.

Uma hora depois, a mãe da família à nossa frente escorregou com o filho de 2 anos no colo. Os gritos deles ecoaram na noite.

O facho da lanterna se voltou na direção dos dois. O rosto da mãe parecia aterrorizado.

– O que eu fiz? – O marido estava ao seu lado, ajudando-a. O braço do bebê tinha se torcido de forma grotesca, dobrado entre o cotovelo e o punho, obviamente quebrado.

Estavam desnorteados. Eu queria ajudar, mas não sabia como.

O bebê uivou quando o pai tentou tocar seu braço. O motorista chegou junto deles, soltou um longo suspiro e cuspiu na escuridão.

– Olhem, não há nada que possam fazer por ele aqui. Se tiverem alguma coisa com açúcar, deem para comer. Talvez o acalme. Temos que continuar. Daqui a pouco ele dorme.

Os gemidos do bebê prosseguiram dia adentro. A mãe o segurava com cuidado e fazia o máximo para que o bracinho não esbarrasse em nada.

Era mais fácil caminhar no claro, mas era mais difícil olhar para as crianças. Os olhos pareciam pesados, os pés tinham bolhas e sangravam, os lábios estavam ressequidos.

Fizemos apenas uma pausa de trinta minutos – a luz do dia se abateria sobre nós em breve. Racionei a comida e dei para as crianças alguns dos biscoitos de Raisa. Pinguei água na boca de Aziz, mas ele estava agitado. Amamentei-o sob a burca. Ele sugou, mas fracamente.

Salim e Samira se encolheram, um do lado do outro, e adormeceram em segundos. O tornozelo de Samira estava inchado, roxo. O pequeno corte tinha começado a formar uma casca. Doía-me pensar no esforço que ela fizera para nos acompanhar.

Quando amanheceu, o Irã apareceu. Um furgão escuro nos esperava ao pé da trilha, ao lado de uma pequena estrada. O motorista gesticulou para que o seguíssemos enquanto ele corria para o veículo. Deslizou a porta, e nós nos amontoamos, o cheiro de suor seco e hálito azedo concentrando-se no pequeno espaço. Percebia meu alívio hesitante espelhado nos rostos à volta. Tínhamos chegado até ali, mas ainda estávamos muito próximos da fronteira. Se parassem o furgão, poderiam nos mandar de volta para o posto de inspeção e nos devolver para o Afeganistão.

Nosso guia se sentou perto do motorista. Os dois falaram baixo, apontando a estrada à frente.

Observei a paisagem empoeirada pela janela. Embora o Irã tivesse as mesmas cores e cheiros do Afeganistão, parecia estrangeiro e estranho. Estávamos longe de casa.

Os gemidos do menininho sincronizavam com os de Aziz. O braço torto jazia sobre o peito, inchado, contorcido e roxo. A mãe olhava, impotente, e enxugava as lágrimas. O marido se dirigiu ao motorista.

– Perdoem-me, amigos, mas precisamos levar meu filho ao médico. O estado do braço dele está terrível, e ele sente muita dor.

– Os contatos no seu destino o ajudarão a encontrar um médico.

– Por favor, o braço se quebrou há muito tempo. Está ficando pior a cada minuto.

– Não sei onde os médicos ficam, e você entrou ilegalmente neste país, caso tenha esquecido. Se quiser se manter em segurança, vai ter que esperar até que os contatos possam indicar algum lugar.

Por sorte, o tornozelo de Samira não tinha piorado muito. Ainda estava inchado, mas o corte sarava. Aziz era uma preocupação maior, estava sem energia até para fazer manha.

A paisagem aberta deu lugar a edifícios e ao riscado de ruas. Os contrabandistas nos deixaram num prédio em Tayyebat, uma cidade fronteiriça. Era um edifício de quatro andares com janelas escuras que davam para a rua.

– Tirem as burcas. Usem isso – disse o motorista, e jogou dois mantos pretos no banco de trás do furgão, para que pudéssemos nos misturar melhor com as mulheres iranianas.

Fomos enviados para um apartamento no segundo andar. A outra família foi para o terceiro.

– Que Deus esteja com vocês – falei, quando nos separamos. – Rezarei para que o braço de seu filhinho sare depressa.

– Que Deus também esteja com você, minha corajosa irmã – respondeu a voz vacilante da outra mãe. – Que Alá os mantenha saudáveis e seguros nesta jornada.

A viagem do Afeganistão ao Irã se passara quase toda em silêncio. Não era ocasião para fazer amigos. Eu não tinha o suficiente para meus próprios filhos e não devia fazer amizade com um desconhecido que poderia levar o pouco que possuíamos.

A porta se abriu, e uma mulher nos recebeu num apartamento de dois cômodos. Fiquei grata pelo abrigo. Era uma forma de iranianos compassivos abrigarem refugiados afegãos e ao mesmo tempo ganharem algum dinheiro. Eu me senti muito mais à vontade perto dessa desconhecida do que com os homens ardilosos que nos levaram até lá. Ela nos serviu um banquete simples de pão e iogurte. Dormimos profundamente pela primeira vez em dias.

Depois de uma noite, fomos postos num ônibus local e enviados para um apartamento semelhante em Meshed, uma cidade maior, onde permaneceríamos até estarmos prontos para o trecho seguinte da jornada. O tempo que passamos em Meshed foi relativamente tranquilo. Fomos recebidos por outra família afegã que tinha fugido de Cabul meses antes. Eles atravessaram a mesma trilha traiçoeira pelo deserto e escaparam por pouco da captura. Viviam como refugiados, com meios modestos, mas espíritos generosos.

Em troca de uma pequena soma, recebemos um quarto e um lugar para tomar um banho quente. As crianças foram alimentadas, e o tornozelo de Samira voltou a ter o tamanho e a cor normais. Aziz arrulhava, satisfeito, um dos sons mais inspiradores. Assim, conseguimos nos recuperar.

O Irã abrira as portas e aceitava hordas de refugiados afegãos. Outros tantos viviam na ilegalidade. Mas o país nunca foi o plano que Mamude e eu traçamos. Muitos de nossos conterrâneos se queixavam de maus-tratos, e as oportunidades eram escassas. Se eu quisesse dar uma verdadeira chance a meus filhos, precisávamos seguir em frente. Quanto mais esperássemos, mais pesados ficariam nossos pés.

Dentro de um mês, consegui equacionar nossa rota até a Turquia. Comprei passagens de ônibus até Teerã, a capital iraniana. Com minha burca preta esvoaçante e meus filhos cansados a reboque, passávamos por camponeses que migravam para o outro lado do país em busca de uma vida melhor.

Em Teerã, pegamos outro ônibus e atravessamos a fronteira para a Turquia, dessa vez usando os passaportes que Abdul Rahim nos providenciara. O oficial da alfândega me encarou, olhou para a foto do passaporte, carimbou e entregou o documento de volta com uma carícia indesejada em meu pulso – ignorei, só pensando nos vistos falsificados.

Deixamos mais uma fronteira para trás, mais uma barreira entre nós e a vida que havíamos abandonado. A Turquia se parecia menos com o Afeganistão do que o Irã. A língua, a terra, a comida... tudo era um pouco mais estrangeiro. Pensando bem, os estrangeiros éramos nós. Vagávamos por terras onde não éramos bem recebidos, apavorados a cada passo com a possibilidade de sermos mandados de volta, um destino que eu não suportava sequer cogitar.

Eu estava conduzindo meus filhos para um mundo desconhecido, e tudo o que acontecesse a nós – a eles – era minha responsabilidade. Teria sido bem mais fácil fechar os olhos e desaparecer, não ser a responsável pela refeição seguinte ou pela segurança das crianças enquanto cruzávamos fronteiras. Mas aquelas vidas dependiam de mim. Até mesmo a de Salim, que conseguia ficar taciturno como um adulto e que questionava minhas decisões. O buço em seu lábio superior, a forma com que carregava o peso de nossas bolsas, o relógio de pulso que escondia... Salim acreditava que era um homem. Embora eu precisasse que ele fosse exatamente assim, também tinha medo por ele. A pessoa mais propensa a se afogar no rio é a que acredita que sabe nadar.

Todo o dinheiro que eu conseguira juntar com a venda de nossos pertences estava num bolso que eu costurara dentro do vestido. Lá se foram nossos pratos, uma bandeja de prata folhada, um relógio de parede... Também guardei as joias ali. Era tudo o que tínhamos para financiar a viagem até a Inglaterra. Mamude escolhera a Inglaterra porque tínhamos família por lá. Eu não estava certa de que era a melhor decisão, mas ele havia insistido.

Eu não queria ser um peso para nossos parentes na Inglaterra, ainda mais sem poder contar com Mamude ao meu lado, mas mudar nosso destino seria permitir que uma época do meu passado tivesse mais importância do que deveria. Eu não tinha condições de ser sentimental em relação a bens materiais, mas podia ser tão emotiva quanto quisesse em relação ao meu marido. Eu não mudaria nosso destino. Não mudaria nada que Mamude tivesse decidido para nós. De algum modo, aquilo me fazia sentir os dedos dele ainda entrelaçados aos meus, seguindo seu comando.

Além do mais, eu não tinha um plano melhor. Iríamos para Londres.

CAPÍTULO 18

Fereiba

Chegamos à pequena cidade turca de Intikal, uma aldeia aconchegante margeada por grandes terrenos dedicados à agricultura. O ar era límpido, e a paisagem verdejante me lembrava o pomar de meu pai. Na primeira tarde, partimos para garantir abrigo. Por sorte, Mamude ensinara a Salim inglês suficiente para que ele se comunicasse pelo menos com alguns residentes. O inglês de meu filho sem dúvida era melhor do que o meu.

– Vamos, Salim. Vamos falar com aqueles homens ali – pedi, apontando um grupo que saía de uma *masjid*. Ajustei o lenço de cabeça. Eu guardara a burca preta iraniana para me integrar melhor com o modo de vestir daquele novo país. Era bom usar um lenço simples de cabeça. Era como voltar ao passado.

– Madar-jan, por que não espera aqui com os pequenos? É melhor eu conversar com eles sozinho. Você não fala muito inglês mesmo.

Quis discordar.

– Eu dou conta, Madar – insistiu Salim, me encarando.

Assenti.

Observei Salim dirigindo-se de um homem a outro, cada um deles fazendo um sinal com a cabeça, uma careta, dando de ombros... Salim olhou em volta. Vi que brincava com o relógio de pulso. Conferiu o relógio depressa, depois examinou um grupo reunido diante da entrada lateral da mesquita.

Um homem mais velho saiu de lá. Vestia um terno meio desbotado e desgastado com o uso frequente. Os olhos de Salim, assim como os meus, foram atraídos para ele. A estatura, o cabelo grisalho e o sorriso gentil no rosto... se meu marido tivesse vivido mais vinte anos, seria parecido com aquele homem. Não ousei perguntar a Salim se ele pensara na mesma coisa ou se algo mais o deixou alerta. Ele se aproximou, hesitante. O homem se abaixou para ouvir o que Salim dizia, depois olhou na nossa direção, franzindo o cenho.

Seu nome era Hakan Yilmaz. Ele e a esposa, Hayal, moravam numa casa modesta a poucos quarteirões da parte principal da aldeia. Passara muitos anos trabalhando como professor de política enquanto Hayal ensinava na escola primária. Tinham dois filhos, homens crescidos e com suas próprias famílias. Quando se aposentaram, voltaram para Intikal, para ficarem próximos dos irmãos de Hakan. Eram pessoas carinhosas e despretensiosas, mais vividas do que o lar modesto indicava. Eram o tipo de gente que via uma mãe afegã viajando com três filhos e conseguia imaginar a história por trás daquilo.

Salim tinha explicado a Hakan que procurávamos um abrigo simples e que ficaríamos felizes em pagar pela breve estadia. Hakan pousou a mão no ombro de Salim e nos levou para casa, onde conhecemos sua esposa. Hayal, uma mulher baixa com olhos doces, ficou encantada por ter um bebê balbuciante em sua casa. Aposentada já fazia muitos anos, ela ainda mantinha a pose de professora. O cabelo castanho estava preso no coque bem-arrumado no alto da cabeça. Usava um vestido simples de algodão azul-marinho com uma faixa bege na cintura. Samira gostou dela imediatamente.

Os dois nos mostraram um pequeno quarto desocupado com saída para a área externa. Disseram que podíamos ficar à vontade para usar a cozinha e não mencionaram quanto tempo permitiriam nossa permanência ali.

Meu coração encontrou uma aliada em Hayal, embora não falássemos a mesma língua. Por meio de palavras e gestos que ela provavelmente não compreendia, expliquei que tinha sido professora no Afeganistão, antes do Talibã, e que os estudos das crianças sofreram atrasos, apesar de todos os meus esforços para educá-las em casa.

Quase cantei de alegria quando deitamos nossas cabeças em travesseiros macios, com as barrigas cheias e a bondade de desconhecidos nos mantendo aquecidos.

Pela manhã, Hayal chegou com um caixote cheio de livros de matemática elementar e de histórias em inglês. Samira arregalou os olhos com uma empolgação que me emocionou e ao mesmo tempo me magoou. Expliquei a Hayal que Samira era inteligente, mas que não falava desde que tínhamos partido. Hayal parecia compreender, vinculando o pai ausente à mudez da menina. Contemplou Samira e bateu na cadeira vazia ao lado dela. Samira se sentou enquanto Hayal abria a primeira página.

No outro aposento, ouvi a voz de Salim. Embora conhecesse apenas um punhado de palavras em inglês, entendi que ele conversava com Hakan sobre trabalho. Ele se esforçaria muito, prometia.

Eu não tinha falado nada com Salim sobre trabalho. Me afastei de Hayal e Samira e fui até a janela. Hakan mencionava fazendas próximas, onde os migrantes costumavam encontrar trabalho. Eu queria interromper, mas me segurei.

Meus pensamentos vagaram.

Não fazia ideia de quanto Mamude significaria para mim na primeira vez que sua mão tocou a minha. Entre as poucas fotografias que eu carregava, havia uma do nosso casamento. Uma cerimônia simples. Eu tinha usado um vestido verde-esmeralda pregueado da cintura para baixo, com rendas nos ombros. Meu rosto fora maquiado por uma das amigas de KokoGul. Os lábios e as pálpebras foram pintados com cores que eu nunca usaria de novo. Mamude usava um terno preto, o colarinho da camisa despontando das lapelas e uma rosa vermelha no bolso do peito. Mamude olhara com firmeza para a câmera, mas eu fitara o chão, sem expressão.

Quando olhei aquela foto, quis voltar no tempo e pedir a mim mesma que olhasse para ele, para meu marido. Queria contar à noiva que ela, assim como os convidados ansiosos por uma comemoração extravagante, deveria festejar a união.

Mamude era bem mais do que um marido. Demorou para que nosso amor crescesse, mas cresceu, aos trancos e barrancos, alimentado pelo bem e pelo mal do mundo à nossa volta. Cada promessa que mantivemos, cada aperto de mão que demos, cada sorriso cúmplice que trocamos, cada criança chorosa que consolamos, cada um desses momentos estreitou a distância entre nós. E esse espaço já tinha desaparecido naquela noite, naquela noite horrenda, quando Mamude foi arrancado de nossas vidas. Estávamos um ao lado do outro, marido e esposa unidos não pelo casamento, mas pela harmonia em nossos corações.

Eu tinha aprendido que a morte não podia nos afastar. Meu *hamsar* continuava comigo. Ele olharia por nós, meu querido marido, enquanto abríamos caminho para o futuro.

O destino acertará tudo no fim, embora apenas depois do trabalho feito, das lágrimas derramadas e das noites insones.

Eu queria acreditar.

Para que minha família alcançasse uma nova vida, eu precisava contar com Salim. Precisava admitir que ele não era mais uma criança. Mamude fora melhor em permitir que nosso filho tivesse espaço para abrir as asas. Eu mimava as crianças, sempre com medo de não ser uma mãe adequada. Queria fazer por eles todas as coisas que não haviam sido feitas por mim. Queria que se sentissem cuidados, amados e seguros... E estava fracassando.

Salim passara a me encarar de um jeito diferente. O brilho de garoto tinha desaparecido, aquele olhar confiante que me fazia acreditar que eu não podia errar. Ele permanecia ao meu lado, não ficava para trás. Estava na hora de dar o tal espaço de que ele precisava.

Eu havia conduzido minha família por toda aquela distância – saindo de Cabul, cruzando o Irã, entrando na Turquia... Tinha sido minha viagem. Minha história.

Mas o que nos aconteceria a partir daquele momento seria tanto a história de Salim quanto a minha. Eu não poderia continuar a contar a história por ele. Não me tornaria menos mãe se soltasse sua mão e deixasse que ele seguisse com os próprios pés. Como seria bom se Mamude estivesse por perto para garantir que eu estava fazendo a coisa certa e que não era menos mãe por dispensar menos mimos ao garoto.

Eu praticamente ouvia a voz baixa de meu marido. Sentia suas mãos nos meus ombros. Se fechasse os olhos, seria quase capaz de sentir seu beijo na minha testa.

Deixe que ele fale, Fereiba. Você contou nossa história. Agora deixe Salim contar a dele.

CAPÍTULO 19

Salim

Na manhã seguinte, Hakan levou Salim aos confins da aldeia, onde havia vários grupos de pessoas com os rostos ressequidos pelo sol. Homens e mulheres de todas as formas e tamanhos, além de algumas crianças, que se agarravam às saias das mães. Hakan explicou que os caminhões pegariam os trabalhadores e os deixariam nas fazendas, onde havia muito trabalho.

Hakan se sentira desconfortável de deixar Salim ali, mas sua presença não ajudava, então virou a esquina e foi visitar a irmã. Era primavera, e a temperatura subia, mesmo tão cedo pela manhã. Salim levou os dedos ao rosto, sentindo os pelos finos acima dos lábios. Aquele dia marcava a existência de um novo Salim. Estava determinado a ser tratado como homem. Até a mãe parecera encará-lo de um modo diferente naquela manhã – como se pudesse sentir a mudança dentro dele.

Aziz, um bebê nômade, começava a agarrar os objetos pendurados diante dele, soltando gemidinhos de satisfação. Em breve estaria engatinhando, previa Madar-jan. Salim observava o irmãozinho e desejava que sua própria metamorfose para a vida adulta chegasse na mesma velocidade. Queria logo pelos no rosto, no peito e em todas as partes que sabia que deveria ter. Examinava-se com bastante cuidado na privacidade do banho, notando mudanças que ninguém mais enxergava. Queria que os braços ficassem fortes, que engrossassem com o mapa traçado pelas veias, como via nos antebraços do pai. A voz variava, por isso suas palavras eram poucas. Torcia para que a voz não demorasse a acompanhar seu crescimento.

A responsabilidade que sentia pela família e o respeito que Hakan lhe demonstrara o faziam se sentir um homem, mesmo se o físico ainda não correspondesse. Salim vagou pela multidão em busca de rostos amistosos. Hakan não conhecia os agricultores e não tinha nada a oferecer além de acompanhá-lo até o ponto de encontro. Salim não sabia bem o que aconteceria quando chegasse à fazenda e procurava alguém que pudesse ajudá-lo.

A maior parte do grupo era composta por pessoas mais velhas. Fumavam e estreitavam os olhos para a luz clara da manhã. Eram quase trinta, ao todo. As mulheres ficavam juntas e formavam uma massa disforme num canto. Algumas usavam triângulos coloridos de tecido como lenços de cabeça, amarrados com decoro sob o queixo, com camisas recatadas de manga comprida e saias abaixo do joelho. Quando vistas juntas, formavam um grupo eclético, com um mosaico de estampas que atordoava os olhos.

Salim quis se aproximar das mulheres, mas se conteve. Se quisesse ser tratado como homem, teria que agir como homem. Respirou fundo e se sentou no meio-fio, junto de um sujeito que parecia ter 40 anos. Salim esfregou as mãos nas pernas, tentando pensar em como puxar assunto. O homem pigarreou com aspereza e cuspiu uma gosma densa e amarela na calçada. Uma porta batendo teria sido mais acolhedora.

Salim sentiu um aperto no estômago. Levantou-se e conferiu o relógio de pulso, tocou o mostrador, passou os dedos na tira de couro gasta... Mais para trás, na multidão, viu três homens de 30 e tantos anos conversando casualmente. Resolveu arriscar e foi até lá. Mas, quando se aproximou, os três pararam de conversar.

– Olá. Estão trabalhando na fazenda? – perguntou, a voz um pouco falha. Sentiu o rosto esquentar pelo constrangimento.

Os homens o observaram com curiosidade. Um deles, com uma camisa verde-clara e calça larga azul-marinho, assentiu. Parecia ser o mais velho. Salim ficou surpreso ao ouvi-lo falar na língua pachto.

– É afegão?

A família Waziri falava dari, mas Salim sabia reconhecer e compreender o básico de uma conversa em pachto. Ele assentiu enfaticamente.

– Sou, sim! Sou, sim! – afirmou, em dari.

– Veio trabalhar? – indagou um deles, achando graça.

– Sim, estamos aqui há poucos dias. – Salim misturou dari e pachto. Os homens pareciam compreender.

– Então está viajando com outras pessoas?

– Estou com minha família. Minha mãe, minha irmã e meu irmão.

Um dos homens pegou um cigarro fumado pela metade e tornou a acendê-lo. Ergueu as sobrancelhas ao ouvir o inventário familiar.

– De onde vocês vieram?

– De Cabul. Fomos para Herat e depois para o Irã. Do Irã, viajamos para a Turquia, mas estamos tentando chegar à Inglaterra.

Salim estava aliviado por ter encontrado afegãos, como se tivesse esbarrado numa placa de rua que confirmava seu itinerário.

– Inglaterra, é? – Todos riram. – Com a mãe e mais duas crianças? Já é bem difícil viajar sozinho. Se for esperto, vai ficar aqui e dar um jeito de ganhar dinheiro sem ser preso. É tudo o que você pode esperar.

Salim não apreciou o pessimismo. Decidiu mudar o rumo da conversa.

– Como encontram trabalho nas fazendas?

– Você vai ver. Aí vai desejar nunca ter perguntado. Os caminhões vêm e nos levam para fazendas maiores do que qualquer coisa que você já viu. Na sede, você conhece o fazendeiro que vai pagar por um dia de trabalho. Oferecem um pagamento mais fedido do que o estrume que você vai limpar.

– Quanto pagam?

– Isso importa? Você não tem como negociar. Se conseguir alguma coisa para comer, vá em frente. É a segunda melhor coisa depois do dinheiro.

O homem com o cigarro finalmente falou. Ele vinha querendo perguntar algo.

– Onde está o resto de sua família? Estão por aqui?

– Sim, estamos na casa de uma família turca... um casal. Eles nos deram um quartinho, mas não sei por quanto tempo.

– E você tem um irmão e uma irmã?

– Tenho, e minha mãe.

– Meu amigo, qual é o nome da sua querida irmã? – perguntou o sujeito, com uma piscadela.

Salim rangeu os dentes.

– Obrigado pela informação – resmungou.

Ele acenou para o homem de verde e ignorou os outros dois. Então se afastou, furioso pelo modo como seus conterrâneos o tratavam, como se fosse incapaz de defender a honra da família. Amaldiçoou a própria estupidez de ter a língua tão solta diante de desconhecidos.

Salim dobrou a esquina e se viu fitando a vitrine de uma loja de cerâmicas, o vidro tão manchado que parecia que estava encarando um tempo diferente. No interior, um homem na casa dos 40 anos varria o chão devagar.

Por onde andava, Salim via o pai.

Vira o pai em Hakan. Algo no jeito com que ele saíra da *masjid*, sua expressão pacífica, logo depois das orações. Aquilo tinha lembrado Padar-jan, que estava em todos os lugares e ao mesmo tempo em nenhum lugar.

O som dos motores trouxe Salim de volta ao presente. Reuniu-se com a multidão e se amontoou na parte de trás de um dos três caminhões parados na esquina. Manteve-se longe dos afegãos.

As fazendas eram exatamente como tinham sido descritas. Cada casa ficava em seu próprio terreno, separada da vizinha por alqueires e mais alqueires de corredores verdejantes. Os caminhões paravam e a miscelânea de passageiros desembarcava com suas bolsas, seguindo para as respectivas fazendas. Salim ficou parado na estrada de terra, inseguro. Observou os trabalhadores mais fortes se dispersarem para a esquerda e para a direita. Uma mulher mais velha se arrastava pela estrada, a batida da bengala marcando o ritmo de seus passos. Parecia se dirigir a uma casa amarela degradada. Salim a seguiu.

Diante do casarão, um menino com não mais do que 8 ou 9 anos escovava o flanco de um burrico de pelo marrom-acinzentado. A residência parecia em pior estado do que as vizinhas, mas era cercada por muitas fileiras de plantação. Com certeza aquela casa, que parecia contar apenas com o trabalho de uma mulher mais velha, precisaria de reforço.

Salim deixou que a mulher fosse na frente.

Mais ou menos na metade do caminho, ela deu uma olhada para trás, sem interromper seu passo. Era redonda e tinha a testa franzida. Salim acelerou o passo até se aproximar o bastante para distinguir as rugas de seu rosto envelhecido. Pigarreou e a saudou. Não parecia afegã. Tinha o cabelo preto, ondulado, cortado como o de um homem, e usava um vestido de estampa floral, um tecido tão engomado que parecia sempre pairar em torno das pernas, sem nunca encostar nelas.

Ela olhou para Salim e balbuciou uma resposta. Salim apontou para a casa amarela à frente e indagou se precisavam de mais gente para trabalhar. Ela franziu a testa e balançou a cabeça. Salim, sem saber ao certo se a mulher tinha compreendido sua pergunta, continuou a andar.

Usou seu melhor inglês para oferecer seus serviços ao Sr. Polat, o proprietário magricela. O Sr. Polat o examinou da cabeça aos pés, deu de ombros e fez sua introdução ao trabalho na fazenda.

No fim do primeiro dia, Salim se demorou, pensando que o agricultor pagaria a ele pelo trabalho. Mas o Sr. Polat balançou a cabeça, recusando-se a dar dinheiro por apenas um dia de aprendizado. Disse a Salim que voltasse no dia seguinte para merecer o dinheiro. Salim se conteve até se ver sozinho na estrada de terra, já anoitecendo. Chutou e cuspiu no chão. A mulher que tinha trabalhado a seu lado observou-o calada. Enquanto esperavam pelos caminhões para voltarem à aldeia, Salim pôs a mão no bolso e prendeu o relógio de volta no pulso. Como explicaria para Madar-jan que trabalhara da manhã até o entardecer em troca de nada?

Contrariado, Salim trabalhou quatro dias inteiros recebendo como única compensação um sanduíche de frango grelhado. Colheu tomates até ficar com dor nas costas e os dedos dormentes. A mulher que ele havia seguido até a casa era armênia, como descobriu depois, na mesma semana. Embora não falasse inglês, conseguiu comunicar duas coisas importantes: primeiro, como distinguir entre os tomates maduros e os verdes pela consistência da carne e pelo peso; segundo, que Polat acabaria pagando. Salim tolerou a semana sem remuneração porque tinha poucas opções e temia ter que passar por outro período de experiência, caso tentasse outra fazenda.

No fim da semana, Polat lhe entregou algumas notas amassadas. Não houve conversa nem negociação. Salim fitou o dinheiro na palma da mão, que não era muito, e assentiu. Não bastaria nem para comprar uma única refeição para a família.

A partir daquele dia, Salim passou a receber no fim da jornada, mas a quantia não era fixa nem tinha relação com a quantidade de baldes de tomate que ele conseguia colher. Quando a armênia viu Salim contando as notas de dinheiro, horrorizado, ela resmungou junto em sua própria língua.

Em pouco tempo, as unhas de Salim ficaram lascadas e sujas de terra. Formaram-se calos na palma de suas mãos e na ponta de seus dedos. O rosto vivia banhado em suor, mas ele se sentia bem. Trabalhava como homem. Como o pai teria trabalhado. O dinheiro não era muito, mas ele o entregava à mãe com orgulho.

Hakan não fez perguntas sobre a remuneração. Hayal aceitava as poucas notas que Madar-jan enfiava silenciosamente em sua mão a cada semana, mas logo gastava tudo na comida que compartilhavam com a família Waziri. Pareciam felizes com a presença das crianças, e Madar-jan fazia o que podia para cuidar da casa. Varria o chão, lavava a louça e a roupa, enquanto Hayal ensinava Samira, uma aluna quieta mas interessada. A menina batia com o lápis e olhava para Hayal quando resolvia os problemas de matemática.

Estavam confortáveis em Intikal, mas Salim ainda se preocupava.

– Madar-jan, vamos demorar uma eternidade para economizar o bastante para chegarmos à Grécia. Talvez a gente possa pedir dinheiro para a família? Talvez devêssemos ligar para a Inglaterra?

Madar-jan secou as mãos no avental e suspirou.

– Meu filho, também andei pensando no assunto. Vou tentar telefonar, mas acho que não vão ter muito dinheiro para mandar. Da última vez que liguei, seu tio disse que mal tinham como pagar o material escolar da filha. Talvez as coisas tenham melhorado. Não vejo mais alternativas. – Fereiba começou a pensar em voz alta. – Talvez não devêssemos ir para Londres. Talvez fosse melhor escolher outro lugar.

Só que não havia outro lugar para ir. O resto da família se dispersara entre Índia, Canadá e Austrália. A Índia oferecia poucas oportunidades de uma vida melhor. O Canadá e a Austrália eram inacessíveis sem visto.

Madar-jan se apoiou no balcão e fitou os azulejos do teto. No dia anterior, tinha começado a limpar a casa de alguns vizinhos, graças às indicações de Hayal, mas não era o suficiente para manter Salim em casa. Olhou para o filho.

– Não é muito ruim, não é? Lá na fazenda?

Ele começara a contar sobre o trabalho depois do segundo dia, mas a expressão da mãe o fez interromper sua história. Salim sorriu e assentiu. O rosto dela se descontraiu. Sobreviveriam daquele jeito, um contando para o outro que as coisas eram melhores do que a realidade.

CAPÍTULO 20

Salim

O Sr. Polat o fazia trabalhar longas e árduas jornadas de catorze horas. Estavam em agosto, o auge da estação de tomates. O trabalho era farto até na decrépita fazenda de Polat, com o solo mais pedregoso do que o dos vizinhos.

Salim aprendeu a dizer a hora pela posição do sol. Desde de manhã, ficava esperando que sua sombra se alongasse cada vez mais, para que o dia de trabalho chegasse ao fim. Tinha quinze minutos de descanso, quando a esposa de Polat levava sanduíches. Todos os dias era um sanduíche fino e um copo de água morna. Por mais monótono que fosse, o alimento acalmava os roncos da barriga e a água amenizava a ardência na garganta seca.

O Sr. Polat e a esposa tinham quatro filhos. O menino que observara Salim na frente da casa, naquele primeiro dia, era o filho do meio, Ahmet. Havia duas gêmeas mais novas, com cerca de 3 anos. A mais velha da família era Ekin. Seu nome queria dizer "colheita", em turco.

Ela tinha mais ou menos a idade de Salim e era magricela como o pai, com os mesmos traços cansados. Não parecia atraente nem mesmo para um adolescente em isolamento. A pele era sardenta e o cabelo, uma confusão de cachos desgrenhados.

Ekin observava Salim a distância, enquanto ajudava a mãe a pendurar as roupas no varal atrás da casa. Já no fim de agosto, a jovem não tinha mais o que estudar e ficava andando pela fazenda. Entediada, passava mais tempo perto de Salim e da mulher armênia. Gostava especialmente de ficar por ali quando Salim limpava o estábulo.

Era uma nova tarefa para a qual o Sr. Polat designara Salim, por exigir mais esforço braçal do que a armênia seria capaz. O estábulo abrigava dois burros, três cabras e algumas galinhas. O ar era pesado e fétido, com cheiro de esterco e de pelo molhado. Salim nunca cuidara de animais, e os odores ardiam nas narinas. Odiava os dias em que o Sr. Polat, com o ancinho na mão, batia em seu ombro e apontava para o estábulo. Polat se demorava alguns momentos mostrando o que precisava ser feito e ia embora.

Salim passava o ancinho no feno úmido e no solo e jogava os dejetos no carrinho de mão, que empurrava até um canto da fazenda onde o estrume acabaria se transformando em adubo. O fedor grudava em suas roupas e em sua pele. À noite, Salim se isolava na condução, sabendo que as pessoas iam torcer o nariz no caminho de volta.

Enquanto ele respirava pela boca, Ekin desfilava ociosamente pelas portas abertas do estábulo. A jovem começou a pigarrear ao passar. Não demorou a se sentar num caixote a um canto, uma observadora casual de seu trabalho. Como ou por que a jovem fazia questão de aguentar aquele cheiro era algo que Salim não conseguia imaginar. Certo dia, falou com ele num inglês vacilante, de nível elementar:

– Não bom – observou. – Ainda sujo.

– Não acabei – respondeu Salim, mantendo os olhos no chão.

Duvidava que um pai turco fosse muito diferente de um pai afegão, quando se tratava das filhas. Não queria ter problemas com Polat. Ekin segurava um grande copo de água. Engolia ruidosamente.

A poeira do estábulo secara a língua e as vias aéreas de Salim. Ouvi-la beber era angustiante, mas ele não disse nada.

– Qual é o seu nome? – Quando não obteve resposta, Ekin repetiu a pergunta mais alto, irritada: – Qual é o seu nome?

– Salim – murmurou ele.

– Salim? – Ekin brincou com os cabelos desgrenhados. Passava os dedos, que se prendiam nos nós. – É nome de velho. Por que tem um nome de velho?

Salim cerrou os lábios.

– Por que não limpa ali? Ainda vai cheirar se você não limpar. Os animais vão ficar doentes. Meu pai não vai ficar feliz.

Salim permaneceu de boca fechada, terminou o mais rápido que pôde e voltou para os campos. A armênia ergueu uma sobrancelha e meneou a cabeça em direção ao estábulo. Quando ele balançou a cabeça, frustrado, a velha sorriu. Estavam começando a se entender.

UMA SEMANA DEPOIS, EKIN VIU SALIM dirigindo-se ao estábulo. Ela o seguiu, virou o caixote e se sentou, esticando as pernas à frente.

– O verão é quente demais. Fico dentro de casa o dia inteiro. É muito tempo! A escola é melhor... é melhor para ver os amigos.

O silêncio de Salim não a impediu de continuar:

– Aqui não tem nada. Não posso conversar com meus amigos. Estou sozinha... – Ela fez uma pausa. – Você não vai para a escola, então não sabe. Já esteve numa escola?

Salim remexeu a terra com mais força.

– Sei que as pessoas que trabalham não vão à escola. Mas meu pai e minha mãe dizem que eu preciso estudar, para não virar trabalhadora. Dizem que preciso ser estudante, ser limpa e ter uma boa vida. Por que você não fala? É bom que você não está na escola. Na escola, os professores mandam você falar! – Ela riu, batendo os calcanhares no chão coberto de palha.

A voz da Sra. Polat ecoou. Ekin se levantou com um suspiro profundo, espanou a palha dos fundilhos da calça e saiu do estábulo, lançando um olhar curioso para Salim. O rapaz ficou grato por aquela interrupção. Alguns minutos com Ekin eram mais exaustivos do que uma jornada de trabalho inteira. Porém, antes que pudesse apreciar o silêncio, a garota voltou com o sanduíche do almoço.

– Aqui está! – exclamou Ekin, na porta do estábulo. Ela parou e olhou para o sanduíche em suas mãos. Aproximou-o tanto do rosto que Salim pôde perceber que o nariz dela havia esbarrado na carne. – É bom. Podemos comer juntos?

Ekin sentou-se no caixote e, no instante em que Salim se aproximou para reivindicar o sanduíche, ela cuidadosamente dividiu-o em dois e deu metade a ele. Salim ficou olhando, enraivecido, o pão e a carne desaparecerem entre os dentes dela.

– Essa comida é minha – argumentou.

– Mas comemos juntos – respondeu Ekin, confusa. – Como amigos, tudo bem?

– Não. Não. Não. Não está tudo bem!

As costas de Salim doíam. As pontas dos dedos ardiam e a barriga roncava, furiosa.

Ekin pareceu se surpreender com a reação dele. Depois de um momento, ela se levantou, tateou em um dos bolsos e tirou um pacote com dois biscoitos doces pequenos. Jogou o pacote em cima do caixote e saiu do estábulo sem dizer uma palavra.

Furioso, Salim só conseguia pensar que passaria o resto do dia com fome. O meio sanduíche que restara não o sustentaria, e não havia como se queixar a Polat ou à esposa dele. Jogou o ancinho no chão e enfiou a comida na boca. Olhou para os biscoitos e pensou no que aquilo queria dizer enquanto os devorava.

Ekin não se arriscava a visitar os campos, mas Salim sentia seus olhos sobre ele, observando-o colher tomates enquanto ela fingia ler um livro. A armênia também reparou na presença da garota e estalou a língua, em sinal de reprovação. Pôs dois dedos nos lábios e balançou a cabeça. Apontou para seis fileiras de tomateiros que precisavam ser colhidos e bateu no bolso.

Não diga nada, era o que ela estava dizendo. *Volte ao trabalho e ganhe seu dinheiro.*

Salim sabia que era um bom conselho. Quando pequeno, raramente se preocupava com dinheiro. E se pensava no assunto, era apenas para conjecturar se tinha o suficiente para comprar uma bala ou um refrigerante no mercado. Estavam longe da riqueza, mas Padar-jan garantia que tivessem o bastante. Depois que ele morreu, Madar-jan passou a racionar a poupança e reservava pequenas quantias para alimentos e para o que fosse absolutamente essencial. Salim sabia que tinham pouco, mas nunca lhe ocorreu que ficariam inteiramente sem nada. Depois que começara a entregar o pagamento para a mãe, compreendera que estavam em uma situação bem precária do ponto de vista financeiro.

Somos uma família muito grande, pensou Salim, no caminhão, na viagem de volta. Lembrou-se do envelope grosso cheio de dinheiro que a mãe entregara a Abdul Rahim em troca dos documentos. O preço dos documentos, da comida e do pagamento para contrabandistas multiplicado por quatro deixou a família Waziri com poucas reservas. Samira era jovem demais para perceber quanto Salim trabalhava todos os dias. Ela ficava em casa e ajudava Madar-jan nas tarefas, mas só quando Hayal não estava cobrando as lições. Aziz era ainda mais carente.

Salim lamentou ter aqueles pensamentos. Amava muito os irmãos, mas a frustração e a fadiga estavam começando a cobrar um preço.

Todos os dias, a mãe precisava mais dele. Salim ignorava o desejo de se aninhar a ela. Não havia mais espaço para agir como criança. Ele ainda sentia a dor da perda do pai, mas começara a pensar que tinham sido justamente as decisões de Padar-jan que colocara a vida de todos em perigo. Em outras noites insones, Salim lamentava as travessuras da infância e a decepção que causara a Mamude. Era um caleidoscópio de sentimentos, no que se tratava dos pais.

E agora ele mesmo se tornara o sustento da família. Quanto mais pensava nisso, mais se sentia o chefe do clã e menos disposto ficava a obedecer às ordens dos outros. O Sr. Polat mantinha seu ego de adolescente sob controle, mas, no que se tratava da mãe, Salim andava soltando a língua. Dizia coisas que não teria ousado dizer, um ano antes. Lançava olhares que sabia não serem apropriados, mas se permitia agir assim. Trabalhava durante longas horas, mantinha a família alimentada e queria que respeitassem suas opiniões.

Voltou para a casa dos Yilmaz e encontrou a mãe limpando a cozinha. Samira e o bebê já estavam dormindo.

– Estão bem? – perguntou ele, desabando na cadeira.

– Estão, sim. Mas os olhos de Aziz procuram por você. – Ela abriu um sorriso fraco.

A mãe colocou um prato de comida diante do filho e se sentou à mesa enquanto ele comia. As coisas não estavam bem, e Salim sabia disso, mas Fereiba não queria sobrecarregar o garoto com preocupações. Ele já estava fazendo o bastante.

É bom ser cuidado, pensou Salim, desabando na almofada do chão e fechando os olhos.

CAPÍTULO 21

Fereiba

— Por que ele vive doente? – perguntou Salim.
Ele tinha acabado de chegar e me viu dando um banho de esponja em seu irmãozinho. Aziz estava pálido, gemendo. Já tinha vomitado duas vezes.

Enrolei uma toalha no corpinho de Aziz e pousei-o no chão com delicadeza. Não tinha uma resposta para dar.

– Acho que são as mudanças. O ar, a comida... tudo é diferente por aqui. E ele é tão pequeno... Seu corpo deve estar sofrendo muito para se adaptar. – Pinguei azeite de oliva na palma da mão e a esfreguei, gerando calor. Massageei o peito e a barriga de Aziz bem de leve, mas mesmo assim ele parecia desconfortável. – Talvez Aziz precise de algumas vitaminas para ficar mais forte.

Aziz não tinha ganhado muito peso desde nossa chegada à Turquia. Eu fazia tudo o que podia. No mercado, usava as poucas palavras que aprendera em turco para comprar frutas e verduras. *Havuc, bezelye, muz.* Quando meu vocabulário falhava, eu tentava me comunicar apontando para as coisas e com a linguagem rudimentar dos gestos. Examinava as trouxas de ervas e descobria aquelas que eu sabia que tinham propriedades curativas. Eu as fervia e dava o chá para Aziz, numa colher. Eu o alimentava com o espinafre mais verde, as peras mais suculentas, pedaços de carne moída com um pouco mais de gordura. Nada disso parecia fazer diferença.

Salim entrou na cozinha. Ouvi-o suspirar fundo, então o ruído das pernas de madeira da cadeira deslizando pelas placas do linóleo. Minha explicação não satisfizera nenhum de nós.

– Vamos levá-lo ao médico amanhã, Salim – ouvi Hayal dizer. – Coma seu jantar. A barriga vazia só vai deixá-lo mais transtornado.

Samira também estava na cozinha. Tinha começado a preparar o jantar para o irmão assim que o ouvira entrar na casa. Tudo o que sentira pelo pai fora redirecionado para Salim, uma adoração profunda acompanhada por expectativas e necessidades. Ela era aquele casaco pesado de inverno que o mantinha aquecido, mas tornava seus passos mais lentos.

Samira contribuía como podia. Ajudava a fazer papinha de frutas e legumes para Aziz. Cuidava dele enquanto eu ia à casa dos vizinhos fazer faxina ou outros pequenos trabalhos. Sempre parecia esgotada quando eu voltava.

– Aziz não é fácil, *janem*. Não fica muito melhor quando está comigo.

Samira não parecia convencida.

HAYAL E EU ATRAVESSAMOS A LONGA ESTRADA que cortava o vilarejo para ver o Dr. Ozdemir, o mesmo que cuidara de seus meninos, anos antes. O médico ainda atendia e agora trabalhava junto com o filho. A casa ficava na outra ponta da cidade. Pai e filho viam os pacientes num pequeno cômodo adjacente. O cenário era simples, mas acolhedor, com a esposa do médico servindo uma pequena bandeja de biscoitos.

Eu estava nervosa, nervosa demais para comer. A Sra. Ozdemir notou a apreensão no meu rosto e percebi que ela queria dizer algo, mas não falávamos a mesma língua. Ela trocou algumas palavras com Hayal e pousou uma mão reconfortante em meu ombro.

Observei meu filho e, por um segundo, eu o vi pelos olhos da Sra. Ozdemir. Tufos de cabelo se grudavam na testa úmida. A cabeça começava a parecer grande demais para o corpo. O menino não parecia bem, eu tinha que admitir, e havia muito eu não o via sorrir ou balbuciar uma única palavra. Não conseguia imaginar como estaria nossa situação sem a bondade incomum com que Hakan e Hayal nos receberam. Perguntei a mim mesma como poderia retribuir o que esses desconhecidos tinham feito por nós.

Aziz se retorcia e se remexia no meu colo, procurando uma posição mais confortável. Detestava ficar deitado. Eu o conhecia bem, mas não entendia o que estava errado, apenas que ele não se parecia em nada com meus outros filhos, e isso me assustava.

Dr. Ozdemir entrou no aposento, o sorriso caloroso desaparecendo quando nossos olhares se encontraram. Percebi como devia parecer perturbada e me levantei para cumprimentá-lo. O médico tinha uma cabeleira grisalha e uma boa barriga acima do cinto. Confiei nele e em seu cabelo cor de prata imediatamente, pois sabia que algo de bom viria daquela visita. Ele meneou a cabeça em cumprimento, então gesticulou para que eu me acomodasse. Puxou outra cadeira, junto ao balcão, e sentou-se diante de mim.

Conseguimos nos comunicar por meio de uma mistura singular de turco, inglês e dari. Quando as palavras falhavam, gesticulávamos e fazíamos mímicas. A pedido do médico, coloquei Aziz na bancada para ser examinado e tirei sua camisa e calça. O Dr. Ozdemir franziu os lábios, consternado, antes mesmo de tocar o bebê. Aziz tinha caído no sono, mas, à medida que começava a acordar, seu peito subia e descia num ritmo dramático. Ele se mexia para os lados, incapaz de se levantar ou de se sentar.

O Dr. Ozdemir beliscou a pele da barriga de Aziz e ouviu com atenção o peito do bebê por um tempo que pareceu uma eternidade. Usando uma lanterna e uma vara de madeira, observou-lhe a boca, depois apertou seu ventre redondo repetidas vezes, avançando pelo corpinho. Meu coração disparou.

– Doutor-*sahib* – interrompi, do modo mais respeitoso que consegui –, há algum problema?

Olhei para Hayal, nervosa, esperando que o médico compreendesse.

O Dr. Ozdemir soltou um longo suspiro. Tirou o estetoscópio do pescoço e enrolou Aziz no cobertor antes de devolvê-lo aos meus braços. Ajeitei-o no colo e voltei minha atenção ao médico, que começava a falar devagar, pronunciando as palavras com cuidado e lendo minha expressão. As palavras pareciam pesadas aos meus ouvidos, enquanto eu me esforçava para compreender. *Problema*. Era tudo o que tinha sido confirmado.

– Que problema? Ele precisa de antibióticos? Vitaminas?

O Dr. Ozdemir balançou a cabeça enquanto repetia "antibióticos" e "vitaminas", palavras que não precisavam tradução do dari para o turco.

O Dr. Ozdemir apontou para o peito de Aziz, seu coração, e repetiu a palavra que tinha conseguido comunicar.

– *Problema. Kalp.*

– *Kalp?*

Outra palavra que viajava bem. *Kalp* queria dizer coração. Senti meus braços enfraquecerem.

O médico se levantou e pegou um livro na bancada. Era um volume de capa mole, a lombada colada mais de algumas vezes. Começou a folhear até encontrar uma imagem que o ajudaria a transmitir as informações, mas logo perdeu a paciência e largou o livro na bancada. Tirou papel e lápis da gaveta da escrivaninha e começou a desenhar.

Levei a cadeira para junto dele. O médico desenhou um coração e começou a abrir e a fechar seu punho de forma ritmada. Depois, rabiscou duas formas e começou a inspirar e expirar de modo exagerado. *Pulmões*, pensei. O coração e os pulmões. Assenti, e ele voltou para seu desenho rudimentar. Apontou para o coração e, mais uma vez, abriu e fechou o punho, mas mais devagar dessa vez. Depois, indicou o desenho dos pulmões e começou a colorir a parte de baixo. Algo estava bloqueando os pulmões de Aziz. O Dr. Ozdemir começou de novo com a respiração exagerada, mas dessa vez com dificuldade, cada vez mais depressa e com mais esforço, o rosto coberto de fadiga.

Achei que um bebê, meu bebê, seria jovem demais para ter problemas no coração. Tive uma sensação avassaladora de impotência. Como poderíamos consertar algo de errado em seu coração?

O Dr. Ozdemir sabia que tinha conseguido transmitir a mensagem. Bateu com o lápis no desenho que segurava no colo. Intikal era uma cidade pequena, e não havia como fazer as coisas que ele sentia que eram necessárias. Não havia raio X nem exame de sangue. Aziz precisava de um hospital. E, mesmo se conseguíssemos alcançar os recursos mais abundantes de uma cidade, eu não tinha dinheiro para financiar tudo de que aquele bebê necessitaria. O Dr. Ozdemir balançou a cabeça.

O médico reduzira meu mundo a um rabisco no papel. Eu precisava ouvir a conclusão dele. O homem esfregou a testa, tirou um bloco do bolso do casaco branco e escreveu alguma coisa. Entregou a receita para Hayal, e os dois juntos me informaram que os remédios ajudariam a manter Aziz confortável por algum tempo, mas que seu quadro só ia piorar.

Os olhos de Hayal se encheram de lágrimas. Ele teve dificuldades de transmitir a mensagem.

Não foi a língua que dificultou nossa comunicação naquele dia. Mesmo que o médico fosse fluente em dari, eu não teria compreendido o prognóstico do meu filho. O médico me encarava e, em seus olhos, eu percebia que ele não estava surpreso com a reação. Eu me recusaria a aceitar, ele sabia, assim como tantas mães, até o fim – e, às vezes, até muito depois.

Desconsiderei tudo o que estavam me avisando e me agarrei ao que eu poderia fazer. Precisava de algo concreto que me mantivesse na superfície.

– Darei a ele o remédio – falei. – Quantas vezes por dia? Durante quanto tempo?

Eles compreenderam. O Dr. Ozdemir fez círculos no ar com o indicador, sem parar. *Hafta* queria dizer semana, tanto em turco quanto em dari. *Toda semana*, ele fez um gesto com a mão, indicando que o remédio era continuado. Assenti.

– Volte em duas semanas – disse ele.

Hayal assentiu, agradeceu ao médico e perguntou algo que não compreendi. O Dr. Ozdemir balançou a cabeça e dispensou o que quer que fosse com delicadeza. Tocou no meu cotovelo e acariciou a testa de Aziz antes de sairmos.

Fiquei entorpecida. Hayal começou a me levar para a porta, só com aquele pedaço de papel nas mãos.

Eu não sabia quanto custaria o medicamento. Refizemos nossos passos de volta para casa, um silêncio entre mim e Hayal. Na farmácia, tirei notas da bolsa de moedas para pagar pela garrafa com o líquido que o farmacêutico preparou. Sem querer esperar, afastei o cobertor do rosto de Aziz e apontei para sua boca. Hayal comunicou minha premência, e o homem bigodudo assentiu. Abriu o vidro e despejou uma pequena quantidade numa colher de plástico. Levei o líquido escuro até os lábios magros de Aziz.

O coração de meu filho estava mais partido do que o meu. Enterrei a raiva que sentia de meu marido, das decisões que nos levaram até ali. Muito do que passávamos não era culpa dele, e eu sabia disso quando encontrava forças para ser racional. Mas, em outras ocasiões, quando meus ombros começavam a ceder sob a pressão de tudo, as lembranças de Mamude ficavam enevoadas pelo ressentimento. Eu enxergava teimosia no lugar de perseverança, orgulho no lugar de princípios e negação no lugar de determinação. A luz de nosso casamento enfraquecia. Rezei para encontrar um jeito de amar meu marido na morte tanto quanto o amara em vida.

Em nome de Deus, misericordioso e compassivo, pedia meu coração pesado.

CAPÍTULO 22

Salim

Salim ouvira em silêncio enquanto a mãe lhe comunicava o diagnóstico do médico. Ela mantinha a compostura, com frases entrecortadas, e a garantia de que o medicamento já tinha feito diferença. Mas a verdade estava mesmo era no espaço entre as palavras, nos vazios que Salim e Samira tinham começado a reconhecer e temer. Samira encontrou o olhar do irmão, o rosto tenso sob o peso de tudo o que a menina não dizia.

Salim mantivera os olhos no irmãozinho. Aziz dormia tranquilo, a respiração mais calma. Hakan, depois de ouvir as notícias de Hayal, suspirara, balançando a cabeça. Para Salim, era um olhar de pena, e ele se ressentia daquilo. Suava no campo de Polat todos os dias para que ninguém sentisse pena dele. A expressão no rosto bem-intencionado de Hakan, as mãos sobre seus ombros... Salim queria fugir daquilo.

Salim se sentou na beira do campo de futebol da escola, arrancando folhas da grama. A julgar pela posição do sol no céu, as crianças deveriam sair em breve. Chegava a sentir o modo como se remexiam nas cadeiras, vendo a passagem dos minutos e aguardando ansiosamente o momento de serem dispensados. A uma vida de distância, num país distante, Salim tinha sido igual a eles: ansioso pelo momento de enfiar os papéis e os lápis na mochila e sair correndo pela porta.

Mas era outra época, outro Salim. E o Salim de agora sonhava com uma escola com colegas, com amigos. Sonhava em ter uma vida normal. De um modo ainda mais doloroso do que em Cabul, a vida normal parecia estar quase ao alcance da mão, mas era ao mesmo tempo inalcançável. A saudade o levou até aquele lugar, ao campo sombreado, coberto de grama da escola. Ele passava por lá todos os dias, no caminho para a parada dos caminhões. Era um lembrete constante do modo como as coisas podiam ter sido diferentes.

Salim chegara mais cedo à fazenda e informara a Polat que precisaria sair mais cedo. Resmungou uma meia verdade sobre o irmão. O fazendeiro retrucou alguma coisa, e Salim sabia que haveria uma redução no pagamento. Só que Polat tinha poucos trabalhadores, por isso Salim sabia que seria acolhido no dia seguinte.

Se não podia levar uma vida normal, podia observar a normalidade. Queria apenas algumas horas com o pé na grama fresca. Queria uma tarde para si mesmo, longe do trabalho esfalfante.

SALIM TENTOU IMAGINAR O CORAÇÃO DE AZIZ. Sentiu as batidas pulsantes no próprio peito. Tinha visto o coração de um animal certa vez. Ele tinha ido ao açougue com o pai para comprar frango, uma iguaria rara para celebrar o feriado do Eid e o fim de um longo mês de jejum. A família tinha apertado as contas em casa, quando o salário de Padar-jan começou a oscilar.

Salim tinha visto o açougueiro limpar as mãos ensanguentadas num pano e se aproximar para falar com o pai. Trocaram formalidades, até que Padar-jan pediu para ver as galinhas. O açougueiro ergueu uma sobrancelha, e Salim, o jovem filho, sentiu seu peito inchar de orgulho. Os Waziri não eram clientes medianos, que compravam os cortes mais baratos de carne. Estavam em busca do melhor.

Enquanto o pai e o açougueiro negociavam, Salim foi olhar o que o homem tinha colocado em exposição. Um cordeiro limpo pendurado num gancho. Pedaços de carne e de órgãos reluzentes arrumados em fileiras. Aquelas coisas ao mesmo tempo fascinavam e enojavam Salim. Lembrou que tinha puxado a manga do pai.

– Padar-jan, o que é aquilo? – sussurrara, sem querer chamar a atenção do açougueiro, mas incapaz de conter a curiosidade.

– São corações de galinha.

Padar-jan e o açougueiro deram risadas de Salim, que levou a mão ao peito, tentando sentir as batidas do próprio coração, os olhos colados nos coraçõezinhos do tamanho de damascos sobre a bancada.

As portas da escola se abriram, e os alunos se espremeram para sair, jorrando pela rua numa enchente ruidosa. Salim invejava as mochilas, os cadernos, a falta de responsabilidade.

Meninos da idade dele iam para o campo, um grupo de oito ou nove. Salim baixou os olhos para o relógio de pulso quando viu que se aproximavam. Não queria ser visto com a expressão triste. Os ponteiros tinham parado de se movimentar na noite anterior. Salim tentou dar corda, mesmo já imaginando que não faria efeito. Era o relógio de um engenheiro, com um mostrador impenetrável dentro de outro mostrador. Padar-jan saberia consertá-lo. Salim o manteve no pulso, na esperança de que voltasse a funcionar sozinho.

Um dos meninos, o mais magrelo do grupo, tirou uma bola de futebol de dentro de uma sacola. Salim sentiu o pé buscando a sensação do couro. Não conseguia se obrigar a se levantar e sair dali.

Acho que nem vão perceber minha presença, raciocinou. Virou-se e ficou meio de lado para os meninos, que começavam a passar a bola, batendo forte com os pés no chão enquanto cruzavam o campo. As vozes estridentes sem dúvida gritavam provocações em gírias turcas que Salim não compreendia.

Eles se juntaram num grupo, com dois meninos lançando olhares para Salim. Sentindo-se um invasor, ele se obrigou a se levantar e espanou as costas. Estava prestes a se afastar quando ouviu um grito. Voltou-se, relutante. O líder magricela repetiu o chamado. Salim não sabia responder, então deu de ombros.

– Não falo turco.

– Não fala turco? – O garoto riu, então passou para o inglês: – Quer jogar futebol ou gosta de dormir na grama?

Salim seguiu o menino até o resto do grupo, que já tinha se dividido em duas equipes. Faltava um jogador em uma.

– Jogue com eles – decretou o magricela. Então fez uma pausa e examinou Salim dos pés à cabeça. – Tem nome?

Salim hesitou, querendo ter certeza de que o outro não estava zombando dele.

– Salim – respondeu, por fim, guardando o relógio no bolso.

– Salim? Você fala devagar. Espero que tenha pés rápidos.

Cabul tinha um monte de meninos daquele jeito. Salim correu até o time e saudou os garotos com um aceno de cabeça. Os outros o examinaram por um momento, então começaram a assumir as posições em campo.

A bola ia de um para outro, e Salim foi transportado. Estava em Cabul, numa breve partida com amigos antes de escurecer. Correu atrás da bola, afastando-a de garotos cujos nomes não fazia questão de saber. Tocou, passando para os novos companheiros de time – poderiam ignorá-lo se o vissem no mercado, achando que era só mais um trabalhador, um imigrante. Mas ali não. Ali ele não era um forasteiro. A bola voltou. Salim driblou para o gol, atento à defesa, tentando se manter à frente dos oponentes.

Seu time perdeu por um ponto, mas ele jogou bem o bastante para merecer o respeito do grupo. O magricela olhou de esguelha para Salim, suado e ofegante.

– Você é de onde? – perguntou, secando a testa com as costas da mão.

– Do Afeganistão – respondeu Salim, hesitante.

O garoto não pareceu impressionado.

– Meu nome é Kamal.

KAMAL E SALIM SE TORNARAM TÃO AMIGOS quanto era possível para um nativo e um imigrante em Intikal. A partir daquele dia, Salim juntava-se a eles uma vez por semana, após o trabalho na fazenda, para jogar por uma ou duas horas, e às vezes retomava o trabalho depois. Ficava exausto e morrendo de fome, mas valia a pena sentir a grama sob os pés, as batidas no ombro e o vento no rosto. Polat fazia cara feia, mas tolerava as ausências de Salim, que compensava o trabalho que deixava de lado.

Em casa, Salim manteve a nova atividade em segredo. Não conseguia confessar à mãe que se sentia livre durante uma hora por semana. Via o rosto ansioso dela quando voltava para casa. A mãe passava o tempo todo preocupada com Aziz e corria atrás de qualquer trabalho que a ajudasse a rechear minimamente os bolsos. Samira continuava ajudando, cuidando de Aziz enquanto Madar-jan trabalhava ou auxiliando Hakan e Hayal nas tarefas domésticas. Não parecia muito correto, mas Salim guardou as atividades esportivas para si mesmo.

No campo, sentia dificuldade com a língua quando precisava dar respostas espertas para as zombarias dos meninos. Esperava que o silêncio fosse interpretado como indiferença. Kamal continuava provocando e não parecia desapontado por ser ignorado.

De noite, os meninos às vezes se reuniam na cidade para tomar refrigerante e devorar com os olhos as mulheres com pouca roupa dos anúncios de revista. Salim só se encontrava com eles algumas dessas vezes, com vergonha das roupas suadas e das mãos calejadas pelo trabalho. Incapaz de esconder tudo da mãe, contou que tinha conhecido alguns meninos locais e que se encontraria com eles para tomar refrigerante. A mãe o encorajou, o que só o fez se sentir pior por estar escondendo tanto.

Uma vez, depois de acompanhar Salim de volta para casa, Kamal ficou sabendo onde moravam. Mesmo assim, Salim ficou surpreso ao voltar da fazenda e encontrar o amigo sentado com Hakan na cozinha. Naquela noite, Salim descobriu que Kamal tinha a capacidade de adaptação de um camaleão. Era uma qualidade muito útil e admirável.

– Salim, chegou em boa hora. Você tem visita – anunciou Hakan, com um sorriso.

– Olá, Salim – disse Kamal, jovial, levantando-se da cadeira.

– Estávamos só conversando. Que bom que você está conhecendo os meninos das redondezas. Por acaso eu conheço o pai de Kamal.

– Olá... – Salim foi pego de surpresa. Não estava empolgado por encontrar Kamal em casa. – O senhor... o senhor conhece o pai dele?

– Conhece! Não é interessante, Salim? Eu não fazia ideia de que era a casa do querido Sr. Hakan!

– Aqui é Intikal. Todo mundo se conhece. Mas não vejo Kamal desde que ele era pequeno, do tamanho dessa mesa – respondeu Hakan, rindo.

Kamal abriu um sorriso, parecendo muito feliz.

– Pois é, acontece que meu pai e o Sr. Hakan ensinaram na mesma universidade – explicou ele.

– É verdade, mas o pai de Kamal é bem mais jovem do que eu. Era novo... Um professor muito brilhante. Os alunos o amavam lá e aqui. Embora eu tenha certeza de que o filho sente falta da presença do pai durante o semestre.

A surpresa de Salim devia ter ficado aparente em seu rosto. Ainda tinha muito a aprender sobre Kamal. Hakan levantou-se e levou a xícara de chá para a pia. Desarrumou o cabelo de Kamal. Salim conseguia compreender quase toda a conversa, mas precisava prestar muita atenção. O turco de Kamal era uma versão muito polida da linguagem que Salim costumava ouvi-lo falar durante o futebol.

– Muito bem, meninos, divirtam-se. Kamal, mande lembranças para seu pai. Diga que estou esperando uma visita quando ele voltar. Seria ótimo botar a conversa em dia no fim do semestre.

– Claro, Sr. Hakan. Ele com certeza vai adorar ouvir notícias suas. Deve voltar para casa em algumas semanas.

Hakan saiu da cozinha, e Kamal deu um soquinho de brincadeira no ombro de Salim.

– Ei, qual é? Não faça essa cara! E limpe um pouco desse suor.

Salim sorriu, envergonhado, e foi lavar as marcas do dia de trabalho árduo do rosto, do pescoço e dos braços. Madar-jan, Samira e Aziz estavam no quarto dos fundos. Aziz já estava dormindo, e Madar-jan trançava o cabelo de Samira. Salim saudou a família e se abaixou para dar um beijo no rosto da mãe. Ela contou que tinha conhecido Kamal e estava feliz porque Hakan parecia saber quem era a família dele. Parecia ser um bom rapaz.

– Ele é, sim – concordou Salim. – Vou dar uma saída, está bem? Volto logo.

– Tudo bem, *bachem*. Tenha cuidado e não demore. Uma mãe também precisa ver o rosto do filho.

Salim prometeu voltar logo e saiu. Encontrou Kamal esperando impaciente atrás da casa, um cigarro pendurado no lábio inferior.

– Ah, bem melhor! Agora você talvez não assuste as garotas! – exclamou, rindo.

Salim e o filho do professor foram ao mercado em busca de travessuras que os entreteriam durante uma hora. Era uma experiência tão deliciosamente normal que Salim queria cair de joelhos e rezar para que durasse.

CAPÍTULO 23

Salim

Kamal, Hakan e Hayal faziam Salim se sentir bem em Intikal, a milhares de quilômetros de "casa". Era mais difícil pensar em Intikal como apenas uma parada no caminho para a Inglaterra.

Aziz tinha melhorado um pouco. Ainda não ganhara muito peso e continuava com pouco apetite, mas não parecia mais desconfortável. Madar-jan dava o remédio religiosamente e estava grata por aquela melhora. Na segunda visita ao bom Dr. Ozdemir, Madar-jan preparara um prato especial de bolinhos *mantu*. Tinha se sentido compelida a demonstrar gratidão de algum modo, mas o homem recusou o pagamento pela visita.

Mesmo com a boa notícia, Salim sabia que teriam que planejar a viagem seguinte, se pretendiam mesmo chegar a Londres. Madar-jan ligou várias vezes para a família na Inglaterra, mas não conseguiu contatá-los.

Ela parecia relutante em tentar de novo, embora Salim soubesse que era a única esperança dos Waziri. Os remédios de Aziz eram um custo adicional para a já combalida economia da família. Não havia nada que o protegesse dos longos dias brutais na fazenda de Polat. Não fosse pela generosidade de Hakan e Hayal, estariam na rua, com toda a certeza.

Kamal e Salim passavam mais tempo juntos fora do campo de futebol. Com a relação entre o pai de Kamal e Hakan, Madar-jan ficou ainda mais feliz pela nova amizade de Salim. Queria que o filho socializasse e aproveitasse o tempo longe do trabalho. Quando Kamal o convidou para ir ao casamento de um primo de segundo grau no vilarejo, Salim hesitou.

Não tinha certeza de como seria recebido pelo resto da família do amigo – era um trabalhador imigrante com estrume sob as unhas. Madar-jan o encorajou a ir.

Os casamentos em Cabul eram grandes eventos sociais, só tinham perdido a força nos últimos anos por causa das restrições severas do Talibã. Madar-jan sempre gostara de se arrumar, de apreciar os salões de banquete e a música, de ver o noivo e a noiva embarcando numa nova vida juntos. Embora não falasse muito sobre seu próprio casamento, Salim sabia que fora a primeira vez que ela ocupara o centro das atenções e que isso representara um rompimento com as dificuldades de sua infância. Mais vezes do que podia contar, Salim ouvira a história do casamento dos pais – o carro coberto de flores e fitas, o homem no tambor, encabeçando a procissão pela rua, a música que se estendera até as quatro da manhã.

– O que vai vestir, Salim? Vamos ver aqui... – disse a mãe, vasculhando sua bolsa e examinando as roupas. – Aqui está sua camisa de botões. Deve bastar. Por que não experimenta?

– Madar-jan, o casamento é daqui a três dias.

– E se não couber? Melhor saber agora do que no dia.

A calça, sem dúvida nenhuma, estava curta, e a camisa parecia larga nos ombros. Madar-jan soltou a bainha de 2 centímetros e a refez, para que os tornozelos não ficassem expostos. A calça e a camisa teriam que servir.

Na noite de sexta-feira, Salim percorreu os quinze minutos de caminhada até a casa de Kamal, as palmas das mãos suadas. No caminho de volta da fazenda, começara a imaginar como seria um completo desconhecido no meio da comemoração particular de uma família turca. Tinha sérias dúvidas sobre aquilo. Com medo de decepcionar Kamal, preferiu deixar as apreensões de lado.

Salim se encontraria com o amigo e dois primos que iriam juntos de carro. O resto da família já partira. A celebração aconteceria numa fazenda fora da cidade, e os meninos estavam ansiosos por chegar antes que o jantar fosse servido.

Os primos de Kamal eram mais velhos, na casa dos 20 anos, mas feitos do mesmo tecido rebelde: fumavam sem parar, contavam piadas lascivas e voltavam para casa, para a comida da mãe, todas as noites. Os primos mal ergueram uma sobrancelha ao ver Salim, mostrando um desinteresse muito reconfortante. Estacionaram o carro e entraram na casa, esperando ter calculado bem a chegada, de forma que ficassem de fora das cerimônias religiosas e tivessem tempo de participar da comida e da música que se seguiriam aos ritos.

Chegaram bem na hora. As famílias do noivo e da noiva estavam trocando apertos de mão e congratulações. O cheiro da carne assada e do queijo no forno pairava no ar. A comida logo seria servida, o que permitia que os convidados vagassem, que os parentes colocassem as fofocas em dia, contassem as histórias do passado e partilhassem as queixas sobre o calor.

Salim absorveu tudo. *Podia muito bem ser um casamento afegão*, pensou. Não era nada diferente. Um grupo de homens tagarelava num canto. As mulheres riam em outro. Turcos e afegãos eram mais parecidos do que imaginara.

A comida estava deliciosa. Como Salim mal tivera tempo de comer alguma coisa desde que voltara da fazenda, estava faminto. Mantinha os olhos no prato. Algumas garotas tinham chamado sua atenção, mas não queria ser pego olhando para elas. Embora fossem recatados, os vestidos abaixo do joelho marcavam bem as curvas juvenis. Uma das meninas tinha um cabelo castanho que se enrolava em torno do rosto e roçava nos lábios cor de cereja. Salim teve que se esforçar muito para não ficar encarando.

– Quer um pouco mais de comida? Vou me servir de um segundo prato. Ou talvez você esteja com medo de arrebentar a calça? – provocou Kamal, cutucando Salim com o cotovelo ao se levantar.

– Não, eu vou junto. Seria ótimo arrebentar a calça por causa desse kebab.

Os dois caminharam até as mesas compridas onde as bandejas de comida estavam dispostas. No canto, o noivo e a noiva conversavam com alguns convidados.

– A família esperou muito tempo por esse casamento – explicou Kamal. – A noiva é minha prima. O noivo vem de uma família das proximidades, de uma fazenda vizinha. Ele está apaixonado há anos. Outra família a queria como esposa para seu filho, para que pudessem herdar as terras depois, mas minha prima não estava interessada e o pai não gostava das pessoas.

Assim como em Cabul, pensou Salim.

Encheram a barriga, ouviram música e ficaram olhando os homens cada vez mais barulhentos, à medida que as horas avançavam. Houve palmas, pés batendo e cotovelos agitando-se com o alarido da música que vinha de um aparelho de som, com ritmos e instrumentos que lembravam a Cabul do passado. Chá e doces com calda foram servidos. Salim, mais satisfeito do que podia se lembrar de algum dia ter estado, não recusou a *baklava* que se desfazia na mão nem os *nougats* com cobertura de pistache. Se pudesse dividir aquele banquete com a família... Lambia os dedos grudentos e perguntava a si mesmo se não haveria um jeito de colocar alguma coisa nos bolsos sem que ninguém percebesse.

— Ei, vamos fumar. Está quente demais aqui, não acha? – sugeriu Kamal.

Salim concordou e seguiu o amigo até os fundos da casa. Seus tímpanos zumbiam. Ele respirou fundo o ar fresco, esticou os braços e sorriu. Kamal pareceu se divertir.

— Está aproveitando, não é? – perguntou o amigo, pegando cigarro e fósforos.

— Fazia muito tempo que eu não ia a uma festa. Muito tempo mesmo.

— É, pois bem. Essa é a vida em Intikal. Todo dia é uma festa – disse ele, sarcástico, o cigarro lançando um brilho alaranjado na noite.

Os dois começaram a dar voltas ao redor do abrigo atrás da casa, até que pararam de repente.

Explosões trovejaram pela noite, seguidas de gritos.

Os instintos de Salim foram ativados primeiro. O rapaz agarrou Kamal pelo ombro e jogou o amigo no chão.

— Fique abaixado! – berrou.

Os meninos se arrastaram até a lateral do abrigo para conseguir olhar a casa. Kamal obedeceu. Ouviram estampidos ruidosos, mais gritos, vidro sendo quebrado.

— O que está acontecendo? – berrou Kamal, em pânico.

Os gritos eram mais familiares para Salim do que os tiros. Eram gritos de pessoas sendo atacadas.

— Meus pais! – uivou Kamal, a voz falhando.

— Fique quieto – alertou Salim, apertando o amigo nos braços, para mantê-lo calmo. – Fique quieto um pouquinho.

Três sombras saíram correndo da casa, saltaram para dentro de um carro e partiram a toda velocidade. Kamal e Salim voltaram depressa para a casa enquanto os faróis desapareciam na estrada. Os gritos tinham se transformado em lamentos.

Sangue. O estômago de Salim se revirou quando sentiu o cheiro de pólvora e metal. As pessoas estavam aglomeradas em dois cantos do aposento, os gemidos se sobrepondo à música festiva, numa cacofonia macabra. Duas mulheres arrancaram as cortinas das janelas para fazer curativos. A mãe de Kamal era uma delas, gritando o nome do filho enquanto rasgava o tecido.

– Mãe! – Kamal correu ao seu encontro.

A mulher deixou o tecido cair e agarrou o garoto pelos ombros.

– Não está ferido? Está bem? Ah, graças a Deus!

– Estou bem, estou bem. Onde está meu pai?

– Ajudando seus primos. – Ela pegou a cortina e correu para um grupo de pessoas que tinha se abaixado em torno de uma mulher.

Salim ficou paralisado.

As pessoas berravam, andando em volta dele como se não percebessem sua presença. Via as bocas abrindo e fechando, ouvia um barulho, o som de gente assustada, ferida. Viu gente correndo. Braços e pernas se movimentavam em torno dele, às vezes empurrando-o para abrir caminho. Não conseguia se mexer.

Salim estava de volta a Cabul. Ouvia as bombas, via crianças sendo enterradas, famílias chorando o desaparecimento dos pais. Sua respiração ficou mais lenta e sua vista, turva.

Não havia como escapar. A carnificina o perseguira até Intikal. Como tinha sido ingênuo em achar que conseguira deixar tudo para trás. A guerra dançava em volta dele, provocando, cutucando. Seguira a família o tempo todo, esperando que se tornassem complacentes. Quando era pequeno, Salim escondia a cabeça no travesseiro para abafar o som das bombas. Naquele momento, tapou as orelhas com as mãos para calar os gritos.

Viu uma das vítimas de relance. O pai da noiva, a camisa branca pintada de escarlate. A cor desaparecendo de seu rosto enquanto a filha se debruçava sobre ele, gritando.

Em todos os lugares que olhava, Salim via o pai.

CAPÍTULO 24

Salim

A MÃE MAL SE MEXEU QUANDO SALIM se esgueirou para dentro do quarto, o coração ainda agitado. Ouvia a respiração suave de Samira. Os olhos tentaram se acostumar ao escuro enquanto ele tateava em busca de seu colchão no chão.

– Graças a Deus que voltou para casa – sussurrou Madar-jan. – Deve estar tão tarde. Durma um pouco, Salim-jan.

– Sim – foi tudo que o menino conseguiu dizer sem que a voz falhasse.

Entrou no banheiro e abriu a torneira até um fio de água começar a cair. Deixou que molhasse as mãos e entre os dedos. Levou as palmas ao rosto e as manteve lá.

Durma um pouco, dissera Madar-jan. *Durma um pouco*.

Salim tirou a calça e a camisa e se enfiou debaixo do lençol. Fitou o teto, tracejando as rachaduras no escuro, e tentou esquecer tudo o que vira. Mas tudo voltou. A noiva, com o vestido manchado pelo sangue do pai. O irmão, que levara um tiro na perna, mas ainda estava vivo e berrando quando o enfiaram num carro para o hospital. Dois outros tinham tido sorte, as balas passaram de raspão nos braços.

Sorte, pensou Salim, *era relativo*.

Foram 45 minutos de caos. Algumas cabeças mais centradas assumiram o controle e deram ordens aos berros. Alguém levou a noiva inconsolável para um quarto dos fundos. O marido, paralisado de medo durante a confusão, tateava o próprio corpo em busca de feridas que não existiam.

Um dos atiradores tinha mirado diretamente nele, mas a arma travara no disparo.

Sorte.

Salim se pegou sussurrando as orações, como se as mãos do pai estivessem sobre seus ombros, afastando-o das janelas e levando-o para o chão. Tocou o relógio de pulso parado, sem o tique-taque baixo que embalara tantos de seus sonos.

O pai de Kamal os levara de volta para casa de carro e contara tudo. Três homens invadiram a casa. Foram reconhecidos imediatamente como os filhos da fazenda vizinha que queria a noiva para o próprio clã. Menosprezados e enfurecidos, decidiram se vingar na noite do casamento.

Apontaram para o pai da noiva, para o noivo e depois para os irmãos da noiva. Os convidados correram em busca de proteção, escondendo-se sob as mesas cheias de doces festivos e escapulindo para outros aposentos.

Tinham poupado a noiva, o que também era uma espécie de castigo.

Kamal nunca vira mais do que um nariz ensanguentado numa briga de rua.

As coisas são diferentes fora da cidade. As pessoas se vingam quando sentem que sua honra foi ferida.

Demorou uma eternidade até a chegada dos policiais, que balançaram a cabeça e examinaram cada um, avaliando os danos. Tomaram notas, mas não ficou claro o que fariam em relação aos agressores. O pai de Kamal decidiu levar os meninos para casa. A mãe foi em outro carro com tias e primos.

SALIM CAIU NO SONO PENSANDO NO QUE o pai de Kamal dissera.

Os rancores não morrem, só quem morre são as pessoas.

Salim acordou de repente com o grito de Madar-jan, que arrancou o lençol de cima dele. O menino se sentou depressa, os olhos vermelhos. A mãe o apalpava no peito, no rosto.

– O que aconteceu? Por que tem sangue nas suas roupas? Você se machucou?

As lembranças da noite voltaram correndo. Salim jogou a cabeça para trás e cobriu os olhos com as mãos.

– Não foi comigo. Não estou ferido – respondeu ele. Samira estava acordada, encarando-o com nervosismo. – Deram tiros, Madar-jan. Foi horrível.

– Tiros de armas? Pelo amor de Deus, o que está dizendo?

Madar-jan não estava completamente convencida da integridade do filho e buscava ferimentos secretos em seu corpo.

Salim afastou as mãos dela e se levantou para afastar o sono. Tinha largado as roupas manchadas de sangue perto da almofada no chão, uma visão aterradora àquela hora da manhã. Contou tudo, mantendo a voz baixa, na esperança de não deixar Samira assustada demais. Contou como ajudara a erguer o irmão da noiva para que ele entrasse no carro e fosse levado ao hospital.

Se tivesse dormido um pouco mais, talvez tivesse capacidade para filtrar alguns dos detalhes sanguinolentos. No fim, estava chorando. Tinha ficado tanto tempo incapaz de se mexer, lamentou. A mãe ouvia tudo com atenção, a mão sobre a boca, descrente. Samira se aproximara, se acomodando junto a ela, e ouvira com a atenção de um adulto. Madar-jan murmurou um agradecimento a Deus por ter poupado seu filho.

A mãe puxou Salim para junto de si e o embalou, como fazia com Aziz. O menino não resistiu, adorando o cheiro da mãe, o conforto de seus braços e os beijos que ela dava em sua testa. A mãe pediu que Samira pusesse água para ferver e que começasse a preparar o desjejum de Hakan e Hayal. Samira se levantou, obediente.

– E seu amigo, Kamal... ele também não se feriu?

– Não, Madar-jan, ele estava do lado de fora comigo. Está bem.

– E os pais dele?

– Não se feriram.

Quando Hakan e Hayal desceram para o desjejum, Salim contou a história inteira mais uma vez. Já falava muito melhor o turco desde que começara a andar com Kamal e os meninos. Ainda buscava por algumas palavras aqui e ali, mas conseguiu comunicar os eventos da noite anterior. Hakan e Hayal ficaram paralisados. Por instinto, Hayal pousou a mão sobre a mão de Fereiba. Para Salim, a violência no casamento começava a parecer mais com uma história do que com um acontecimento real.

Madar-jan buscou uma explicação em seus rostos. Como algo assim podia acontecer em Intikal? Hakan se levantou e avisou que ia à casa de Kamal ver o pai do garoto. Vestiu-se e saiu em questão de minutos.

– Estou atrasado para o trabalho. Já devia estar na fazenda, Madar-jan – disse Salim, olhando instintivamente para o relógio. – Vou levar uma bronca por chegar tão tarde.

— Salim, *bachem*, você não vai à fazenda hoje. Depois de tudo o que aconteceu na noite passada, isso está fora de questão. Quero que fique comigo.

Salim olhou para as próprias mãos e percebeu que tremia um pouco. Sabia que devia estar com uma aparência horrível e sentiu um súbito desejo de tomar um banho e arrancar da pele, com água quente, os eventos da noite.

Hayal preparou uma xícara de chá com mel e um prato com pão e queijo. Salim comeu em silêncio. Samira permaneceu por perto, quieta. Aqueceu uma mamadeira para Aziz e acomodou o neném no colo, para que ele pudesse fazer sua refeição matinal. Pela primeira vez em muito tempo, parecia que o bebê Waziri, com seu coração ruim, estava em melhores condições do que o resto da família.

Salim foi para o banheiro e abriu a água o mais quente possível. Deixou que jorrasse sobre a cabeça, a face, os ombros. Fechou os olhos e viu o rosto da noiva, o sangue riscando suas bochechas. Ouviu os gemidos do irmão da moça. Abriu os olhos e tentou enxergar algo mais, mas as imagens estavam gravadas nas retinas. Esfregou a pele até ficar vermelha e sensível. As têmporas latejavam. Fechou a torneira, a pele ardendo ao toque da toalha áspera.

Madar-jan estava no quarto, sentada na beirada da cama. Parecia tristonha.

— Madar-jan — chamou Salim, hesitante.

— Achei que estávamos bem por aqui — murmurou a mãe. — Não devia ser parecido com o lugar de onde viemos.

Salim acomodou-se a seu lado.

— Eu trouxe toda a família para cá porque achamos que seria mais seguro. Achamos que seria melhor para você. O que foi que eu fiz?

Sem Padar-jan por perto, não havia ninguém para compartilhar a culpa pelo plano que os levara até Intikal. Salim encostou a testa no ombro da mãe.

— Não podíamos ficar em Cabul, Madar-jan. Não tínhamos mais nada. Passaríamos fome... ou pior.

— Aziz estava bem por lá. Estava bem até deixarmos nosso lar. — Os olhos dela pareciam úmidos, cheios de lembranças de um passado feliz que só existia em sua mente. — Samira não lavava a louça suja de desconhecidos nem dobrava as roupas limpas. Você não trabalhava até as mãos sangrarem, do amanhecer ao pôr do sol. Estávamos bem em Cabul, mas eu trouxe todos nós até aqui.

Fereiba quisera manter seus filhos saudáveis, em segurança e livres da necessidade de trabalhar como servos. Tinha fracassado sob todos os aspectos

– Madar-jan, não estávamos bem em Cabul. – Salim agachou-se diante dela, abalado pelo modo como a mãe parecia estar falando *sobre* ele, e não *com* ele. – Não lembra? Vivíamos com medo. Não tínhamos dinheiro e não podíamos sair. Praticamente não havia ar para respirar.

– Queria que minhas crianças fossem crianças. Queria que rissem, que brincassem... que aprendessem. Queria que fizessem as coisas que eu devia ter feito quando era menina. Até onde teremos que ir? Quão rápido precisamos fugir?

Salim não conseguia encontrar as palavras, muito menos organizá-las de um jeito que trouxesse algum alívio à mãe. Sofria ao ouvi-la falar daquela maneira, ao conhecer os pensamentos que ela provavelmente escondia dos filhos quase sempre. Os sorrisos, a animação... tinha sido tudo para que ficassem tranquilos? Os olhos dela estavam secos. A mãe não falava com emoção. Eram pensamentos que vinham da parte mais honesta de seu ser. Era o resultado de análise cuidadosa e observações astutas. Era bem real.

– Vamos ficar bem, Madar-jan, você vai ver. O pior já passou. Vamos chegar à Inglaterra antes que você perceba. E ficaremos bem. – A voz de Salim vacilou. Nem de longe se sentia tão confiante quanto a mãe.

Mas a expressão de Madar-jan se alterou, como se uma chave tivesse girado. Seus lábios ficaram tensos, e seus olhos entraram em foco, com um brilho resoluto. Ela endireitou os ombros e encontrou o olhar esperançoso de Salim.

– Sim, meu filho. É exatamente isso. Iremos para a Inglaterra.

Salim ficou aliviado por ver a mãe sair do estado de quase transe e assentiu, ansioso.

– Sim, Madar-jan, só precisamos de mais um pouco de dinheiro...

– Não, precisamos partir. Vamos embora de Intikal. Vamos embora da Turquia.

– Deixar a Turquia? Mas, Madar-jan, não temos...

– Deus não podia ter enviado um sinal mais claro. Chegou a hora de seguirmos nossa jornada. Vamos agradecer a Hakan e Hayal pela hospitalidade, pagar nossas dívidas e guardar nossos pertences. A cada dia que ficamos aqui, entramos num buraco mais fundo. Se não formos embora agora, talvez nunca mais seja a hora de ir.

Madar-jan acreditava em seguir em frente. Sempre acreditara.

CAPÍTULO 25

Salim

Hakan e Hayal quase choraram quando a família Waziri partiu. Fereiba tentou pagar a Hayal pelo último mês de aluguel, mas a mulher recusou delicadamente. Com o coração apertado, pediu a Fereiba que usasse o dinheiro para cuidar dos filhos. Entregou a Madar-jan uma bolsa cheia de alimentos que havia preparado – o suficiente para alguns dias. As mães se abraçaram com força. Nos meses em que tinham convivido, as duas se tornaram boas amigas. Hayal era a voz que sussurrava nos ouvidos de Fereiba que Deus enviava milagres de formas irreconhecíveis. Fereiba, distraída pelas circunstâncias, nem sempre reconhecia a voz em seu ouvido, e às vezes achava que era a sua própria. Mas Hayal era uma amiga de verdade, animando Fereiba sem a necessidade de se identificar ou de reivindicar agradecimentos.

Samira se agarrou a Hayal. Não queria deixar sua professora e amiga, fonte de segurança.

Hakan observava, os ombros pesados. Mantivera uma distância respeitável de Fereiba e das crianças. Eram órfãs e vulneráveis, e não queria invadir sua privacidade do jeito que o resto do mundo faria. O que tinham passado e ainda iam passar estava fora de seu controle. Tudo o que podia fazer era dar a eles um abrigo sob seu teto – e ele fez isso porque acreditava que era certo.

Quando olhava para Salim, Hakan sentia o orgulho de um pai. O menino tinha força de vontade e determinação. Cambaleava entre a infância e a idade adulta, uma época perigosa. Via a forma como ele encarava a mãe, o jeito de um menino que se recusa a crer no que não aprendeu sozinho. Previa que Fereiba teria dificuldades com o garoto, mas Salim era devotado demais para se desviar muito. Passou um braço em volta dos ombros dele e o apertou.

Salim estava mais alto do que quando encontrara Hakan na saída da mesquita, tantos meses antes. Ele mordeu o lábio; sentia como se estivesse traindo o pai ao aceitar o gesto paternal de Hakan. Esses pequenos momentos, porém, eram o que lhe davam resiliência.

– Salim, sua família tem uma longa e difícil viagem pela frente. Deus vê tudo o que você vem fazendo por eles e por si mesmo. Tenho certeza de que seu pai está muito orgulhoso de você e do homem que está se tornando. Vamos rezar pela sua família. Confie, tenha cautela e seja corajoso.

Salim assentiu, solene. As palavras de Hakan o surpreenderam e o fizeram se sentir indigno. Tinha se esgueirado para o campo de futebol quando dizia que estava na fazenda. Tinha fumado cigarros e surrupiado lanches do quiosque da rua quando o dono não estava olhando. Ressentia-se das necessidades do irmão caçula e mesmo de Padar-jan, por ter sido teimoso a ponto de manter a família no Afeganistão até ser tarde demais. Ninguém sabia desse lado de Salim. Ele era reservado, um garoto com segredos. Queria muito ser a pessoa de que Hakan falava.

Examinou o rosto daquele adulto, ainda desconfortável pela semelhança inexplicável com seu pai. Sentia que a lembrança de Padar-jan desvanecia a cada dia. Algumas noites, ficava acordado tentando se recordar de seus traços, de sua voz, de seu cheiro. A cada dia, o passado era empurrado para um canto mais remoto de sua mente. A cada noite, Salim precisava cavar mais fundo até encontrar o pai. Salim se agarrava às imagens que tinha, temeroso que desaparecessem numa brancura ofuscante. Também se envergonhava de admitir isso.

Salim nem se dera ao trabalho de voltar à fazenda de Polat, embora o agricultor ainda lhe devesse cinco dias de remuneração. Sabia que o homem se recusaria a pagar se soubesse que Salim não iria mais trabalhar. Ekin, que ainda o assombrava como se nada tivesse acontecido, encontraria outro modo de preencher suas tardes. Com Kamal, a despedida foi desajeitada. A amizade entre os dois tinha se baseado na leveza da infância, em atividades inconsequentes de menino. A tragédia do casamento e a partida de Salim deram um peso à amizade que nenhum dos dois esperava nem desejava. Kamal, sem nem afastar o cabelo dos olhos, desejou em voz baixa que Salim fizesse uma viagem segura. Salim deu as costas para o primeiro amigo que fizera fora do Afeganistão sabendo que nunca mais se falariam.

A família Waziri deixou Intikal num ônibus com destino à costa ocidental da Turquia, onde portos e navios forneciam entrada fácil na Grécia. Tinham os passaportes que Abdul Rahim lhes garantira e não precisariam recorrer a contrabandistas. Se esses passaportes permitissem que passassem pela alfândega, valeriam o preço alto que Madar-jan pagara.

A viagem de ônibus foi longa, sacolejante e silenciosa. Os Waziri observavam a paisagem verdejante da Turquia sem dizer uma palavra. Estavam deixando para trás uma vida da qual tinham passado a gostar, dias que transcorreram com o ritmo reconfortante de um tambor. Mais uma vez, Madar-jan os conduzia para o desconhecido.

Era um dia de viagem até Esmirna, na costa ocidental da Turquia. Quando se aproximaram do porto, os sentidos de Salim foram tomados pelo ar salgado, um cheiro pouco familiar para seu nariz, que nunca se aproximara do litoral. Observou os outros. Seus olhos cintilavam, refletindo as águas turquesa reluzentes. O mar era uma vastidão em que a luz do sol se rebatia de lá para cá, da água para o casco de um navio e até as asas de uma gaivota. Samira sorriu, o sol aquecendo seu rosto. Fereiba acariciou o cabelo da filha. Era um breve momento de alegria, mas dava a eles forças para seguir em frente.

Salim encontrou a bilheteria e adquiriu passagens só de ida para a família inteira. O vendedor, ocupado em tagarelar com o agente no guichê ao lado, mal olhou os passaportes. Só acenou negativamente quando Salim perguntou se Aziz precisaria de passagem.

Com os bilhetes na mão, a família se voltou mais uma vez para a vastidão do azul intenso, admirando os navios enormes atracados por ali. Nunca tinham visto águas maiores do que um rio.

– A água é *roshanee*, é luz. Ficar cercada por tanta água... – Fereiba deixou que o ar marinho enchesse seus pulmões – ... deve significar algo de bom para nós.

Sua família precisava da luz da boa fortuna.

O vendedor de passagens apontara para um barco azul-marinho, um verdadeiro edifício flutuante. O estômago de Salim deu um salto, se enchendo de empolgação juvenil. Ele conduziu a mãe e os irmãos ao píer para que tomassem seus lugares. O vento encheu suas faces de gotículas frescas. O cabelo de Samira voou sobre seu rosto, e ela riu, tentando afastá-lo. Salim e a mãe pararam. Parecia que uma vida inteira se passara desde a última vez que tinham ouvido aquela risada.

Ondas agitadas batiam no barco. Salim e Samira debruçaram-se sobre a amurada para ficarem mais próximos do mar. A viagem era curta demais, e, bem antes de ficarem satisfeitos, a tripulação anunciou a chegada a Quios, uma ilha grega onde a família Waziri pegaria mais um barco para chegar a Atenas.

Cercados por turistas de bermudas e mochilas e por gregos em seus deslocamentos de rotina, Salim e a família levaram as bolsas nos ombros e tentaram ao máximo não chamar atenção. Cada trecho da viagem tinha um posto de verificação, um lugar onde seus corações acelerados e os documentos falsificados poderiam denunciá-los.

Mas a entrada na Grécia acabou sendo bem mais fácil do que lhes foi antecipado, e logo estavam no barco seguinte. De Quios a Atenas a viagem era mais longa, assim Fereiba teria mais oportunidade para se perder na vastidão das águas e rezar que aquilo seria um prenúncio de dias melhores. Oito horas depois, chegaram ao porto de Pireu, e o nervosismo voltou a bater. Samira caíra no sono com a cabeça encostada no ombro de Salim. Madar-jan mordia o lábio, nervosa, enquanto se aproximavam das docas.

Os homens uniformizados que aguardavam no píer elevaram a angústia da família. Salim e a mãe mantiveram os rostos inexpressivos. A barriga de Salim tremia como se ele carregasse sob a camisa um balão tão cheio de ar que, ao menor movimento, poderia estourar, alertando o mundo sobre sua transgressão. Foram conduzidos para a frente, junto com a multidão. Salim sentiu olhares em suas costas, mas nada aconteceu. Logo estavam no meio da correria dos táxis na cidade portuária de Atenas.

A Turquia tem um pé na Europa e o outro na Ásia. As coisas serão diferentes na Grécia, avisara Hakan. *Estarão fora do mundo muçulmano, para o bem e para o mal.*

Salim e a mãe sabiam que Paquistão, Irã e Índia estavam cada vez mais sobrecarregados com o fardo dos refugiados afegãos. Não era o que acontecia na Europa ou nos Estados Unidos. As pessoas que fugiam para a Europa nunca falavam em voltar. As notícias de uma vida nova e feliz viajavam como o perfume dos pêssegos maduros na brisa de verão. A Europa tinha compaixão pelo povo sofrido do Afeganistão, devastado pela guerra, e estendia a mão.

Hakan se preocupava com a visão idealizada de Salim da vida na Inglaterra. O menino mencionara que voltaria a estudar e veria a mãe dando aulas outra vez. Hakan sabia que os imigrantes, inclusive turcos, enfrentavam grandes dificuldades na Europa, mas só os alertou com delicadeza. Algumas pessoas odiariam a família Waziri por entrar ilegalmente no país, por "mamar nas tetas da nação", por ter uma aparência diferente... Mas não havia alternativa melhor para os refugiados afegãos, e ele sentia que seria inútil decepcioná-los logo no início da viagem.

Salim descartara os avisos de Hakan. Naquele momento, a família caminhava pela cidade portuária se perguntando como conseguiriam se passar por gregos. Desde que deixaram Intikal, Madar-jan tinha dobrado e guardado a burca que o Talibã a obrigava a usar. Estava feliz por deixar aquilo para trás. Na Grécia, podia se vestir como na sua juventude em Cabul. Fereiba passou os dedos pelos cabelos soltos, sentindo-se renovada.

Pararam em três hotéis procurando acomodações, mas ficaram desapontados com os preços altos demais para seus bolsos limitados. Uma recepcionista ficou com pena de Salim e deu orientações para um hotel menor e mais barato a meio quilômetro dali. Ela desenhou o caminho num guardanapo antes de voltar a atenção para um pequeno aparelho de televisão debaixo do balcão.

O Sonho de Ática foi o melhor que podiam encontrar. Salim negociou a diária, originalmente de 40 euros, até conseguir pagar apenas 20, prometendo ser muito limpo e tranquilo. A recepcionista, uma mulher na casa dos 50 anos, viu Madar-jan com três crianças e quatro bolsas a reboque e se virou para um livro de registros com encadernação de couro que ficava em cima da mesa, batendo o lápis na coluna de números e datas. O Sonho de Ática sobrevivera a décadas sem reformas, e os proprietários pareciam não notar a falta de interesse do público em suas acomodações. Havia muito tinham sido eclipsados por hotéis mais novos, e os donos não se importavam muito com isso. A decadência logo os tiraria do negócio, caso a falta de hóspedes não resolvesse isso antes.

A recepcionista soltou um suspiro profundo e concordou, tentando fazer parecer que era um imenso sacrifício cobrar tão pouco pelo quarto. Salim tirou as notas que trocara em Quios e pagou por uma noite. A mulher retirou uma chave de uma caixa de madeira, e Salim levou a família, subindo por uma escada cujos degraus rangiam, até um quarto com duas camas. Os colchões eram velhos e desconfortáveis, mas a família estava feliz por poder descansar os pés, esticar as pernas e relaxar a coluna.

As pernas de Salim latejavam quando a cabeça pousou no travesseiro. Fechou os olhos e pensou em quanto tinham avançado. Talvez tivesse sido o momento certo para deixar Intikal. Ou talvez devessem ter partido muito antes. Atenas representava uma nova fase da jornada, segundo Madar-jan.

Então estamos na Grécia, pensou Salim, tentando adormecer. *E agora?*

CAPÍTULO 26

Salim

As horas se arrastaram enquanto Salim, acordado, ouvia os sons distantes de conversas e passos na rua abaixo. Atenas tinha vida o tempo todo. Enfim a luz do sol começou a atravessar as cortinas de gaze. Samira esticou os braços e arqueou as costas, ainda de olhos fechados. Aziz se virou de bruços, e as pernas de Fereiba deslizaram para o chão. Ela esfregou os olhos e se levantou. Salim se sentiu muito adulto ao observar o despertar de todos, como se o fato de não ter conseguido dormir indicasse algum tipo de maturidade.

Lavaram o rosto com água fresca num banheiro tão pequeno que Salim podia tocar as quatro paredes com os braços estendidos. O que sobrara da comida que Hayal preparara foi colocado sobre um jornal e dividido.

Salim tomou um banho de chuveiro e saiu para encontrar comida e um modo de chegar à Itália. Atenas era bem mais cara do que Intikal, e até aquele hotel decadente acabaria bem depressa com as finanças da família. Salim enfiou o passaporte no fundo do bolso da calça jeans, junto com alguns euros.

A recepcionista, tão desinteressada pela manhã quanto na véspera, aconselhou Salim a pegar o metrô até Omonia se quisesse encontrar comida. O trem prateado e serpenteante entrou trovejando na estação, depois deslizou de volta pelo túnel com novos passageiros a bordo. Salim observou o que os outros faziam e seguiu, embarcando na composição numa euforia nervosa. Olhou de novo o pedaço de papel no bolso, conferindo no mapa o nome da parada que a recepcionista tinha escrito. Girou a pulseira do relógio no braço, sentindo-se surpreendentemente invisível para as pessoas em volta. Por outro lado, estava absorto pelo zumbido do trem, pelo cheiro amargo do café, pelo estalo dos jornais sendo abertos.

Hakan tinha dito que Salim veria muitos imigrantes na Grécia. Queria encontrá-los e perguntar como era a melhor forma de viajar para a Itália ou de encontrar comida barata. Depois de saltar, manteve os olhos no mapa que pegara e, quando viu agentes uniformizados, se enterrou na multidão. Perdeu-se pelas praças da cidade, um labirinto de prédios altos e ruas asfaltadas. Os homens se vestiam como na Turquia, mas as mulheres pareciam bem diferentes. Caminhavam com blusas apertadas e decotes profundos o bastante para atrair seus olhos de adolescente. Braços e pernas expostos se movimentavam em volta dele, indiferentes à admiração. Pessoas de todas as formas e cores perambulavam pelas ruas, muitas com câmeras e livros pequenos, parando de vez em quando para tirar uma foto.

Salim levava uma mochila vazia pendurada no ombro e esperava enchê-la antes de voltar para o hotel. Chegou a uma rotatória, uma versão bem mais grandiosa da que existia em Cabul, com meios-fios, faróis e mais carros. Ruas menores apinhadas de lojas despontavam da rotatória como mãos estendidas.

Homens de pele negra como a noite estavam agachados nas calçadas com sacos de aniagem cheios de bolsas femininas. Seus olhos vagavam para a esquerda e para a direita, vigiando. Balbuciavam para os pedestres, tentando vender seus produtos. Esses homens pareciam mais estrangeiros do que ele, e Salim ficou nervoso de se aproximar.

No interior do mercado, encontrou dois vendedores exibindo bonequinhos que dançavam ao som do rádio. Salim lembrou-se do que tinha ido fazer e se virou para eles. Não eram tão escuros quanto os que encontrara alguns metros dali. Pareciam da Índia. Uma loura afastou o filho pequeno dos brinquedos, o cabelo refletindo a luz do sol. O homem reforçou a resistência do pequeno, fazendo o boneco dançar até suas pernas gorduchas. A mulher balançou a cabeça, pôs a criança que reclamava no colo e apertou o passo.

O vendedor sentou-se de pernas cruzadas no concreto, entediado. Mal olhou para Salim.

— Fala inglês? – indagou Salim, hesitante.

O homem assentiu, num movimento quase imperceptível.

— De onde você vem? – prosseguiu Salim.

Ele hesitou um pouco, se perguntando o mesmo a respeito de Salim.

— Bangladesh – respondeu, por fim. Então ergueu as sobrancelhas, apontando para Salim.

— Eu? Afeganistão.

O homem assentiu, como se dissesse que tinha imaginado. Fazia um ano que estava na Grécia, segundo contou. Tentava atrair a atenção dos pedestres, mas ninguém o enxergava. Salim insistiu:

— Estou aqui com minha família. Queremos ir para a Itália...

— Muita gente, muita gente do Afeganistão – comentou o vendedor, distraído.

Salim hesitou.

— Aqui? Tem afegãos trabalhando? – Sua interação com os afegãos da Turquia deixara um gosto amargo, mas ainda era reconfortante encontrar pessoas que vinham do mesmo canto da terra. – Onde? Quero encontrar afegãos. Por favor, pode me ajudar?

— Afegãos... – começou o vendedor, inclinando a cabeça para o lado. Então, com a mão esquerda, apontou para longe. – Afegãos não aqui. Longe. Comem e dormem juntos.

— Onde? Poderia me dizer, senhor?

— Longe, longe... – O homem gesticulou com as duas mãos e a cabeça, para dar ênfase. – Metrô, nada de andar.

Praça Attiki, disse o homem de Bangladesh, por fim. Era longe o bastante para que Salim não conseguisse localizá-la no mapa do metrô. Com os preços altos que vira, não era nenhuma surpresa que os outros afegãos tivessem se refugiado fora do centro da cidade. O homem ergueu a sobrancelha e encarou o garoto, cheio de expectativas. Indicou os bonecos dançarinos, intocados, e acenou um tchauzinho para que Salim saísse.

Salim resolveu procurar comida primeiro. Mexeu nas notas e nas moedas dentro do bolso. Não tinha muito. Foi até um quiosque que vendia jornais e garrafas d'água. O sol estava mais alto no céu. Samira logo ficaria com fome, mesmo que não reclamasse.

Ele tocou o mostrador do relógio, nervoso. De um grande edifício cinzento à direita, viu pessoas saindo com sacolas de plástico pesadas. Alguns pães se destacavam das bolsas. Salim seguiu a multidão e passou pelas portas de vidro.

O prédio era grande como um hangar e tão profundo que não dava para ver a outra extremidade, e só era possível vislumbrar o teto jogando a cabeça para trás. Três longas fileiras de barracas se esparramavam pelo ambiente, bem arrumadas. As narinas de Salim se abriram. Sentiu o cheiro de salmoura, peixe e cebola. Virou à esquerda e seguiu. O aroma de açúcar concentrado deixou sua boca cheia d'água. Salim foi em frente.

Passeou pelas fileiras, indo e voltando. Seus olhos se arregalaram ao ver frutas, verduras, queijos, folhados e azeitonas. Etiquetas informaram a ele que havia pouca chance de conseguir comprar qualquer coisa ali.

O coração de Salim bateu mais forte quando parte dele começou a tramar.

Ninguém está vendo. É como em Intikal. Escolha com cuidado, com calma, e procure uma saída.

Salim caminhou até uma banca na primeira fila. O homem atrás da mesa ria, explicando algo com muito fervor para os dois clientes que examinavam as frutas secas. Salim pegou duas embalagens de damascos secos e virou-os devagar. Tinha deixado a mochila cair do ombro para o cotovelo, com a boca de zíper aberta, implorando pelo botim. Os olhos baixos de Salim iam furtivamente para a esquerda e para a direita.

Ninguém está vendo.

Com calma, deixou que uma embalagem de damascos caísse na bolsa, enquanto se debruçava para devolver a outra para a banca. O dono o fitou por um momento e viu Salim devolver os damascos, voltando a atenção para o casal grego.

Salim se afastou devagar, tenso, pronto para sair correndo diante de qualquer indício de que suas ações haviam sido percebidas. Nada. Voltou a olhar em volta. Havia pães achatados, pães arredondados e pedaços de queijo numa barraca no canto, a menos de 10 metros da porta. A barriga de Salim roncou, encorajando-o, a mente calculando quantas porções poderiam ser compartilhadas. De onde estava, dava para ler o preço numa bandeirinha pregada num palito, enfiada em uma daquelas grandes cunhas de queijo. Euros demais. Salim se aproximou. A grossa trança de massa tinha sido generosamente salpicada com gergelim.

Salim examinou mais uma vez a distância entre a barraca e a porta. Assim que passasse por aquelas portas de vidro, dobraria para a esquerda e voltaria na direção do hotel.

Seis ou sete pessoas se aglomeravam em torno da mesa dos pães, mas a maioria ficava no lado onde estavam expostos os bolos e os doces. Salim pegou um dos pães rechonchudos trançados despreocupadamente e examinou. Em seguida, pegou um grande pão achatado e redondo e olhou para ele, cobrindo a trança que pendia diretamente dentro de sua mochila aberta. Segurando dois pães com a mão esquerda, ele estendeu a direita e segurou um grande pedaço de queijo.

De repente, a voz do vendedor retumbou por cima da multidão, e a clientela ficou mais próxima da mesa. Salim sentiu que corava. Ergueu os olhos e viu que o homem, um cavalheiro mais idoso de cabelo grisalho e avental branco, fatiara um de seus doces, uma rosca comprida, encharcada de calda. Oferecia pedacinhos aos clientes. Nenhum deles percebera o movimento da mão de Salim.

– *Ela, ela!*

Salim tinha acabado de dar as costas para a barraca. Ficou paralisado, debatendo mentalmente se virava ou se saía correndo, a boca seca como serragem.

O homem de avental rosnou alguma coisa em grego enquanto empurrava na direção de Salim a bandeja de metal com as amostras de rosca.

É um teste?

O padeiro assentiu com firmeza. Salim se posicionou diante da bolsa, com medo de que o volume o traísse.

– *Dokimase!* – O padeiro piscou.

Salim pegou um pedaço grudento de rosca da bandeja e o homem meneou a cabeça, em aprovação, desviando a atenção para a mulher de meia--idade e seu marido, que mancharam a vitrine ao apontar para o pedido. Salim levantou a mochila e saiu andando com a maior calma possível até a porta, a bolsa pesada balançando nas costas a cada passo.

Uma brisa esfriou o suor na sua nuca.

Mastigue, disse a si mesmo. A calda fez a língua grudar no céu da boca. Ele engoliu sem sentir gosto de nada. Deslocou-se desatento pelas ruas tortuosas, sentindo os olhos acusadores por toda volta. Virou várias vezes, querendo deixar o mercado e seus clientes para trás. Minutos depois, tinha perdido a noção de esquerda e direita. Estava ofegante e desorientado.

Com as costas apoiadas numa parede de gesso, olhou para o outro lado da rua e viu a placa do metrô. O sorriso do vendedor de pães torturava sua consciência.

Sinto muito, pensou. E sentia mesmo.

Mas também sentia outra coisa – algo que não pretendia sentir. Levantou a mochila e sentiu o volume: quilos de sucesso. Alimentaria a família por alguns dias sem que gastassem euros preciosos. Cada vez que comiam, tudo o que faziam era medido em dias de colheita de tomate ou de faxinas.

Racionalizou que alguma coisa – o destino, o universo, Deus – devia um descanso à família Waziri. Sentia a mão de Abdul Rahim sobre um de seus ombros. Via Hakan diante dele. A voz de Padar-jan ressoava na cabeça.

Salim-jan, meu filho, colha frutos nobres.

No quarto de hotel, Salim espalhou toda aquela fartura sobre os jornais.

– Se seu pai estivesse conosco, ficaria muito orgulhoso – elogiou Madar-jan, suspirando enquanto cortava o pão e o queijo em pedaços. – Deus o abençoe pelo que faz para manter viva esta família. Tanta comida! Quanto custou tudo?

Salim respondeu com um valor tão pouco razoável que chegou a ficar zangado por não ser questionado pela mãe.

Comeram no silêncio que preenchia a maior parte dos dias. Era mais fácil não dizer o que estavam pensando. Samira mastigou devagar, esmagando o gergelim entre os dentes. Colocou uma mecha de cabelo atrás da orelha e olhou para o irmão. Salim desviou o olhar depressa. A irmã passara muitas noites dormindo a um braço de distância dele, sabia quando Salim escondia algo.

– Soube de uma parte da cidade onde moram todos os afegãos – anunciou ele. – Vou lá amanhã de manhã conversar com eles. Talvez tenham algo útil para contar.

– Um bairro inteiro de afegãos tão longe de casa! Que Deus os abençoe...

Enquanto a mãe rezava pelos outros, Salim duvidava que alguém rezasse pela própria família.

– Vou tentar descobrir como as pessoas deixam a Grécia e entram na Europa. Talvez possam me dizer como se ganha algum dinheiro por aqui.

Contou para a mãe sobre o homem de Bangladesh que vendia bonecos dançarinos. Contou sobre o metrô e como pagara a viagem. Descreveu o mercado e as ruas, a rotatória que lembrava a de Cabul. Samira e Aziz ouviam. Ele exagerou a história, tornando os prédios mais altos, o trem mais rápido, as pessoas mais amistosas. Criou uma caricatura de seu dia, principalmente em benefício de Samira. *É mais interessante assim*, pensou.

As barrigas se enchiam, e a confiança aumentava. Podiam fazer planos para o amanhã e os dias seguintes.

– Você precisará ser persistente e determinado. Acredito que conseguirá. *Inshallah, bachem*.

Madar-jan suspirou mais uma vez, mastigando a comida roubada com gratidão. *Se Deus quiser.*

CAPÍTULO 27

Salim

Na manhã seguinte, Salim saiu com confiança renovada pelo sucesso do dia anterior. O dono do hotel concordara em deixar a família ficar até o fim da semana pagando uma tarifa mais baixa em troca da ajuda de Madar-jan na limpeza e na cozinha. Samira ficou no quarto e cuidou de Aziz enquanto Fereiba trabalhava no andar de baixo.

Salim tinha recebido instruções de como chegar à Praça Attiki, bem mais próxima do que o homem de Bangladesh sugerira. Percorreu as ruas cheias de lojas. Aquele dia parecia mais tranquilo do que o anterior, mas ainda estava cedo.

Aproximou-se de um quiosque. A vendedora estava ocupada arrumando as prateleiras com maços de cigarro. Salim olhou para os jornais e começou a folhear as primeiras páginas, como se conseguisse decifrar alguma informação.

Havia garrafas de refrigerante ao lado do suporte dos jornais. Quando não havia mais ninguém na rua de paralelepípedos, Salim enfiou uma garrafa na mochila, de olho nas costas da mulher. Quando ela se virou, ele agarrou um pacote de chiclete e o colocou no balcão. Tirou um punhado de moedas do bolso, e a mulher pegou a quantia devida. Salim assentiu, agradecido, pôs a bolsa no ombro e continuou pela calçada. Depois de dar várias voltas, abriu o refrigerante e tomou um grande gole. O xarope doce fez cócegas em sua língua. Não parecia tão bom quanto imaginara nem trouxe a mesma emoção do dia anterior. Bebeu o mais rápido que pôde, ansioso para se livrar daquilo.

Salim caminhava sob o céu límpido, admirando os edifícios altos em volta, com volutas e curvas gravadas nas fachadas e um arco-íris nos telhados. Aquela cidade era vibrante, nada parecida com a monocromática Meshed, nem mesmo com Intikal. Mulheres de perna de fora davam gargalhadas, flertavam e sorriam em público. Algumas tinham as pálpebras ou os lábios pintados, enquanto outras pareciam as mulheres por quem Salim e os meninos babavam nas revistas das bancas de jornal de Intikal. Lá estavam, próximas o bastante para conversar. Rapazes e moças caminhavam juntos sem qualquer constrangimento. Salim percebeu que estava encarando os transeuntes. Algumas pessoas perceberam e aceleraram o passo para se afastarem. A maioria estava envolvida demais nos próprios pensamentos.

Mais à frente, Salim viu três homens na casa dos 20 anos apoiados numa escultura e conversando amigavelmente. Tinham olhos escuros, sobrancelhas grossas e traços finos. Os refugiados se pareciam muito com suas próprias roupas: versões usadas e gastas de suas antigas vidas. Salim aprendera a identificá-los de longe.

– Olá – comentou, hesitante. Estava convicto de que eram afegãos.

Os homens olharam para ele, as sobrancelhas arqueadas pela curiosidade. Eram igualmente treinados para reconhecer pessoas que estavam fugindo. Esperaram para ouvir Salim.

– São afegãos, não são? – perguntou.

Os três abriram grandes sorrisos.

– O que nos denunciou, hein? As barrigas vazias ou os rostos desavergonhadamente belos? – Eles gargalharam.

Salim se sentiu mais descontraído. Tinha uma boa impressão daqueles sujeitos.

– É bom poder conversar com conterrâneos. Sinto como se minha língua tivesse ficado presa por meses – admitiu Salim.

– Mesmo? Então solte a fera, meu amigo. Liberte sua língua!

– Não tínhamos visto você por aí – disse um dos homens, o mais baixo do grupo. – Meu nome é Abdullah. De onde você vem?

– Da Turquia.

– Ah, que bom para você! Sobreviveu àquelas águas. Ouvimos que alguns não tiveram tanta sorte na semana passada. Morreram afogados quando estavam a caminho. Deus deve ter salvado você – afirmou Abdullah.

– Sorte a sua, com certeza. Quase me afoguei na minha viagem – acrescentou o amigo. Esse homem era mais alto, tinha rosto redondo e um bigode fino. – Aquele barco em que viajei...

Os amigos soltaram um resmungo bem-humorado. Preparavam-se para ouvir a mesma história mais uma vez.

– O barco parecia ser feito de papelão e compensado. Era para ter apenas oito de nós, mas os desgraçados... sabe como são. E as ondas estavam horríveis. Durante o dia, as águas parecem lindas. Mas, de noite, engolem gente viva.

Salim sentiu uma onda de gratidão.

Obrigado, Deus, pelos passaportes, que nos pouparam tamanho pesadelo.

– Há quanto tempo está por aqui? – perguntou Abdullah. – Esse aqui é Jamal, aliás. O amigo ali é Hassan. Qual é o seu nome?

– Salim. Estou aqui há apenas dois dias. Um homem de Bangladesh me contou que havia afegãos nessa área.

– Ah, é novo na cidade! Então aceite nossas boas-vindas à Grécia, porque ninguém mais vai fazer isso. – Os amigos deram risadas.

– É, você vai amar esse lugar tanto quanto nós, não é? – Hassan tinha uma cicatriz longa e protuberante que serpenteava pelo antebraço. Salim tentou não ficar olhando.

– Há quanto tempo estão aqui? – perguntou ao trio.

– Estou há dois anos – respondeu Hassan. – Esses rapazes chegaram mais ou menos seis meses depois. Está aqui há dois dias? Onde anda dormindo?

– Perto do porto. Não podemos ficar. Tenho uma tia e um tio na Inglaterra e estamos tentando ir para lá.

– Você não está sozinho? – perguntou Jamal.

– Ahn... não – hesitou Salim. Lembrou-se de que não deveria compartilhar tudo. – Estou com minha família.

– Que menino de sorte! Saiu do Afeganistão com a família! Quantos são? – Os olhos de Jamal se arregalaram. Parecia impressionado.

– Somos quatro – respondeu, conciso. Não queria atrair o mesmo tipo de atenção indesejada que a família obtivera na Turquia.

– Sortudo mesmo! – concordou Abdullah. – Quase todos os afegãos que você encontrar na Praça Attiki são como nós... estão sozinhos. Há muitos garotos da sua idade por aqui. Todo mundo tem esperança de pedir asilo e ser aceito, mas esse país não aceita refugiados. Estamos todos aqui, mas não deveríamos.

– É mais difícil se livrar da gente do que dos piolhos no cabelo de Hassan – brincou Jamal.

Hassan deu um soquinho de brincadeira no braço dele. Salim se lembrou de Kamal e dos garotos em Intikal. Mas era bom compreender cada palavra, para variar. Era uma conversa sem esforço.

– Você disse que quer ver afegãos. Vamos mostrar onde pode encontrar os afegãos.

Eles conduziram Salim por alguns quarteirões e entraram à esquerda, atrás de um grande prédio todo coberto por grafites. A área parecia completamente diferente dos bairros que Salim tinha explorado no dia anterior. Não havia lojas. Não havia turistas.

Num grande trecho cheio de mato atrás do prédio, o trio que Salim acabara de conhecer se multiplicou. Havia homens e meninos por toda parte, vagando ao lado de tendas improvisadas ou sentados em baldes virados. Havia duas pequenas fogueiras com gente em volta, sentada ou deitada, bebendo água de galões de 20 litros.

A miséria rivalizava àquela encontrada nas áreas mais detonadas de Cabul. Era um lado sombrio de Atenas, o mundo secreto das pessoas que não existiam. Não eram nem imigrantes nem refugiados. Não tinham documentos, não eram rastreáveis... apenas sombras que desapareciam ao sol.

Hassan e Jamal foram buscar comida. Iam rondar restaurantes para surrupiar os restos jogados no lixo. Abdullah disse a eles que estavam perdendo tempo e levou Salim para conhecer as pessoas.

– Até mesmo aqui, entre os seus, é preciso tomar cuidado com quem fala. Ainda mais você, que tem família e tudo mais. Por exemplo, está vendo aquele cara no canto, de camisa amarela?

Havia um homem sentado no chão, as costas apoiadas numa árvore. Salim percebeu que quase todas as pessoas estavam reunidas. Aquele homem estava sozinho.

– Sim, estou vendo.

– Pois bem, aquele é Saboor. Fique longe dele.

– Por que devo ficar longe dele?

Abdullah abaixou a voz e começou a recontar o que devia ser a história mais comentada do acampamento àquela altura.

– É uma cobra. Ele rouba de sua própria gente, de pessoas que não estão numa situação melhor do que a dele. Num lugar como esse, não há trancas nem portões, apenas bolsos e sacolas de plástico. Normalmente, o que se tem de mais valioso é comida. Enfim, algumas pessoas acordaram no meio da madrugada e o viram se esgueirando feito um rato e revirando seus pertences. Pequenas coisas sumiam aqui e ali. E, quando não se tem nada, isso é mais do que tudo.

Abdullah prosseguiu:

– De qualquer maneira, duas semanas atrás, um dos caras, o Karim, um sujeito muito bom de Mazar, tinha conseguido uma batata em algum lugar e comeu metade. Estava poupando o resto para depois. Aí acordou no meio da noite e percebeu que a outra metade tinha desaparecido. E o que a gente viu? Claro feito o dia, lá estava Saboor, com uma batata meio comida, do outro lado da praça. Karim ficou furioso. Foi direto até Saboor, o que ninguém nunca tinha feito até então, e o acusou de pegar sua batata. Saboor, muito sério, disse que tinha ganhado a batata numa distribuição da igreja. Mas não tinha acontecido nenhuma distribuição da igreja naquela semana. Karim insistiu. Acusou-o de estar mentindo, mandou que ele devolvesse a batata e pedisse desculpas a todos pelas coisas que tinha pegado. Saboor olhou bem nos olhos de Karim e disse: "Se alguém está querendo causar problemas como esse desgraçado, então vou deixar um lembrete: todo mundo aqui tem família no Afeganistão, e eu sei seus nomes. Meus amigos lá em casa não se importariam de fazer uma visitinha para as pessoas que vocês deixaram para trás. Testem só, para ver o que acontece." Desde então, simplesmente o evitamos.

– Se ele tem amigos tão poderosos, por que partiu? – perguntou Salim, o corpo se desviando do homem por instinto.

Abdullah deu de ombros.

– Deve ser mentira, mas ninguém quer descobrir. Fique longe dele.

Abdullah então guiou Salim até um grupo de seis garotos que jogavam baralho. Alguns eram jovens, pouco mais velhos do que Samira. Como recém-chegado, Salim foi saudado por todos, e cada um compartilhou suas dicas de sabedoria de refugiado.

Tinham chegado juntos, num grupo com cerca de quinze rapazes. Foram enviados ao "ministério". O ministério mandou que fossem para outro lugar, um escritório chamado Conselho Grego de Refugiados. O conselho não demonstrou grande interesse pelos garotos. Foram informados de que poderiam pedir asilo se conseguissem um emprego, mas foram avisados de que ninguém contrataria meninos refugiados. E não haveria alimentos nem acomodações para eles.

Os jovens, assim como algumas famílias, vinham de um lugar chamado Pagani, um nome que cuspiam balançando a cabeça. Pagani era um centro de detenções para imigrantes localizado em uma das inúmeras ilhas idílicas da Grécia. O prédio era uma gaiola, segundo a descrição dos garotos. A maior gaiola que já tinham visto. Pululava com refugiados que tinham sofrido para deixar seus países só para se verem aprisionados na Grécia. Homens, mulheres e crianças lotavam a construção com o triplo da capacidade. O pátio modesto mal acomodava uma fração dos residentes. As pessoas passavam dias sem sair. Pelo menos cem pessoas dividiam cada sanitário.

Ninguém sabia como era ruim até ser tarde demais. Para alguns, Pagani tinha sido tão prejudicial que até mesmo ao ar livre, ali na Praça Attiki, suas respirações viravam silvos de pânico à simples menção ao centro de detenção.

Por serem menores de idade desacompanhados, Pagani esperava por eles, mas os garotos se recusaram a voltar para a gaiola. Jamal, Hassan e Abdullah decidiram morar juntos num apartamento que dividiam com outros nove. Tinham sonhado em ir para a Alemanha, onde ouviram dizer que os refugiados recebiam asilo, acomodação e alimento. Na Grécia, eram parados por policiais que pediam "documentos".

– Os documentos não querem dizer nada – explicou Jamal. – Deram "documentos" para a gente em Pagani e disseram que a gente deveria ficar com eles o tempo todo. Tenha cuidado com a polícia. Mesmo com documentos, somos um alvo, assim como os cães de rua. A polícia pode estar até em algumas das igrejas que distribuem comida. Não existe asilo por aqui.

Salim passou o dia ouvindo sobre o assunto, desanimado. Apesar de bela e encantadora por fora, a Grécia era um lugar hostil, e muitos dos jovens afegãos que Salim conheceu se arrependiam de ter gastado dinheiro para alcançar a costa do país.

Nos dias seguintes, Salim voltou para a Praça Attiki. Os meninos indicaram os lugares que deveriam ser evitados e o levaram às igrejas onde eram distribuídos água e alimentos.

Assim que ouviu falar em Pagani, Salim ficou muito relutante em deixar que Madar-jan vagasse pelas ruas sozinha com sua irmã e seu irmão. Embora tivessem passaportes, eram falsos, e isso provavelmente seria notado. Não podiam arriscar que fossem deportados para a Turquia – ou, pior, de volta para o Afeganistão.

Salim continuou roubando comida e artigos como sabonete, mas odiava fazer isso e ficava cada dia mais paranoico. Era um risco calculado se quisessem ter dinheiro para chegar à Inglaterra.

Periodicamente, uma organização humanitária local visitava a Praça Attiki. Voluntários conversavam com os refugiados, tentavam ajudá-los com documentos, distribuíam água e comida. Uma enfermeira aparecia e distribuía um band-aid aqui e ali ou oferecia uma rodada de antibióticos. O grupo também tinha recursos limitados. Eram jovens idealistas, na maioria, indignados que seu governo sujeitasse os refugiados a condições tão degradantes. Queriam acertar as coisas e eram, com frequência, a única fonte confiável para informações e alimentos.

Alguns dos rapazes na praça relutavam em confiar mesmo nos voluntários, e Salim era um deles. Evitava fazer contato visual com os jovens de camiseta roxa, o nome da organização e a logomarca em letras grandes, para serem identificados de longe. Todos faziam muitas perguntas e queriam até tirar fotos.

Salim se sentia mais seguro questionando suas motivações. Sentia o peito inchar quando pensava que fora mais esperto do que as pessoas da ajuda humanitária, como se soubesse mais sobre as ruas do que aqueles garotos que permitiam que sua história fosse rabiscada em minúsculos blocos ou gravada. Esforçava-se ao máximo para se manter longe de todos.

Até ver Roksana.

CAPÍTULO 28

Salim

— Não podemos continuar assim, Salim-jan — murmurou Madar-jan. Samira e Aziz estavam dormindo.

— Assim como?

— Em questão de dias não teremos mais dinheiro, e ainda temos uma longa estrada pela frente. Não podemos esperar por um milagre.

— Eu sei.

— Graças a Deus que você encontrou um jeito de trocar trabalho por comida, pelo menos.

Salim mordeu o lábio, feliz por estar escuro. Dissera à mãe que tinha sido contratado por um café para varrer o chão e descarregar caixas em troca de alimentos. Era uma explicação plausível, ainda mais para quem estava disposto a acreditar. Na verdade, ninguém lhe daria emprego. Salim voltara várias vezes ao mercado e se esgueirara por outras lojas, pegando os itens de que precisava para alimentar a família. Sentia que aquilo era um pecado que lhe fora imposto. Para se sentir melhor, comia apenas o suficiente para manter a fome sob controle. Não era fácil.

— Esse trabalho pode não durar. Temos que chegar à Inglaterra antes que o dinheiro acabe — concordou Salim.

— Sim, é verdade. E em breve vamos precisar de mais remédio para seu irmão. Não posso levá-lo ao médico nem arranjar medicamentos aqui. Vai custar mais do que temos, e alguém poderia nos entregar para a polícia.

— Tem razão, Madar-jan — reconheceu Salim.

O momento de embarcar no trecho seguinte da viagem era uma decisão difícil. Era sempre uma aposta.

– Precisamos encontrar um jeito de chegar à Inglaterra. Acho que o trem seria a melhor forma, como Hakan disse. Os aeroportos estão cheios de fiscalização. Talvez por terra nossas chances de entrar sejam melhores.

– Vou amanhã procurar a estação de trem e descobrir se os afegãos sabem alguma coisa sobre isso.

– Tem mais, Salim. Precisamos tomar algumas decisões difíceis agora, venho pensando muito nisso. Não podemos mais ficar neste quarto. Até o preço que estão nos cobrando é mais do que podemos arcar. O dinheiro está acabando mais depressa do que eu imaginava.

Aquele quarto simples, com as fiações expostas e a pintura terrivelmente rachada, com a pia decrépita que vazava água... tudo aquilo era um palácio para Salim. Quando voltava de Attiki e entrava naquele espaço, deitado na cama sentindo as molas nas costas, olhando para a segunda cama e vendo a mãe e a irmã dormindo a menos de 1 metro da porta, e não ao relento, ele era um rei. Aquele quarto permitia que despertasse de manhã sem sentir a mesma falta de perspectivas que os meninos em Attiki sentiam. Dava razões para ele acreditar que o destino tinha mais a oferecer para sua família do que um barco frágil que viraria no mar aberto. Renunciar àquele quarto era renunciar a muita coisa. Mas permanecer... permanecer era escolher uma lenta sangria e não ter forças para chegar ao amanhã pelo qual tanto ansiavam.

– Não vai ser fácil. Vamos precisar de um lugar seguro, especialmente para as noites. – Salim sabia que alguns dos meninos de Attiki dormiam apenas algumas horas por dia, com medo de fechar os olhos depois do entardecer, quando emergia um novo mundo de perigos.

– Parece que você precisa de um pouco de água. Aqui está – disse ela, no que parecia um inglês perfeito. Roksana, voluntária do grupo de ajuda humanitária, estendeu-lhe uma garrafa plástica. Salim seguiu a mão até um punho fino, um braço gracioso. Dali em diante, só ficou melhor.

A jovem usava a camiseta roxa enfiada com algum descaso na calça jeans justa. O cabelo preto muito liso caía para o lado quando ela mexia a cabeça. Parecia ter a mesma idade dele, talvez uns 16 anos. Os olhos, delineados por lápis preto, chamaram sua atenção num simples piscar. Ela não sorria nem o olhava com compaixão.

– Obrigado. – Salim pegou a garrafa.

– Claro. Qual é o seu nome? – Embora ela tivesse um rosto capaz de inspirar uma balada de amor ultrarromântica em dari, seu tom de voz era profissional. Era o tipo de garota tão marcante que havia endurecido seu comportamento por necessidade, ainda mais num lugar como Attiki.

– Salim. – *E é tudo o que você vai dizer*, lembrou a si mesmo. Mas, quando olhou naqueles olhos, sentiu que suas defesas desabavam.

– Muito bem, Salim. Não vi você antes. Há quanto tempo está por aqui?

Ele desejou que a garota pronunciasse seu nome mais uma vez.

– Algumas semanas… mas não vou ficar – respondeu, subitamente constrangido por ela pensar que ele dormia na praça. Tomou um gole de água.

– Ahn? E onde você vai ficar?

Outro gole enquanto sua mente disparava. *Boa pergunta*, pensou, mudando o foco da conversa.

– Qual é o seu nome? – indagou ele, com delicadeza.

Ela parou e olhou para a prancheta antes de responder. Estava claro que não tinha ficado feliz com a pergunta.

– Roksana.

– Rokshaana?

– Não. É Rok-sa-na – repetiu ela, acentuando a pronúncia.

– Mas é um nome afegão… Rokshaana! – exclamou Salim, com um sorriso.

– É meu nome, meu nome grego – afirmou ela, os lábios muito tensos.

– Você deve conhecer Iskander, quer dizer, Alexandre. Ele se casou com uma afegã. Era Rokshaana. É o mesmo nome – explicou ele.

Era bom mostrar que sabia um pouco de história. Parecia que a jovem estava arrependida de ter se aproximado, mas exercitava a paciência.

– Eu não sou ela. Meu nome é Roksana. E é o que basta dizer sobre meu nome – retrucou ela. – Agora me conte, Salim. Quer ficar na Grécia ou quer ir embora?

– Ninguém quer ficar na Grécia – murmurou o garoto.

Roksana, menos ingênua do que as garotas de sua idade, não ficou surpresa ao ouvir aquilo.

– Aonde está tentando chegar?

– Inglaterra – respondeu Salim, com um suspiro. Ao dizer aquilo em voz alta, parecia que era um destino improvável e longínquo. – Minha tia está lá.

– Ah, Inglaterra. – Roksana assentiu, olhando para outros refugiados. – Sim, a Inglaterra é bem popular.

– A Grécia é bonita, mas a Grécia não quer a gente por aqui.

– É um país pequeno. O governo não tem dinheiro para ajudar todo mundo.

– Mas você... você nos dá comida e ajuda.

– Somos só pessoas, não o governo.

Roksana não entrava na questão da ideologia ou das motivações. Não estava ali para falar da sua causa. Era sua presença tranquila que revelava suas crenças. Salim sentia-se muito pouco expressivo perto dela.

– Não concorda com o governo?

Salim se sentiu um pouco apreensivo por ela. De onde vinha, era mais do que perigoso se opor declaradamente ao pensamento daqueles que ocupavam o poder. Roksana era jovem e audaciosa. Padar-jan teria gostado dela.

– Acreditamos que as pessoas devem ser tratadas de forma decente. Sabemos o que acontece com quem chega à Grécia e não concordamos com isso.

– As pessoas não podem pedir asilo aqui. Por que é tão diferente?

Salim tinha ficado assustado com as histórias que ouvira dos meninos em Attiki. Temia que o resto da Europa fosse semelhante, uma zona morta onde sua família vagaria para sempre, com medo de ser enviada de volta para o Afeganistão. A vida em trânsito era exaustiva tanto do ponto de vista físico quanto do mental. Mas os afegãos que conhecera também lhe contavam histórias sobre um mundo melhor. Lugares nas profundezas da Europa, países como a Alemanha, a Holanda e a Suécia, que não torciam o nariz como a Grécia ou a Turquia faziam. Os afegãos de lá receberam uma segunda chance de ter uma vida normal.

– A maior parte das pessoas não compreende nosso sistema. Como você chegou aqui?

Salim não queria compartilhar sua história. Torceu a tampinha da garrafa e deu de ombros, alegremente. Seu jeito esquivo e ao mesmo tempo brincalhão fez Roksana rir.

– Conte o que acontece aqui – pediu Salim, em vez de responder.

– Sim, sim. Tudo bem, esqueça a pergunta. O que acontece com a maioria das pessoas que chega aqui é o seguinte: são presas e levadas pela polícia para centros de detenção. Deveriam ser lugares limpos e seguros, mas tem gente demais. Não tem espaço. Dizem que é como uma prisão, mesmo para as crianças. Há quem diga que é pior do que o lugar de onde vieram. Às vezes, elas permanecem nesse lugar por meses. Um dia, as portas se abrem, e essas pessoas recebem documentos. Os documentos dizem que você tem um mês para deixar a Grécia. Algumas pessoas recebem até uma passagem para Atenas, para que possam partir.

– Mas e asilo? Não há asilo?

Salim voltou a ficar grato pelos passaportes falsos e pela boa sorte que tiveram quando não foram parados em Pireu. Passaram pela fiscalização sem que os encarassem duas vezes. De acordo com o que Roksana dizia, a história da família era uma exceção.

– Não existe asilo de verdade. É preciso arranjar trabalho para obter asilo. Como é possível encontrar trabalho? – Ela gesticulou para a praça. – Primeiro, você precisa de uma licença. E, para conseguir uma licença, é preciso pedir asilo. Percebe o problema?

– Por que seus amigos conversam com os refugiados e escrevem esses papéis?

– Somos voluntários. Estamos aqui porque queremos. Ninguém está nos dando dinheiro para vir. Estamos aqui porque queremos ajudar.

Salim olhou para Roksana e se perguntou que tipo de pessoa ele seria se estivesse na posição dela. Tentou se imaginar como um aluno do ensino médio numa Cabul pacífica, voltando para casa e encontrando os pais. Defenderia a causa de desconhecidos? Daria importância a como as pessoas estavam sendo tratadas a ponto de gastar seu tempo entregando comida e preenchendo formulários?

Esperava que sim. Mas era bem provável que não.

Porém, só de se imaginar naquela cena utópica já era doloroso. Talvez ele nunca voltasse a ser como antes, a ser aquele que conseguia rir e sonhar e chamar um lugar de lar. Talvez aquela pessoa, assim como o pai, repousasse em uma sepultura anônima em algum lugar do Afeganistão.

No segundo encontro, um dia depois que a família de Salim deixou o quarto no Sonho de Ática, Roksana foi mais direta.

– *Ela*, você quer pedir asilo ou não?

Roksana não estava para rodeios naquele dia. Os dois se sentaram nos degraus de concreto que levavam à praça. Salim queria perguntar se ela sabia de algum lugar onde sua família poderia ficar. Aquela seria a primeira noite deles nas ruas.

– Roksana, está me perguntando isso de novo? Não quero ficar na Grécia. Quero levar minha família para a Inglaterra. E você diz que a Grécia não dá asilo. Para que servem esses papéis?

Salim se sentia terrivelmente desajeitado falando em inglês, mas estava grato por conseguir manter aquele tanto de conversa. Havia muita coisa que diria se pudesse falar em dari. Pensava até que ela o encararia de forma diferente.

– Mas às vezes concedem asilo. Depende da história da pessoa ou da família. Cada um é diferente. – Ela olhou para a praça, pensativa. – Acho que você tem uma história.

– Uma história? Como assim?

– Uma história. O motivo para você e sua família terem deixado o Afeganistão. Algumas pessoas partiram porque não havia trabalho ou porque estavam cansados da guerra. Mas eu acho que você tem algo um pouco diferente. Talvez não queira contar, mas talvez possa pedir asilo.

– Partimos por muitos motivos.

Roksana olhou para ele, paciente. Depois de uma longa pausa, Salim começou a contar, com a voz abafada:

– É verdade, não havia trabalho e a guerra era terrível. As pessoas esperavam… pela paz ou pela morte.

Salim desviou os olhos para a rua, para os edifícios. Não tinha comentado com ninguém sobre sua vida em Cabul, sobre as coisas que vira. Não quisera reviver aqueles tempos sombrios mais do que já se lembrava. Na sua mente, eram como o som de uma torneira que pinga, um som incessante que se amplifica no silêncio. No entanto, continuou:

– Minha irmã não podia ir para a escola. Minha mãe não podia ensinar. Minhas tias, meus tios e primos… todos partiram. Minha família ficou. Ouvíamos as bombas cruzando o céu e rezávamos para que não caíssem em nossas camas. Não havia música. A vida era toda de acordo com o que mandava o Talibã. Às vezes até achávamos que o Talibã era melhor do que a guerra. Que talvez o Talibã fizesse a guerra acabar, mas só trouxeram mais problemas. Minha mãe não podia sair se não fosse acompanhada por um homem. Só eu. Eu ia ao mercado atrás de comida, mas tínhamos pouco dinheiro. Não havia trabalho. Compreendemos que logo não haveria comida nem dinheiro nem vida.

Roksana ouvia com atenção. Seus olhos permaneciam voltados para o chão.

Fez-se silêncio. Salim vagava por lembranças dolorosas. Tinha apenas 13 ou 14 anos na época. Ao olhar para trás, percebia com muito mais nitidez como a situação se tornara desesperadora – ainda mais quando o fardo de alimentar a família caíra sobre seus ombros.

– Salim... – começou Roksana, a voz mal passando de um sussurro. – E o seu pai?

Salim girou o relógio no pulso.

– Meu pai... – ele começou devagar, sentindo um aperto no peito. – Meu pai era engenheiro. Trabalhava para o Ministério de Água e Eletricidade. Levava água para bairros distantes...

Era uma injustiça não ser capaz de descrever o emprego de seu pai com mais detalhes. Salim se sentiu errado.

– Meu pai, ele acreditava... acreditava que algumas coisas eram importantes para o país, mas algumas pessoas... Uma noite, três homens foram lá em casa. Ouvi falarem com meu pai. Nunca mais o vi depois daquela noite.

Salim apertou os olhos com as mãos, tentando impedir que as lágrimas rolassem. Mantinha a cabeça baixa.

– Sinto muito – sussurrou Roksana, a mão em seu ombro. – Não quis...

– Não, não – interrompeu Salim. Ressentia-se da mão em seu ombro, da piedade na voz dela. O ressentimento o endureceu, o nó na garganta se desfez. Respirou fundo e prosseguiu, o controle recuperado: – Deixamos Cabul. Tínhamos medo daqueles homens, talvez voltassem. Ou talvez tivéssemos morrido de fome em casa.

– Salim, deixe que eu o ajude com o pedido de asilo. Sua família merece que essa história seja ouvida. Você tem um caso sólido.

– Mas não tem ajuda aqui. Não temos nada. Na Inglaterra, temos família. Os outros países nos darão algo. Minha mãe, minha irmã, meu irmão... eles precisam de comida e de um lar.

Os olhos de Roksana se suavizaram. Ela não discordava.

– O que você vai fazer na Inglaterra?

– O que eu vou fazer? – Salim riu. Os ombros se descontraíram. – Vou dirigir um carro vermelho, comer em restaurantes e ver filmes!

Roksana não rebateu. O sorriso de Salim sumiu enquanto pensava no que realmente queria fazer na Inglaterra. Queria ir para a escola com a irmã. Queria levar Aziz ao médico. Queria ver a mãe voltar a trabalhar como professora.

Salim se virou para Roksana com uma pontada de ressentimento por ela ser tão privilegiada.

– O que você quer aqui? Vai para a escola, não é?

Roksana frequentava uma escola internacional na Grécia, com instrução em inglês. Os pais queriam que ela se envolvesse com pessoas de diferentes nacionalidades.

– Roksana, por que você vem para cá? Você tem uma boa escola. Pode sair com os amigos, com a família... Por que quer passar o tempo com afegãos numa praça suja? Você é grega. Para nós, é diferente. Somos afegãos perdidos do Afeganistão.

Ela se afastou, evitando seu olhar intenso.

– Não somos tão diferentes, Salim.

CAPÍTULO 29

Salim

Salim despertou sentindo a perna dormente. Precisou de um momento para entender o que era. Dormira apenas uma ou duas horas, ansioso demais para fechar os olhos a noite inteira.

Roksana tinha falado sobre um parquinho aninhado entre edifícios que abrigavam a classe média de Atenas. Durante as noites, a área era tranquila. Localizava-se na transversal de uma rua movimentada, sem trânsito de pedestres depois que as lojas das imediações fechavam. A família Waziri deixou as bolsas escondidas atrás do canto de um prédio, e Salim empurrou Samira no balanço até ficar escuro o bastante. A família foi para dentro de uma casinha de brinquedo de madeira, onde ficaram encolhidos. A mãe tinha levado um cobertor de lã do hotel, que usou para cobri-los da melhor forma possível.

Madar-jan estava sentada com a cabeça apoiada num dos lados da casinha. Tinha os olhos fechados, mas, pela respiração, Salim sabia que estava acordada. Abriu-os quando sentiu que a perna dele esbarrava na dela.

– Sinto muito, Madar-jan – sussurrou ele. – Não queria acordar você.

– Bom dia, *bachem* – disse ela. E realmente era dia. O céu negro estava começando a ganhar tons azul-escuros. – Espero que tenha dormido.

– Acho que consegui.

Uma dor torturante atravessou-lhe o pescoço quando Salim virou a cabeça. Ele massageou o músculo tenso. Samira dormia com a cabeça apoiada na lateral do corpo de Madar-jan. Um embrulho de várias camadas, Aziz estava nos braços da mãe. Parecia que ela não se movera desde a noite anterior.

Mas ela não vai se queixar, pensou Salim. A mãe se inclinou para ficar mais perto dele.

– *Bachem*, vou sair daqui antes que as pessoas comecem a se levantar e passear por aí. Vou me sentar em um dos bancos próximos ao balanço e deixar que você e Samira durmam um pouco mais. Assim que começar a ver as pessoas, acordo vocês também.

Salim assentiu.

– Vou com você, Madar-jan.

– Não, fique aqui. Samira vai se sentir melhor se acordar e encontrar o irmão por perto. Você não dormiu muito. Estique as pernas um pouco e veja se consegue descansar.

Salim estava exausto demais para discutir. Seus olhos pesados voltaram a se fechar. Parecia que não tinham passado mais do que alguns minutos quando ouviu a mãe sussurrar na casinha, acordando-os. As pessoas estavam levando os filhos para a escola. A família sobrevivera à primeira noite na rua. Salim se perguntou quantas noites passariam assim, sem um teto de verdade sobre suas cabeças.

SALIM NÃO PODIA FAZER GRANDES COISAS no começo da manhã. Precisava se disfarçar no meio da multidão para executar suas atividades ilegais. Roksana estava na escola. Tinha prometido se encontrar com ele em Attiki à tarde. Àquela altura, a jovem era sua única esperança. Mas, quando se encontraram, percebeu, pela expressão dela, que não havia boas notícias.

– Ninguém sabe de um quarto vago. Existe uma possibilidade que estou examinando, mas ainda não sei se vai dar certo. Como foi a noite?

– Foi tudo bem... tranquilo, não estava frio demais. Foi melhor do que qualquer lugar que eu podia ter encontrado.

Desde que não fossem algemados e levados, Salim não poderia pedir por mais.

– Salim-jan, como está? Aproveitando uma visita da sua namorada, é? – comentou Jamal, em dari.

Roksana lançou um olhar gélido em sua direção. Salim desviou os olhos para Jamal e viu que ele tinha percebido a reação.

– Ela tem bom coração por desperdiçar seu tempo tentando ajudar caras como a gente. Temos que demonstrar um pouco de respeito. – Salim não queria parecer que estava dando uma bronca em Jamal, mas tampouco queria ouvi-los falando de Roksana daquele jeito, mesmo que não tivessem nenhuma intenção maldosa.

– Salim, o grande defensor da honra! – Jamal sorriu. – Olá, Roksana. Como está hoje? – perguntou, num inglês exagerado.

– Bem. Vá pegar alguns sanduíches com Niko antes que terminem. – O tom dela era inexpressivo, de quem não via graça nenhuma.

Jamal, distraído pela barriga vazia, não se deu ao trabalho de pensar se Roksana havia entendido o que ele falara. Correu até Niko, que carregava uma grande caixa de papelão. Ficaram um pouco em silêncio, até que Roksana retomou a conversa do ponto onde haviam parado.

– O trem é a melhor opção para vocês. De verdade, na Europa, não olham os passaportes, porque vocês estarão viajando entre países da União Europeia. As fronteiras estão abertas. Posso ir com você até a estação e comprar passagens para onde quiser.

– Por favor. Vai me ajudar muito.

– Quando você quer ir?

O delineador esfumaçado dava uma agressividade ao olhar dela. Porém, quando Roksana queria, os olhos se aqueciam com suavidade.

Salim não levara dinheiro nem estava com o passaporte que pediriam na bilheteria. Perguntou a Roksana se poderiam se encontrar no dia seguinte, na estação de trem. Nesse meio-tempo, ela continuaria procurando um abrigo melhor para a família.

Aguente firme, disse ela, *as coisas vão melhorar.*

Choveu naquela noite. Começou leve, mas logo as gotas ficaram mais pesadas e penetraram pelas tábuas da casinha. Salim despertou e viu Madar-jan cobrindo Aziz e Samira com o que ela conseguia encontrar, se esforçando ao máximo para manter suas cabeças secas. Dez minutos impiedosos se passaram. Samira estava completamente desperta, secando as gotas de chuva no rosto, que mais pareciam lágrimas, a franja grudada na testa. Somente Aziz permaneceu seco, graças a uma sacola de plástico que Madar-jan colocou sobre ele.

– Salim-jan, fique no meu lugar com Aziz. Vou procurar algo melhor para nos cobrir. Precisamos ficar secos – disse ela.

– Eu vou, Madar-jan. Deixe que eu cuido disso – ele se ofereceu.

– Não, *bachem* – retrucou ela, dobrando as pernas com cuidado para sair da casa em miniatura. – Preciso que fique aqui com eles. Não vou demorar muito.

A partida da mãe era uma tortura. Salim olhava para os irmãos. Sentia-se totalmente responsável por eles. A sensação foi avassaladora. Era assim que Madar-jan se sentia ou era diferente para ela por ser mãe? Se ela se sentia assim, não tinha demonstrado.

E se Aziz tiver algum problema? E se Samira começar a chorar? E se alguém aparecer e nos levar?

Todo o ressentimento que tinha por ser o único a resolver os problemas da família enquanto Madar-jan cuidava dos menores, tudo aquilo desapareceu e foi substituído pelo único desejo de que Madar-jan voltasse. Estava tarde, era a hora que o submundo vagava pelas ruas. Se ela fosse vista pela polícia, não teria como voltar.

Salim forçou a vista para distinguir a silhueta da mãe através da janela de plástico da casinha, mas estava escuro, e a chuva tornava praticamente impossível enxergar alguma coisa. Os minutos passaram devagar.

Quando ela apareceu, o cabelo estava encharcado, as roupas ensopadas grudavam no corpo. Tinha recolhido pedras do parquinho e as usara para prender uma camada de sacolas de plástico que juntara para bloquear a infiltração da chuva. Funcionou.

Porém, mesmo que a chuva tivesse parado uma hora depois, suas roupas e o pão ficaram completamente molhados. Pouco antes do alvorecer, Madar-jan dobrou as sacolas e devolveu as pedras aos canteiros. Salim compreendeu que ela tinha guardado as sacolas para quando a chuva voltasse.

Num banheiro público, trocaram as roupas por outras mais secas. Salim usou alguns euros preciosos para comprar pão fresco e suco numa lojinha próxima. Comeram em silêncio, exaustos depois da noite sem repouso.

Salim e Madar-jan contaram o dinheiro que sobrara e separaram a quantia que Roksana imaginava que seria necessária para comprar as passagens. Salim enfiou as notas e o passaporte belga o mais fundo possível no bolso da frente e saiu. Quando a tarde chegou, estava muito ansioso, já queria ter comprado as passagens. Era um grande alívio saber que se encontraria com Roksana.

    Gostaria de ser mais parecido com ela. A jovem era impassível e confiante. Embora soubesse que os pais dela viajavam muito, Salim não sabia o que faziam. Era filha única, e a mãe e o pai lhe permitiam um bocado de autonomia, tendo em vista sua idade. Toda vez que tentava descobrir um pouco mais sobre ela, Roksana driblava as perguntas e voltava a conversa para a situação dele.

    A jovem provocava sentimentos em Salim. Sentimentos que ele sabia que deveria destruir, mas não conseguia. Era difícil não reparar nela. Só podia torcer para que ela não percebesse. Reprimia o desejo premente de passar o braço pela cintura da jovem ou de enterrar o rosto em seu pescoço. E Roksana não parecia se sentir pouco à vontade perto dele. Justamente por isso, Salim duvidava que ela soubesse de seus sentimentos. Ou talvez soubesse e não se importasse. Bem, ele poderia ficar pensando nisso por horas.

SALIM ESPEROU NA FRENTE DA ESTAÇÃO DE TREM, procurando parecer tão tranquilo quanto possível. Tinha usado o reflexo numa vitrine de loja para ajeitar o cabelo maltratado. Ele a viu do outro lado da rua, uma mochila no ombro, quase como um adendo. Salim endireitou a postura. Roksana usava uma camisa preta de botão, com caimento justo, as mangas enroladas até os cotovelos. O jeans se afinava na bainha, mostrando os tornozelos delicados.

    – Oi. Como passou a noite? – perguntou ela.
    – Tudo bem. – Salim deu de ombros, com um sorriso fraco.
    – Mas choveu. Você ficou seco? Eu só fui ver que tinha chovido quando já era de manhã. Fiquei o dia inteiro pensando no seu irmãozinho.

    Lá estava. Outra pista de que ela o enxergava além de apenas mais um refugiado. Salim juntou esse comentário com os demais, as informações que guardava das conversas. Pensaria no assunto depois.

    – Ficamos bem. Foi molhado, mas… nos cobrimos. Hoje ele está bem.
    – Fico feliz em saber. Vi no jornal que não vai chover essa semana, então não deve voltar a ser um problema.
    – Isso é bom.

– Muito bem, vamos lá comprar essas passagens? – Roksana foi na frente. Juntos olharam o letreiro que listava os horários dos trens. – Já planejou para onde vai?

– Sim, vamos para Patras, depois pegamos um barco para a Itália. Roksana assentiu.

– Imagino que seja a melhor forma mesmo. Trouxe dinheiro?

Salim pegou o passaporte e as notas dobradas. Roksana mandou que ele segurasse tudo. Procurou uma bilheteria aberta e fez sinal para que Salim a seguisse. Aproximou-se da vendedora e usou uma voz especialmente animada. Salim observou enquanto conversava, muito simpática. A atendente, uma mulher de meia-idade que o garoto não teria coragem de abordar, riu e estendeu a mão. Ele entregou o dinheiro e o passaporte para Roksana sem que a vendedora percebesse.

Os dois saíram com passagens de trem para Patras. Roksana estava tão à vontade... Salim não conseguia se lembrar da última vez que se sentira tão confortável. Parecia que durante toda a sua vida seus movimentos tinham sido acompanhados pelo medo. O monstro podia ter mudado de forma e de cor com o passar dos anos, mas estava sempre alguns passos atrás dele.

Era quarta-feira, e as passagens eram para sexta de manhã. Os fins de semana eram mais concorridos para as viagens, e teriam uma chance melhor de se esconderem na multidão. Madar-jan decidira que estava na hora de vender algumas de suas joias. Salim precisaria de um dia para dar um jeito de transformar aquelas pulseiras em dinheiro, uma quantia que pudesse ser usada para comida e transporte.

– Tenho boas notícias – disse Roksana, quando chegaram à rua. – Queria que tivessem chegado antes. Encontrei um lugar para você e sua família ficarem. Sei que vão partir em breve, mas pelo menos não vão precisar permanecer na rua. Um quarto. É um hotel mais antigo, que pertence a um casal... São avós do meu amigo. Vão vender o hotel daqui a duas ou três semanas, para se aposentarem, e o lugar não está em boas condições, mas tem um quarto. Vão pedir que ajudem com algumas coisas, porque são mais velhos, mas são boas pessoas. Expliquei a situação, e eles disseram que, se vocês ajudarem com a mudança, não vão pedir dinheiro nenhum.

– Sim!

Salim concordou, animado. Mal podia acreditar na sorte. Talvez Madar-jan tivesse razão. Talvez a chuva da noite tivesse trazido *roshanee*, afinal. Roksana entregou a ele um pedaço de papel com o endereço do hotel.

– Não me agradeça. Pode agradecer a eles. Boa sorte, Salim. Sei que não é fácil, ainda mais com a família inteira. Eu realmente espero que o resto da Europa o trate bem. – Ela olhou para o relógio. – Tenho que voltar para casa, mas virei aqui na sexta de manhã, antes de vocês partirem. Quero ter certeza de que estarão todos no trem. E vou escrever qual é o barco que precisam pegar em Patras. Sabe, em Patras tem um grande campo de refugiados. Há mais afegãos por lá do que em Attiki, e a situação não é boa. Não fique por lá, Salim. Pelo que ouvi dizer, é um beco sem saída.

Salim assentiu e ficou olhando enquanto ela jogava a mochila no ombro e atravessava a rua. Teria mais uma chance de vê-la. Não estava pronto para se despedir naquele dia.

A proximidade da partida fez sua ansiedade aflorar. Não sabia o que esperaria por eles quando embarcassem no trem, ou mesmo em Patras. Parou em alguns mercados no caminho e surrupiou o que pôde. Afastou Roksana dos pensamentos e lembrou a si mesmo do dinheiro já parco, que contara moeda por moeda junto de Madar-jan. Estava quase escuro quando voltou para a família. A mãe pareceu aliviada por vê-lo.

Compreendia um pouco melhor como a mãe se sentia cada vez que ele partia, mas essa compreensão era limitada. Não poderia saber tudo o que passava na cabeça dela, assim como ela não saberia o que andava pela dele. Havia coisas que diziam em voz alta, coisas que murmuravam com uma careta e coisas que ficavam ocultas. Mãe e filho estavam separados pela idade, pelo papel social e pelo desejo mútuo de ficarem bem. Embora não pudesse admitir isso, os segredos também existiam para protegerem a si mesmos e a seus relacionamentos. Certas coisas nenhum dos dois desejava saber sobre o outro, mesmo se pudesse. Alguns segredos os salvavam.

Salim descarregou a bolsa, e Madar-jan dividiu com cuidado o que poderiam comer naquela noite e o que precisavam poupar para a viagem. Salim entregou-lhe as passagens e o passaporte, que a mãe guardou numa bolsinha pendurada em seu pescoço, debaixo da blusa.

– Aziz teve outro episódio hoje – contou a mãe, em voz baixa.

De fato, Aziz parecia mais pálido do que no dia anterior. Estava deitado, com um travesseiro por baixo do corpinho. Ganhara peso desde que começara a medicação que compraram na Turquia. Começara a andar, a dizer algumas palavras e até a rir de vez em quando. Salim não o via muito e, quando via, mantinha-se distante. As coisas eram diferentes com Samira. Gostava de ter a irmã por perto, de sentir a cabeça dela no ombro enquanto relatava o dia. Mas Aziz era uma criança que o fitava com muita expectativa e que tinha muitas necessidades. Salim não conseguia lidar e se afastava, envergonhado do próprio ressentimento.

– Precisamos levar Aziz a um médico na Inglaterra. O remédio não está fazendo mais o mesmo efeito. A cor não está boa, e ele voltou a parecer tão cansado... – Madar-jan parecia derrotada. Salim se perguntou como o irmão suportaria a viagem que tinham pela frente. – Vou ligar para sua tia amanhã e contar nossos planos. Talvez as coisas estejam melhores para eles agora. – Ela hesitou, escolhendo as palavras com cuidado. – Salim-jan, não podemos depender deles. É importante lembrar disso.

– Por quê? Ela sempre dizia que deveríamos ir para Londres. Não prometeu nos ajudar quando chegássemos?

– É que algumas vezes as pessoas querem ajudar... mas algo as impede. Quero que estejamos todos prontos para depender apenas de nós mesmos, porque talvez isso seja necessário, quando chegarmos lá.

– Não se preocupe com isso, Madar-jan. Temos um quarto para essa noite. A garota da organização humanitária encontrou. Vamos agora, antes que fique tarde. Toda aquela chuva da noite passada, talvez tenha sido *roshanee*, como a senhora costuma dizer.

O rosto de Madar-jan se iluminou como brasas alimentadas por uma brisa.

Reuniram as poucas posses e partiram para encontrar o Hotel Kitrino, o Hotel Amarelo. Os donos eram um casal de cabelos grisalhos, bondosos o bastante para tocar com carinho na bochecha de Aziz e mostrar o quarto a eles. Quando Madar-jan tentou perguntar o que precisavam que ela fizesse, para começar imediatamente, os dois gesticularam para que ela dormisse à noite e pensasse nisso só no dia seguinte.

Na quinta-feira, Madar-jan tirou as pulseiras de ouro que ganhara do pai antes do casamento e as entregou para Salim com o coração apertado. Tinham sido colocadas no pulso da mãe dela no dia do casamento. Padar-

-jan as escondera até que chegasse a hora de casar Fereiba. Era tudo o que a mulher tinha da mãe. Adorava ouvir como chacoalhavam baixinho sempre que estendia o braço para abrir uma gaveta, enquanto lavava os pratos e quando virava as páginas de um livro. Olhava para o pulso, os círculos de ouro dançando com cada um de seus movimentos, cinco abraços perfeitamente redondos da mãe que nunca conhecera. O pai tinha aberto uma bolsinha de veludo e colocado as pulseiras na palma de sua mão, fechando os dedos sobre os dela num momento único, silencioso. Os olhos dele estavam marejados... ou tinha sido sua imaginação? Era como se ele estivesse de volta ao lado da noiva, a mulher que nunca seria substituída, cuja ausência havia fraturado suas vidas. Fereiba compreendeu, naquele momento, que, embora o pai ainda lamentasse a perda da mãe, nunca compreendera o modo como Fereiba lamentava essa perda. Aquela era uma perda dele, só dele. Fereiba não o odiou por essa incapacidade, mas conseguiu enxergá-lo com mais clareza. KokoGul tinha razão o tempo inteiro. O pai ficava feliz dando atenção apenas ao pomar. Seu amor míope falhara com todos, não apenas com Fereiba. Não era de surpreender que KokoGul tivesse seguido com sua vida e saído do país com as filhas.

E, embora tivesse sido o pai que colocara as pulseiras na sua mão, pareceu que a mãe tinha se aproximado enquanto Fereiba dormia e passado os aros pelos dedos da filha, deslizando-os até seu braço. Era o toque delicado de uma mãe, um toque que Fereiba nunca conhecera até segurar Salim em seus braços pela primeira vez, pousar os lábios na testa diminuta e perceber que tinha muito a dar a ele, muito daquilo que nunca havia recebido.

Salim não sabia nada disso quando levou as pulseiras da mãe. Só percebia que ela parecia agitada.

– Minha mente está agitada hoje. Queria que você deixasse para ir à casa de penhores amanhã. Podemos parar por lá a caminho da estação de trem. Poderíamos ir todos juntos.

– Não é muito longe e não temos muito dinheiro sobrando, Madar-jan. Quem sabe o que vai acontecer em Patras. Vamos precisar de dinheiro para a comida e para o barco, senão estaremos perdidos.

– Mas hoje...

– Eu vou, Madar-jan. Se nos escondermos num quarto toda vez que ficarmos nervosos, nunca chegaremos à Inglaterra.

Fereiba se conteve para não responder. Começou a vestir Aziz e pediu a Samira que lavasse algumas de suas roupas. Ia ver como podia ajudar os donos do hotel. Ela se virou quando Salim guardou as pulseiras no bolso e o abotoou, para ter certeza de que não iam cair.

Fereiba não viu a hesitação no rosto do filho, aquele segundo em que o menino considerou o alerta da mãe e escolheu ignorá-lo, porque queria ser mais corajoso do que ela.

– Vou até a casa de penhores e estarei de volta em duas horas – prometeu Salim.

Era uma promessa que ele não cumpriria.

Parte Dois

CAPÍTULO 30

Salim

Uma vida inteira pode mudar completamente numa única tarde. O resto do mundo segue em frente, sem ter consciência de que um cataclismo silencioso, solitário, ocorreu a alguns metros de distância. Havia um policial à esquerda de Salim, remexendo num chaveiro com o dedo. O segundo descansava a palma aberta da mão na parede de concreto, acima do ombro direito de Salim. O menino sentia o bafo do homem junto de seu rosto.

– Onde você está?

O cheiro de alho no hálito do homem fez o estômago de Salim revirar. Não ousava afastar os olhos. Fitava a caricatura de si mesmo que via refletida nos óculos escuros do policial, um menino assustado de olhos arregalados. O rosto adolescente ainda não assumira os ângulos da maturidade. Havia uma sombra acima de seu lábio superior, mas nada além disso.

– Pode repetir? – Salim sentiu sua voz vacilar. Nas poucas semanas que passara na Grécia, tinha aprendido algumas frases, mas não o suficiente para parecer convincente. Tensionou os ombros, esperando dar firmeza às palavras.

– Onde você dorme? Onde é sua casa?

Os policiais bufaram e balançaram a cabeça diante do olhar perdido de Salim. Tinham a pele mais clara do que o tom moreno do afegão, mais escurecida pelos meses trabalhando sob o sol. O policial com as chaves cedeu e falou em inglês:

– Onde você fica? – perguntou, zangado.

A mente de Salim disparou em busca de uma história plausível. Não podia levar os policiais até sua família.

– Não fico. Visitante. Venho para lojas – explicou humildemente, apontando na direção dos estabelecimentos na rua. Os dois oficiais fizeram uma careta.

– Lojas? O que comprou?

– Ahn... nada. Hoje, nada. – Salim queria que perdessem o interesse.

– Nada? Tudo bem. Onde está seu passaporte? Documentos?

O estômago de Salim se revirou. Ele sentiu o gosto da bile.

– Passaporte? Não estou com meu passaporte aqui.

O dono da casa de penhores abriu a porta e viu os dois policiais ao lado de seu último cliente. Retirou-se depressa para o interior da loja.

– Sem passaporte? – Os policiais trocaram um olhar que Salim não conseguiu interpretar.

– Meu amigo... ele está com meu passaporte.

– Qual é seu nome?

– Salim.

– De onde você é?

Salim ouviu as batidas fortes de seu coração? Poderia fugir? Pouco provável. Estava preso contra a parede em um mercado movimentado. Turistas entravam e saíam das lojas, sininhos tocavam quando passavam pela porta. Um vendedor de rua de pele escura desviava os olhos enquanto guardava os bonecos dançarinos num saco. Os passantes olhavam a cena com vago interesse, mal diminuindo o ritmo de seus passos. Só o homem de cabelo grisalho que assava espigas de milho parecia ter compaixão. Secava as mãos no avental curto e empurrava as cascas no chão com a ponta do sapato, até formarem uma pilha.

Estava quente o bastante para suar, mesmo na sombra. Salim tinha sede e não comia desde a noite anterior. Se corresse, o pegariam depressa. Os policiais usavam uniformes azuis, boinas de feltro e camisas de botão bem enfiadas em calças azul-marinho. Ele fitou seus cintos espessos, com o volume de aparelhos de rádio, algemas... pistolas. Correr não era uma opção. Nem se recusar a responder as perguntas.

– Sou... Sou da Turquia.

Salim tinha ensaiado essa parte com a mãe pelo menos cem vezes, mais ainda quando estava sozinho. Outros refugiados avisaram sobre as perguntas. Esperava que o conselho tivesse sido sábio.

– Turquia? – O policial parecia enojado. Lançou um olhar de compreensão para o homem com as chaves. – E como chegou aqui?

Salim assentiu.

– Avião.

– Quem veio com você?

Salim balançou a cabeça.

– Vim sozinho.

Ele rezou para que sua voz ou seu olhar não o traíssem. Manteve as mãos grudadas junto ao corpo.

– Sozinho? Quantos anos você tem?

– Quinze.

– Quinze? Onde está a mamãe? E o papai?

Salim deu de ombros.

– Não estão aqui? – O policial mais velho estava perdendo a paciência, os polegares enganchados no cinto assustador.

Salim balançou a cabeça. Os dois trocaram algumas palavras em grego, as expressões zangadas dispensando qualquer tradução. Salim sabia que a lei internacional dava direito a asilo aos menores de idade, mas também tinha aprendido que, nas ruas, essas leis ofereciam tanta proteção quanto um guarda-chuva quebrado num furacão.

Os policiais o examinaram da cabeça aos pés. Salim se remexeu, desconfortável, sentindo os olhares sobre a camisa polo preta com o colarinho e os ombros marcados por uma lista branca. O jeans estava esgarçado, desbotado, lavado repetidas vezes numa pia com sabão barato. As roupas que costumavam ter caimento justo em casa meses depois pareciam largas. As solas de borrachas gastas e os cadarços escurecidos dos tênis atestavam a jornada bruta. O policial que falava inglês prendeu as chaves numa argola do cinto e puxou Salim pelo ombro, para que ele se virasse. Bateu depressa na cintura de Salim antes de resmungar algo para o parceiro.

– Vire-se. – Salim fez o que mandaram, os olhos grudados no chão. – Sem passaporte, sem documentos?

Salim balançou a cabeça. O passaporte belga que custara 300 dólares estava dentro da bolsa, no hotel. Ele o deixara lá, com medo de perdê-lo antes do próximo trecho da viagem.

– Venha.

A instrução era simples. Salim pensou que o peito ia arrebentar. Não podia ir com eles! E a mãe? Salim encarou os policiais e deu uma olhada na rua de paralelepípedos movimentada pelos caçadores de suvenires e pelos locais. Havia algo que pudesse dizer para dissuadi-los? Podia suborná-los? Se os seguisse, com certeza acabaria na cadeia, provavelmente seria mandado de volta para casa.

Ele foi rápido. Sempre tinha sido rápido, mas nos últimos meses provavelmente se tornara mais rápido ainda. Sem dúvida estava mais veloz e se sentia mais forte, depois de carregar os irmãos e as modestas bagagens. Quanto mais pensava nisso, mais convencido ficava. Conseguiria. *Deveria* fazer aquilo. Se acompanhasse os policiais, não haveria ninguém para cuidar de sua mãe, de sua irmã e de seu irmão.

Os pés de Sàlim ganharam vida quase sem seu consentimento. Passou por baixo do braço do policial e saiu correndo, desesperado. Passou pela frente da casa de penhores, pelo vendedor de milho, os ombros esbarrando nos turistas atônitos. Ouviu gritos atrás dele. Saindo da principal via de pedestres, havia um conveniente labirinto de ruas transversais. Salim correu por um beco à esquerda, com lojas menores e menos gente. A poucos metros, o beco terminava. Poderia ir para a direita ou para a esquerda. Como não havia nada de promissor nas duas direções, foi para a esquerda. Precisava pôr distância entre ele e os policiais, mas não podia voltar para o hotel.

Salim virou uma esquina. Um vira-lata que descansava levantou a cabeça, curioso, quando o garoto ofegou e examinou suas alternativas. Para onde seguiria? Aquela parte de Atenas era confusa. Não havia marcos para ajudar na orientação, mas Salim sabia que havia uma rua movimentada a poucos quarteirões. Dobrou uma esquina e esbarrou num casal que andava grudado, passando o braço um pela cintura do outro. O casal tropeçou e xingou Salim, que se levantou e ergueu a mão, num pedido de desculpas. O beco se abriu numa praça com uma velha igreja no centro, uma relíquia cercada por lojas modernas e luxuosas. Examinou o cruzamento, procurando pela nova curva naquele labirinto. Sentia-se vistoso, de olhos arregalados, exposto.

O metrô, pensou.

Mas como chegar lá? Encostou numa parede enquanto procurava uma pista. A rua descia e, pelo que lembrava, a estação de metrô ficava num nível inferior ao do resto do mercado. Não tinha voltado ali desde aquele primeiro dia, por não querer desperdiçar os fundos minguados da família quando seus dois pés podiam transportá-lo tão bem. Respirou fundo e voltou a correr, os olhos examinando a cena em busca de uniformes azuis. Não viu nenhum. Manteve a cabeça baixa e abriu caminho por entre as pessoas, torcendo para se manter oculto. A voz da mãe ecoou em seus pensamentos, o suficiente para impulsionar suas pernas bambas.

Minha mente está agitada hoje. Queria que você deixasse para ir à casa de penhores amanhã. Podemos parar por lá a caminho da estação de trem. Poderíamos ir todos juntos.

Não é muito longe e não temos muito dinheiro sobrando, Madar-jan. Quem sabe o que vai acontecer em Patras. Vamos precisar de dinheiro para a comida e para o barco, senão estaremos perdidos.

Mas hoje...

Eu vou, Madar-jan. Se nos escondermos num quarto toda vez que ficarmos nervosos, nunca chegaremos à Inglaterra.

Salim se arrependeria por ter sido ríspido com a mãe, mas não conseguia pensar naquilo agora. A placa do metrô despontava a distância. Ele aumentou a velocidade e parou bruscamente no arco da entrada, uma escada coberta que levava aos trilhos. As panturrilhas ardiam enquanto tentava ouvir o som do trem seguinte. Ainda não conseguia distinguir nada ao longe. Salim fez o máximo para parecer calmo, desejando que pudesse se esconder melhor, mas precisava ficar por perto.

As vibrações atravessaram as solas finas dos tênis. Ele lançou um olhar nervoso para a cabine logo na entrada e ensaiou seu plano. Pular a catraca enquanto o trem se aproximava, embarcar antes que alguém pudesse impedi-lo e seguir o mais longe que pudesse. Melhor ainda, trocaria de trem numa estação de conexão e permaneceria na linha até ter certeza de que despistara os policiais. Salim não conseguiu deixar de sorrir ao ver o gigante de aço surgindo. Não contaria sobre os policiais para a mãe.

No instante em que se lançou para a catraca, jurando que ouviria todas as intuições da mãe dali por diante, dedos zangados agarraram seus ombros e o puxaram para trás. Ele girou numa espiral, sacudindo os braços, mas não havia onde segurar.

O trem entrando e saindo da estação era barulhento o bastante para abafar os gritos de Salim.

CAPÍTULO 31

Fereiba

TALVEZ FOSSE ASSIM QUE AS COISAS DEVERIAM SER. Uma esposa sem marido. Filhos sem pai. Talvez "incompleta" seja a definição de uma família normal. De onde vieram tantas expectativas? O Afeganistão é uma terra de viúvas e viúvos, de órfãos e desaparecidos. Uma perna direita, uma mão esquerda, um filho ou uma mãe, algo sempre falta, e todos sentiam essa falta, como se um buraco negro tivesse se aberto no meio do país, sugando os fragmentos e os pedaços de cada um. Em algum lugar sob nossa terra cáqui se encontra tudo o que perdemos. Ouvi afegãos de cabelos grisalhos em terras estrangeiras dizerem: "Enterre-me no Afeganistão quando eu morrer. Devolva-me à terra de onde eu vim." Dizem que é por amor ao país, mas talvez seja porque acham que serão reunidos a tudo o que perderam por lá. Outros se recusam a deixar o país, não importa o que aconteça nas ruas. Talvez porque acreditem que a terra se abrirá e devolverá tudo o que lhes foi roubado.

Não acredito nisso.

O que se foi, se foi; não vai voltar. O que a terra engole, engole para sempre, e ficamos fadados a cambalear sob o peso dessas ausências. São nossos fardos.

Meu filho endureceu. Está se tornando um homem sem a orientação de um pai. Permiti que ficasse solto com os meninos porque não pode acompanhar apenas mulheres. Só posso ensinar o que sei. Ele precisa aprender os modos dos homens, e rezo para que fique em segurança enquanto isso acontece e que eu seja capaz de lhe dar uma direção se ele for longe demais. Salim vai se ressentir ainda mais de mim se eu não lhe der esse espaço. Suas palavras e seus olhos acusadores já são de um adulto, enquanto o rosto e o corpo permanecem de menino. Ele não é o mesmo menino que era um ano atrás.

Sinto falta do garoto que Salim foi, arteiro e tímido. Sinto falta de sua risada. Sinto falta de seus braços em volta do meu pescoço. Tudo isso foi perdido em casa, na terra dos desaparecidos. Mesmo se chegarmos à Inglaterra e nos estabelecermos numa nova vida, sei que Salim nunca mais será aquele garoto. O que se foi, se foi.

Meus filhos herdaram de mim o infortúnio de uma infância perdida, como se o tempo que passaram no meu ventre deixasse neles a marca de um *nasib* de dificuldades.

Nesse momento, espero que Salim retorne da casa de penhores. Minhas pulseiras de ouro, os únicos objetos que guardei de minha mãe, já se foram, contabilizadas entre o que foi perdido. Detestei ter que me desfazer delas, mas como poderia mantê-las enquanto meus filhos são obrigados a trabalhar ou passam fome? O que Salim trouxer será o presente de minha mãe para meus filhos. Não reluzirá nem cantará como sininhos ao vento, mas será um beijo doce em suas faces.

KokoGul nunca soube da existência das pulseiras. Era pouco provável que tivessem enfeitado meus pulsos se ela soubesse.

– E o que mais mantive escondido de mim, meu querido marido? – perguntara, numa pontada de provocação. – Talvez essas paredes estejam recheadas de tesouros que juntam poeira. Por que não me permitiu guardar essas pulseiras num lugar seguro?

– Que lugar poderia ser mais seguro do que um que você não conhecesse? – retorquira meu pai.

– Pois bem, deixe que eu as veja antes que saiam desta casa para sempre. – KokoGul me chamou para junto dela. Estendi o pulso, sem querer tirar as pulseiras nem por um segundo. – Hum. De longe, pareciam bem mais grossas. Na verdade, são muito finas e frágeis. Parecem mais folhadas a ouro.

Cada rangido no corredor provoca um aperto no meu peito. Espero que Salim volte logo. Ele disse que demoraria duas horas, mas já passou bem mais tempo. Não devo me preocupar. Quando voltar, vai dizer que se distraiu jogando futebol com os amigos, que perdeu a noção da hora porque estava com os garotos, o sol da tarde batendo no rosto. Vou balançar a cabeça, mas também ficarei feliz por ele. Ah, se o pai pudesse vê-lo agora... nosso menino rebelde carregando a família nas costas. Meu marido me envolveria em seus braços e daria um sorriso maroto, como fez quando Salim, com 1 ano, deu seus primeiros passos triunfantes.

As coisas vão melhorar assim que chegarmos à Inglaterra. Sei que Najiba vai ajudar, apesar do que o marido dela diz. Teremos o apoio deles até conseguirmos encontrar nosso caminho – o que não vai demorar muito, se Deus quiser. Se conseguimos chegar tão longe, podemos ganhar nossa vida em qualquer país. Só precisamos de uma chance. Deve haver algum lugar do mundo onde seremos acolhidos como uma irmã há muito perdida, e não apedrejados como uma serpente indesejável no jardim.

Por favor, Salim, chegue logo. Está tarde, e minha fé anda rasa demais para me reconfortar.

Por favor, chegue logo.

CAPÍTULO 32

Salim

O PERCURSO ATÉ A PRISÃO PARECEU LEVAR uma eternidade. Salim sentia o suor escorrer pelas costas. A janela estava aberta alguns centímetros, apenas o suficiente para que desejasse poder abri-la mais.

– Por favor, senhor, eu preciso ir. Vou embora da Grécia amanhã. Não serei um problema. Não preciso de ajuda.

– Você vai embora amanhã? Muito fácil, não é?

O sarcasmo nunca se perde na tradução.

Alcançaram os arredores, onde os turistas não se aventuravam, e o rosto de Salim estava quente pelas lágrimas. Passaram pela rua estreita que levava ao Hotel Amarelo, uma construção colorida com um nome pouco imaginativo. Examinou a rua, mas não viu ninguém. Dali a uma hora, o sol começaria a se pôr, e Madar-jan começaria a se preocupar.

Na cadeia, Salim passou por mesas e policiais, mal erguendo os olhos pelo caminho. Foi levado até os fundos do prédio austero, onde dois africanos e um grego estavam sentados numa cela. Salim quis sair correndo, mas a cada minuto suas chances de demonstrar valentia diminuíam. O policial mais velho gesticulou para que outro agente abrisse a cela para Salim.

– Entre aí.

Pense, Salim disse a si mesmo. *Pense em algo que os faça sentir pena de você. Algo que os faça soltar você.*

– Por favor, eu vou para casa. Por favor, senhor, me deixe ir – pediu Salim, fazendo mais um pouco eloquente apelo por misericórdia.

– Você vai. Vai entrar aí.

Com um rápido empurrão nas costas, Salim cambaleou para dentro da cela. De ombros caídos, sentia-se derrotado. Os outros prisioneiros o olharam com o tipo de interesse vago gerado pelo ócio. Os homens não tinham vontade alguma de fazer contato visual, muito menos de conversar. Salim se arrastou até o canto, nos fundos da cela de mais ou menos 7 metros quadrados, e ficou amuado como um animal enjaulado. Apoiou as costas na parede fria e deslizou devagar até o chão, as pernas dobradas junto ao peito.

Madar-jan deixaria Samira cuidando de Aziz e sairia para procurá-lo, Salim sabia. Talvez tentasse encontrar a casa de penhores. Talvez o dono da loja dissesse a ela que a polícia tinha detido Salim. Talvez ela desmaiasse ou se descontrolasse. Salim reexaminou os acontecimentos da tarde e quis se estapear por ter sido tão descuidado. O homem da família sentado numa cela, inútil. Seus músculos adolescentes arderam ao pensar na mãe e nos irmãos sozinhos, o dinheiro das pulseiras de ouro enfiado na meia esquerda, onde não os ajudava de forma nenhuma.

Salim passou a noite na cadeia.

Na solidão da cela cheia, teve tempo para refletir. Passara meses olhando para trás, assustado, preocupado exatamente com aquela cena: a cadeia. Não se preocupava mais com aquilo. O temor tinha desaparecido e fora substituído por outros medos.

À medida que a mente se acalmava, ele observava melhor os homens à sua volta. Dois africanos sentados lado a lado, resmungando um para o outro, sem o trabalho de manter contato visual. O grego encarava os dois e grunhia, o rosto contorcido de irritação. Os companheiros de cela o ignoravam. A mente de Salim vagou.

A vida seria diferente se meu pai estivesse vivo.

Não era uma ideia nova, mas parecia especialmente clara e verdadeira enquanto pensava no que aconteceria com a família. Quando precisava interromper os pensamentos, ele se levantava e caminhava por toda a extensão da cela, mantendo-se próximo à parede. Não era muito útil. Sua mente era tão prisioneira quanto ele.

Salim cochilou várias vezes durante a noite, acordando com o pescoço duro e as pernas dormentes. Mudava de posição com frequência e começou a odiar o cheiro do chão de concreto.

Devo dizer a verdade? Não ficariam com pena de mim? Se souberem o que aconteceu, não poderiam me mandar de volta para o Afeganistão. E se mandarem?

De manhã, a barriga roncava, e Salim foi levado a outro aposento para ser interrogado. Ficou sentado diante de um novo policial, do outro lado de uma mesa completamente vazia. O policial se apresentou com um nome que parecia começar com a letra G. Era estrangeiro e complicado demais para a língua de Salim. O policial soltou uma densa nuvem de fumaça de cigarro. Salim prendeu a respiração e soltou o ar devagar, odiando permitir que a fumaça daquele homem invadisse seus pulmões, como se tivesse todo o direito a isso.

O policial era muito diferente dos dois que o prenderam no dia anterior. Parecia mais velho, de meia-idade, mais baixo. Usava uma camisa cinza, mas a mesma calça azul-marinho e o cinto carregado. No bolso do peito, destacava-se um maço de cigarros. O cabelo grisalho emoldurava o rosto envelhecido, cortado tão curto que chegava a ficar arrepiado. As sobrancelhas e o bigode se curvavam para baixo de um modo que parecia que o rosto inteiro estava caindo.

O policial G falava bem inglês e não parecia ter pressa. Deu a impressão de refletir antes de começar o interrogatório. O garoto chegou a cogitar, por um breve momento, que aquele homem poderia sentir pena dele e permitir que fosse embora.

– Qual é a sua idade?

G franziu os olhos enquanto sugava a ponta do filtro do cigarro, os dentes amarelados por anos de café e nicotina.

– Quinze anos – respondeu Salim, determinado a se manter consistente com as respostas que dera no dia anterior.

– Quinze. Hum. Quinze. – Houve uma pausa. – E de onde vem?

Salim passara boa parte da noite se preparando para essa pergunta. No dia anterior, tinha dito aos policiais que era da Turquia. Mas se contasse de onde realmente vinha, talvez o devolvessem a seu país. Não achava que seria capaz de sobreviver se voltasse sozinho para o Afeganistão.

Tentou juntar forças.

– Turquia.

– Turquia?

Salim assentiu.

– É turco. Hum. Por que veio para cá?

– Quero estudar – disse, com sinceridade.

– Estudar? Não pode estudar na Turquia?

Salim não respondeu.

O policial G puxou uma folha de papel de dentro do caderno. Deslizou-a pela mesa.

– Leia isso.

Salim olhou para o papel. Reconheceu a escrita como turco. As letras eram as mesmas do alfabeto inglês, mas com pontos e sinais em curva que lembravam o dari. Aprendera a falar turco informal, mas sabia que se atrapalharia muito se tentasse ler. Estava encurralado. Umedeceu os lábios e lembrou-se de que o policial não era turco. Provavelmente também não conseguia ler o texto.

– Por favor, senhor, água?

O policial inclinou a cabeça e se levantou.

– Água? Claro.

Ele saiu da sala e voltou com um copinho de papel com pouco mais do que um gole de água. Mal era o suficiente para que molhasse a boca. Salim aceitou e sentiu que suas esperanças de encontrar misericórdia se desfaziam. Voltou a olhar a página diante de si e começou a pronunciar as palavras com toda a confiança que conseguiu reunir. Olhou para o homem.

– Traduza, por favor – disse o policial G, tranquilo, tirando o maço de cigarros do bolso. Usou o cigarro de antes para acender um novo.

Todo o corpo de Salim ficou tenso. Ele estava brincando? Sua respiração acelerou, e ele sentiu um nó na garganta. Queria estar de volta no chão frio e cinzento da cela. O policial esperou a resposta.

– Você não é da Turquia – declarou, quando viu Salim se contorcendo na cadeira. – Vou perguntar de novo: de onde você vem? – As palavras foram pronunciadas com cuidado para que não houvesse erro quanto à pergunta ou à sua importância.

Salim reconheceu a derrota.

– Afeganistão.

– Ah, Afeganistão. E como veio para cá?

– Vim da Turquia.

– De barco?

Salim balançou a cabeça.

– Avião.

– Sem passaporte?

– Tenho passaporte, mas meu amigo... está com ele.

– Há quanto tempo está aqui?

– Uma semana – mentiu Salim, inseguro.

Pelo que conseguira entender, quanto mais tempo estivesse ilegalmente na Grécia, mais zangado o homem ficaria.

– Quer ficar na Grécia?

Salim balançou a cabeça.

– Para onde quer ir?

– Quero ir para a Inglaterra.

– Inglaterra. – Ele absorveu a resposta de Salim antes de partir para a pergunta seguinte. – Quantos anos você tem?

– Quinze.

– Quinze? – O policial G duvidou disso tanto quanto das outras respostas.

– Sim.

Pensando nas trevas que havia deixado para trás, em Cabul, Salim se convenceu de que até o policial com o coração mais endurecido teria pena de um adolescente solitário. O policial G saiu da sala e voltou com uma lata de refrigerante sabor laranja, o tipo que costuma agradar ao paladar infantil em todo o mundo. Ele abriu a lata e deslizou-a na mesa. Depois, acendeu um cigarro.

– Sua situação é ruim – relatou, apenas. Salim observou o rosto dele. Não havia como discutir. – E, se você não diz a verdade, só fica pior.

Distante da família, Salim não tinha nada a perder. Exausto e desesperado, o garoto ouviu uma nota mais suave na voz do policial, o tom de um pai que ralha com o filho. Tomou um longo gole do refrigerante. O gás formigou na boca e cobriu sua garganta com uma doçura reconfortante. Sentiu os ombros relaxarem, como o silvo suave da lata recém-aberta.

– Eu vou contar tudo – disse Salim, sem forças. – Vou contar minha história.

O policial se recostou na cadeira, deu um trago demorado no cigarro e assentiu, enquanto Salim retornava àquela noite mais tenebrosa do que o pecado.

CAPÍTULO 33

Salim

— Fique aqui. O médico já vem. – Salim viu o policial G sair da sala sem entender nada. Um médico? Sua mente parecia nublada, depois da noite insone. Era difícil se concentrar.

Uma hora depois, um homem com camisa de colarinho e calças compridas entrou na sala. Levava um jaleco branco de médico pendurado no braço e uma maleta de couro amarelada na mão. Era robusto, os botões da camisa pareciam prestes a arrebentar. O rosto era redondo, com queixos duplos que caíam melancolicamente. Parecia o personagem de um desenho animado russo que Salim tinha visto num vídeo sobre o mercado clandestino.

O médico resmungou algo ao entrar na sala. Deixou a maleta e o jaleco na mesa. De dentro da maleta, tirou um estetoscópio, uma pequena lanterna e um par de luvas de látex. Sentou-se na cadeira que o policial G tinha ocupado e gesticulou para que Salim se aproximasse. O garoto se levantou devagar e caminhou até ele.

O médico deu uma rápida olhada geral e depois ficou de pé para começar a inspeção. Acendeu a lanterna e examinou os olhos vermelhos e a boca seca de Salim. Gesticulou para que ele tirasse a camisa. Salim sentiu o cheiro do próprio azedume quando ergueu os braços. O médico não pareceu impressionado. Levou o estetoscópio ao peito dele e ouviu enquanto fitava o chão, inexpressivo. Examinou atentamente as axilas de Salim antes de desabar de novo na cadeira. Bateu na cintura da calça do garoto.

– Tire isso – disse, apenas.

Salim sentiu o sangue subir até as faces.

– Não! – exclamou.

Deu alguns passos para trás, colocando a mesa entre ele e o médico, que apenas soltou um suspiro cansado.

– Tire. Preciso olhar.

Examinou o relógio de pulso e voltou-se para Salim, esperando. O rapaz cruzou os braços, a pele arrepiada de raiva. O médico aguardou um momento, os dedos tamborilando na mesa. Seu rosto ficou sério, e os olhos se fixaram em Salim.

– Tire... AGORA.

Na voz havia um recado claro de que não havia como escapar da situação. Salim sentiu-se incrivelmente sozinho e pequeno. Respirou fundo algumas vezes antes de seguir as instruções, os dedos se atrapalhando com o botão e o zíper antes de baixar devagar a calça até a altura do tornozelo. A cueca parecia larga no quadril. Salim fitou o teto.

– Tire.

O médico tocou no elástico da cueca enquanto ajustava as luvas nas mãos grossas. Salim sentiu uma onda de calor. O que o homem estava procurando?

Sua respiração era uma exalação lenta e amarga, um esforço para expelir a humilhação num silvo de ar. Baixou a cueca até o joelho. O médico ajustou as lentes e observou com interesse a área entre as pernas de Salim. De dentro da maleta, tirou uma fita métrica de papel e utilizou-a para estimar se o corpo de Salim dava uma resposta diferente à questão da idade.

O rapaz nunca estivera nu na frente de ninguém, desde que era bebê. Parte dele queria dar um soco nos curiosos óculos do médico, enquanto outra parte queria se encolher em posição fetal e chorar. O exame acabou antes que pudesse agir.

– Tudo bem. Terminado. – O médico gesticulou para que Salim vestisse a cueca e a calça enquanto anotava num bloquinho que cabia na palma de sua mão. – Algum problema de saúde? – perguntou, enquanto o rapaz se apressava em puxar a cueca e a calça.

– Não. Nenhum problema.

– Quantos anos? – A pergunta voltou.

Ocorreu a Salim que esse devia ser o motivo da visita do médico, o que explicava sua atenção para o que havia entre as pernas do garoto, a parte que mais mudara nos últimos anos.

– Quinze – respondeu o menino, humildemente.

– Hum.

O médico fez uma breve pausa para examinar seu rosto e rabiscou mais algumas anotações. Recolheu seus instrumentos, recuperou o jaleco e saiu da sala sem mais conversa.

Sozinho, Salim começou a andar de um lado para outro, a raiva alimentada pela exaustão. Soltou um grito curto, que ressoou dentro do cômodo. Então gritou mais, cada vez mais alto.

Pôs as mãos e a testa na parede. Era fria e real, mais real do que o resto da situação. Levou a palma da mão direita até a parede uma segunda vez, com mais força.

E de novo e de novo, com cada vez mais força, Salim batia com a mão na parede fria, enquanto as últimas 24 horas giravam em sua cabeça: o policial o agarrando pelo cotovelo na saída da casa de penhores, a fumaça de cigarro soprada no seu rosto, o médico examinando seus órgãos genitais com mais atenção do que o agente da alfândega dera aos documentos de viagem da família, a mãe agitadíssima no hotel ou vasculhando as ruas, Samira amedrontada e quieta, o pai observando e balançando a cabeça, decepcionado. O peito de Aziz arqueando, desconfortável. As imagens explodiam acima dele como uma chuva de bombas, escorrendo pela cabeça e pelos ombros quando não havia mais para onde fugir e nada a ser feito.

Salim golpeava a parede com as mãos, enfurecido, em lágrimas. Não percebeu quando a porta se abriu atrás dele.

– Ei! Ei! – Salim sentiu uma mão empurrar seu ombro. Era o policial G, um cigarro pendurado no lábio superior. – Está doido?

Salim virou-se e tombou no chão, enfraquecido por aquela demonstração. Não comia desde a tarde do dia anterior. Quase como se o policial e Salim percebessem aquilo ao mesmo tempo, o homem saiu da sala e voltou com um prato com uns pedaços de kebab de frango e pão pita. Ele pôs o prato na mesa sem muita cerimônia.

– Coma.

A respiração de Salim ficou mais calma. As palmas das mãos ardiam, latejavam. Ele voltou para a mesa, derrotado. Pegou a comida e mastigou cada pedaço sem sentir gosto de nada. Fitou o prato, deixando os olhos ficarem úmidos e os músculos relaxarem. O policial observava Salim, um espécime mantido numa jarra de vidro. Cativante para seus captores.

Comeu sem erguer os olhos, sem pronunciar uma palavra. Talvez, se a barriga parasse de roncar, conseguisse descobrir um jeito de sair daquela encrenca. Talvez encontrasse um jeito de voltar para a mãe.

CAPÍTULO 34

Salim

DOIS POLICIAIS TURCOS FITAVAM SALIM e os outros refugiados. Amontoados num barco como gado, Salim e uma dúzia de outros imigrantes igualmente frustrados tinham sido devolvidos para Esmirna. Os turcos não estavam felizes em aceitar sua presença, mas eram as regras: refugiados deveriam ser devolvidos ao último país de onde tinham saído, e a esse país cabia o fardo de lidar com eles. Era a causa de um ressentimento persistente entre turcos e gregos. A entrega tinha sido tensa.

Salim observou o sorriso irônico dos policiais gregos ao entregarem uma pilha de papéis e desembarcarem sua carga em solo turco. Poucas palavras foram trocadas pelos dois lados, mas os sentimentos estavam nítidos.

Não é mais problema nosso, lia-se na expressão dos gregos.

Muito obrigado, camarada, era a resposta sarcástica no rosto dos colegas turcos.

Eles descontaram a frustração nos refugiados, agarrando as pessoas pelo braço e empurrando-as para dentro de um furgão que aguardava no porto. Pernas se sobrepunham, ombros se espremiam. Uma pequena janela na traseira pouco ajudava a ventilar um furgão cheio de refugiados, que tinham definhado numa cela grega durante dias, semanas, meses.

A cada passo, Salim prometera deixar a Grécia imediatamente, caso fosse solto. Seus pedidos se afogaram num mar de súplicas que as autoridades já tinham ouvido tanto de tantos outros que enfrentavam a deportação.

Salim queria ser o escolhido, a exceção da regra. Queria ser capaz de olhar para trás e se lembrar de como estivera perto de ser deportado, de como estivera perto de ser completamente separado da família. Mas tudo – o assento onde fora depositado, os cheiros em volta, as pessoas de pé à sua frente – denunciava que não havia a menor diferença entre ele e qualquer um dos miseráveis passageiros do furgão.

Alguns eram africanos, outros da Europa Oriental (Salim presumiu por causa da aparência e do idioma pouco familiar). Havia até alguns turcos. Não havia outros afegãos, e Salim se sentia ao mesmo tempo sozinho e aliviado. Não estava disposto a conversar quando a conversa não lhe serviria de nada.

Onde Madar-jan acha que estou? Será que encontrou a casa de penhores? Talvez tenham ido até a estação, para me esperar lá. Talvez tenham até embarcado no trem, achando que eu ia aparecer. Podem estar em qualquer lugar. Madar-jan, como deve estar nervosa! Como vou encontrá-la? O que posso fazer sozinho?

A mente de Salim era uma tempestade elétrica, momentos de paz interrompidos por relâmpagos de terror e um dilúvio de remorso.

Roshanee *tinha falhado*.

Os dedos brincavam com o relógio de pulso. Haviam se passado dois dias desde sua prisão.

Queria que você deixasse para ir à casa de penhores amanhã. Podemos parar por lá a caminho da estação de trem. Poderíamos ir todos juntos.

Se nos escondermos num quarto toda vez que ficarmos nervosos, nunca chegaremos à Inglaterra.

Salim deixou a cabeça pender. Já revivera aquela conversa mais de mil vezes.

Por que eu tive que retrucar? Por favor, Deus, não permita que essa tenha sido minha última conversa com Madar-jan.

Pensou em sua última noite com Padar-jan. Lembranças de coisas que se arrependia de ter dito se juntavam como contas num *tasbih*.

A viagem foi longa, apinhada. Foi um alívio sair dos veículos e entrar em outro edifício de aparência sombria. Foram levados para um grande aposento, e cada imigrante tentou encontrar um quadrado do chão de cimento para chamar de seu.

Salim fez fila com os outros e se apoiou numa parede de blocos de concreto. Tocou no tornozelo, na esperança de que ninguém estivesse observando. O maço de dinheiro continuava lá, bem onde havia amarrado. Rezou para não ser revistado. Se confiscassem o dinheiro, não teria mais absolutamente nada.

Horas se passaram. Uma latrina no canto recebia os dejetos. O ar ardia com o cheiro intenso de amônia. Dois homens soluçavam, sem se dar ao trabalho de esconder o rosto. A dignidade se perdera havia muito tempo.

Salim fechou os olhos. Um ou dois refugiados por vez eram levados da sala de detenção até outra, para entrevistas. Algumas pessoas voltavam, outras não. Salim não sabia ao certo o que seria melhor. Quando um guarda fez sinal para ele, o garoto se levantou e o seguiu por um corredor. Recebeu instruções para sentar-se diante de uma pequena mesa. O policial à sua frente o encarou, depois se voltou para o documento em cima da mesa.

Mantenha as respostas. Lembre-se do que contou a eles na Grécia.

As perguntas começaram. Salim já estava familiarizado com o processo.

De onde veio? Por que deixou a Turquia? O que estava fazendo na Grécia? Quem viajava com você? Qual é a sua idade? De verdade... qual é sua idade?

Sou do Afeganistão. Não quero ser refugiado na Turquia nem na Grécia. Estou sozinho. Tenho 15 anos.

Conseguiu responder boa parte das perguntas em turco, e o resto completou em inglês. O policial pareceu achar graça.

Quinze? Hum. O mesmo sorriso de desdém e desconfiança. *Por que saiu de seu país?*

Salim resolveu ser honesto, mas selecionando bem a verdade.

Queria ir para a Inglaterra. No meu país tem o Talibã. São perigosos. Não tínhamos dinheiro, escola, trabalho. Estão matando as pessoas.

Estariam pensando em devolvê-lo para o Afeganistão? Não podia voltar. Não conseguiria sobreviver sozinho.

Você é soldado?

Soldado? Não! Eu era estudante. Meu pai era engenheiro. Levaram meu pai e... Ele foi morto.

Salim ficou de coração partido ao pronunciar aquelas palavras. Pareciam ambíguas. Tinha sido conduzido e cutucado como gado, e ainda queriam arrancar mais dele.

Não quer ficar na Turquia?

Salim balançou a cabeça.

Mas fala turco.

Salim assentiu, sem saber se isso ajudaria ou atrapalharia.

Conhece alguém aqui na Turquia? Onde morou?

Eram perguntas mais delicadas. Salim contou ao policial que tinha conhecido alguns meninos, mas não sabia onde estavam. Tinha morado numa cidadezinha e trabalhado numa fazenda, mas não lembrava o nome. Não queria voltar para lá, garantiu à polícia.

O agente saiu e voltou com outro homem. Os dois ficaram do outro lado da porta, falando em voz baixa. Salim não conseguia ouvir o que diziam nem ler as expressões enigmáticas no rosto deles. Teria cometido um erro? Achavam que estava mentindo? O que estavam conversando?

A cabeça doía. A combinação de odores humanos, fome e fumaça de cigarro tinha culminado numa dor de cabeça avassaladora. Estava cansado, e a cadeira lhe machucava os ossos.

Os dois entraram juntos.

Você precisa ir embora da Turquia.

Salim assentiu.

Não pode voltar para a Turquia. E, se for preso em outro lugar, deve dizer que nunca esteve na Turquia. Não fale turco. Você fala um pouco de inglês. É o suficiente.

Salim não entendia muito bem o que os avisos queriam dizer. Chegava a parecer que vendariam seus olhos, rodariam algumas vezes e o empurrariam para o desconhecido. Iam devolvê-lo para a Grécia? Para o Irã? O agente não ficou satisfeito com a reticência de Salim. Talvez confundisse aquilo com outra coisa.

O homem avançou um passo largo e bateu na têmpora de Salim.

Ele ficou com muito medo.

Se voltar a ser encontrado na Turquia, será uma experiência muito desagradável para você.

Outro golpe. A orelha de Salim latejou. Ele manteve a cabeça baixa.

Compreende o que estou dizendo? Fala turco, não fala? Por que não quer falar agora?

Eu compreendo, Salim conseguiu pronunciar.

Um agente o agarrou de novo pelo cotovelo e o conduziu depressa, com grosseria, pelo corredor e por uma porta. Salim cambaleou, tentando não perder o equilíbrio.

Seus olhos arderam com a luz do sol. A mão subiu por reflexo.

Sentiu um golpe firme nas costas e caiu no chão. Outra bota atingiu suas costelas, e terra entrou em sua boca aberta.

Talvez tenha mesmo 15 anos. Você cai como menino, não como homem.

Um agente riu.

Não deve ser encontrado de novo na Turquia. Dê um jeito de sair e não volte.

Salim se levantou, hesitante, e assentiu. Tinha sido libertado. Bateram a porta. Salim ficou parado do lado de fora, sem saber se era uma armadilha ou um teste. Passou um tempo, e a porta não se abriu mais. Ninguém dobrou a esquina.

Salim deu pequenos passos para se afastar do edifício. Nada aconteceu. Com uma onda de adrenalina, começou a correr. Poderia fugir. Correu pelas ruas tranquilas e se escondeu atrás de alguns edifícios. Não sabia onde estava nem para onde ia, mas sabia que queria fugir da delegacia antes que alguém mudasse de ideia.

Salim ofegava, as mãos nos joelhos. A boca estava seca e arenosa. Tentou cuspir a poeira que cobria sua língua. O estômago deu cambalhotas, e ele vomitou bile na parede. Sentiu uma dor atravessar o lado esquerdo de seu corpo. Respirou fundo e esperou passar.

Não ouvia passos, nenhum barulho de policiais a persegui-lo. Não estavam procurando por ele, mas tinham sido claros: não queriam encontrá-lo outra vez. Salim precisava deixar aquela cidade o mais depressa possível. Tinha algum dinheiro. Será que conseguiria voltar para a Grécia sem passaporte ou outro documento?

O que eu faço? Madar-jan, por favor, me diga o que fazer!

Tentou se acalmar. Sentiu que os pensamentos rodavam, cada vez mais para longe dele.

Concentre-se. Pense. Você consegue.

Salim acalmou os pensamentos. Quando conseguiu controlar o caos em sua mente, ouviu a voz da mãe.

Encontre um lugar seguro. Encontre comida. Volte para a Grécia.

Salim olhou em volta. Não havia lojas nem bancas. Ninguém para abordar. Era como um dos meninos em Attiki. Tinha deixado sua história e entrado na deles, largado o privilégio de um passaporte e de uma família. Não tinha joias para vender e só lhe restavam as notas que mantivera escondidas. As jornadas que ouvira em Attiki, os sobreviventes que conhecera, tudo aquilo o assombrava.

A mente começou a clarear. Ele secou a boca com as costas da mão. *Devo estar com uma aparência horrenda.*

Salim percorreu as ruas sinuosas, procurando por uma área mais movimentada e pelas coisas de que necessitava: comida, abrigo e uma forma de voltar a Intikal.

Intikal era o único lugar que lhe ocorria. Em Intikal, poderia recorrer a Hakan e Hayal para que o ajudassem a encontrar a mãe. A ideia de voltar para a casa deles lhe deu conforto.

Foi fácil encontrar comida; estava desesperado e exausto o bastante para pagar. Precisaria de forças para continuar. O dono da loja franziu a testa com nojo, mas aceitou os euros suados que ele tirou da meia.

Pão de gergelim torrado, a comida mais barata que podia encontrar, acalmou seu estômago revirado. Era de tarde. Salim sentia os olhares sobre si, imaginava dedos apontando em sua direção. Mil tamborezinhos em sua cabeça imploravam para que dormisse.

Encontrou um sanitário público e fez o melhor que pôde para tirar a sujeira do rosto. Lavou o corpo com a água que juntou nas duas mãos. Moveu o braço esquerdo devagar, o corpo dolorido.

Os meninos de Attiki tinham falado sobre a viagem para a Grécia. Alguns haviam chegado lá em barcos de contrabandistas. Outros tinham se esgueirado em caminhões transportados pelos barcos. As duas formas eram perigosas. Todo mundo conhecia histórias de gente que perecia no mar ou que morria sob a carroceria de caminhões de carga. Salim não sabia sequer onde encontrar um contrabandista. Era melhor fazer a longa viagem de volta para Intikal, se reorganizar e encontrar um bom plano.

Era uma escolha dolorosa, mas saiu do banheiro com a triste decisão tomada. Pediu instruções e conseguiu chegar à rodoviária. Em seis horas partiria um ônibus para Intikal. Comprou uma passagem e esperou.

S<small>ALIM CAIU NO SONO COM O RONCO SUAVE</small> do motor do ônibus. Pelo menos dali até Intikal não haveria mais fiscalização, não haveria policiais. E pelo menos naquele país Salim conseguia se comunicar. A cabeça batia no encosto do assento em cada curva da estrada. Sonhou que estava no ônibus com Madar-jan, Samira e Aziz. Iam todos juntos para Intikal, um saco de joias e pertences pessoais guardados sob os assentos.

A viagem foi mais longa do que se lembrava, mas Intikal parecia a mesma cidadezinha acolhedora. Viu a mesquita onde abordara Hakan no primeiro dia. Foi uma boa sensação.

Passou pela loja onde ele e Kamal tinham furtado cigarros e balas por diversão. O dono estava de costas para a vitrine, abastecendo as prateleiras com caixas de biscoito, quando Salim enfiou as mãos nos bolsos e continuou andando.

Era início da noite. Ao longe, Salim via luz na casa de Hakan e Hayal. Poderia ter corrido até a porta e desabado no alpendre, mas tinha medo de alarmá-los. Deu passos lentos, deliberados, pensando no que diria. A respiração se acelerou. Os dedos tremiam quando bateu à porta.

Hakan atendeu. Os olhos se arregalaram ao ver o rapaz, que mal reconhecia.

– Salim!

– Sr. Yilmaz… – começou Salim. – Não tenho para onde ir.

– Entre, entre! – Hakan enfiou a cabeça na rua. – E os outros?

– Não estão comigo – respondeu Salim, sem rodeios.

Hakan franziu os lábios e levou Salim para a cozinha. Chamou Hayal, que pareceu ainda mais aturdida ao vê-lo. A mulher o envolveu em seus braços. Salim fechou os olhos. Era bom sentir aquele calor, mas também se sentia tão imundo que quase se afastou para poupá-la do contato. Hayal foi preparar um chá e esquentar um pouco de comida. Hakan e Salim sentaram-se à mesa da cozinha.

– Onde está sua querida mãe? E seus irmãos? Estão bem?

– Não sei. Acho que estão, mas não sei. Talvez tenham pegado o trem, talvez estejam esperando por mim na Grécia, mas não sei como vou voltar para lá.

As respostas foram vacilantes, estarrecedoras. Salim soava tão exaurido quanto se sentia. Hakan e Hayal trocaram olhares preocupados.

– Coma alguma coisa, meu garoto. Parece que nada entrou em sua boca há muitos e muitos dias! – Hayal lhe dispensava carinhos maternos enquanto Hakan tentava compreender o que se passara desde que a família deixara Intikal.

– Pegaram o barco para Atenas… todos vocês? E onde ficaram?

Salim estava exausto demais para filtrar o que compartilhava. Contou do primeiro hotel, depois falou sobre os afegãos que encontrou na Praça

Attiki. Falou da decisão de deixar o hotel e poupar dinheiro para as viagens e das noites frias que passaram na casinha do parque.

Hayal se encolheu, horrorizada, ao ouvi-lo contar sobre Fereiba e os irmãos mais novos dormindo sob a chuva fria. Salim prosseguiu. Falou sobre o Hotel Amarelo e as passagens de trem. Depois, contou a história da casa de penhores e da polícia. Começou a engasgar. Hayal pôs a mão sobre a dele. A delegacia de polícia na Grécia. A delegacia de polícia na Turquia, então o único lugar que lhe ocorreu: a casa da família Yilmaz, em Intikal. Que estranho que naquele momento Hakan e Hayal parecessem mais membros da família do que qualquer tio ou tia. Se Madar-jan soubesse que estava com eles, estaria bem mais reconfortada.

Hakan encostou-se na cadeira. Como pais, tinham o mesmo pensamento. A única possibilidade era ligar para o Hotel Amarelo, mas Salim não tinha o telefone do lugar.

– Talvez a gente consiga encontrar o número, mas vamos precisar de um computador – determinou Hakan.

– Um computador? A família de Kamal! Eles têm computador!

– Salim, a família de Kamal se mudou depois do casamento. Foram embora. Mas tenho outro amigo aqui perto que talvez possa ajudar. Vou visitá-lo e ver se ele consegue encontrar alguma informação. Primeiro, me conte tudo o que se lembra desse hotel.

Salim escreveu o nome e as ruas próximas da melhor forma que podia. Enquanto Hakan saía para descobrir o número de telefone, Hayal preparou um banho – coisa de que Salim muito precisava.

A água morna relaxou os músculos de seu pescoço, mas a mente permaneceu indócil. Não podia ficar ali para sempre. Precisava voltar para a Grécia.

Vestiu as roupas que Hayal separara para ele: calça e uma camisa que não cabiam mais nos filhos. Hakan voltou com boas-novas. Conseguira encontrar o telefone do hotel na internet. Salim, que estava cochilando no sofá, despertou de súbito, eufórico.

– Preciso ligar! Preciso ligar agora! Talvez estejam lá!

– Eu sei. – Hakan sorriu, mas pareceu hesitante. – Tenho um cartão telefônico. Podemos tentar ligar, mas... Salim, não se esqueça de que talvez tenham pegado o trem. Podem não estar mais lá, e isso não quer dizer que tenha acontecido algo de ruim.

Salim assentiu. Estava feliz por não ter que fazer o telefonema sozinho. Se conseguisse ou não encontrá-los, precisaria de companhia quando desligasse.

Hakan leu as instruções na parte de trás do cartão e discou vários números, até que a chamada finalmente foi completada. Ele entregou o aparelho para Salim, que empalideceu ao ouvir o toque do outro lado da linha.

Um estalo. Alguém pigarreou e murmurou alguma coisa.

Salim reconheceu a voz do velho.

– Por favor! Preciso falar com minha mãe. Minha mãe está aí?

As palavras eram uma confusão de inglês, turco e persa, um curto-circuito emocional entre língua e pensamentos.

– Quem é? – A voz do outro lado da linha estava confusa, desconfiada.

Hakan pousou a mão no cotovelo de Salim. *Devagar*, gesticulou. Salim respirou fundo e se concentrou no inglês.

– Por favor, meu nome é Salim. Eu estava no hotel com minha mãe. Preciso falar com ela. Ela está com meu irmão e minha irmã.

– Ah, o menino! Sua mãe está atrás de você. Está no quarto. Melhor ligar mais tarde. Estou ocupado.

– Não, não consigo ligar mais tarde! Por favor, minha mãe. Preciso falar com ela agora!

O velho detectou o desespero em sua voz.

– Tudo bem, tudo bem. – Ele resmungou algo em grego, que Salim não compreendeu.

O silêncio foi interminável. Hakan e Hayal observavam o rosto de Salim com ansiedade.

A voz de Fereiba chiou pelo aparelho. Salim deu um salto e, como um animal na coleira, tentou ir o mais longe que o fio enrolado permitia.

– Salim? Salim, *bachem*? É você? – A voz da mãe saiu trêmula.

– Sou eu, Madar-jan. Sou eu.

– *Bachem*, onde você está? Graças a Deus! Estava tão preocupada!

– Estou em Intikal, Madar-jan, com Kaka Hakan e Khala-jan. A polícia me pegou e me mandou para a Turquia.

– A polícia? Ah, meu Deus, você está na Turquia! – A mente de Madar-jan disparava enquanto absorvia o significado da notícia. – Está bem? Está ferido?

– Estou bem. Vou dar um jeito de voltar para a Grécia, mas não sei quanto tempo vou levar.

Não era exatamente que precisassem tomar uma decisão dolorosa. Na verdade, uma decisão dolorosa já havia sido tomada por eles. Salim falou primeiro:

– Madar-jan, a senhora está com os passaportes e as passagens. Pegue Samira e Aziz e vá para a Inglaterra o mais rápido possível. Tenho que encontrar um modo de voltar, mas talvez demore, porque não tenho os documentos. Se esperar por mim, Aziz pode piorar.

– Posso enviar seu passaporte pelo correio. Posso enviar para a casa de Hayal-jan. – A voz de Madar-jan estava carregada de culpa. – Salim-jan, e o dinheiro? A polícia tirou tudo de você?

– Não, eu tenho o dinheiro da casa de penhores. Se me mandar o passaporte, posso fazer a mesma rota e encontrar vocês na Inglaterra antes que possa sentir minha falta.

Parte dele queria que Madar-jan recusasse a proposta, que dissesse que o esperaria na Grécia e que todos partiriam juntos para a Inglaterra. E ela com certeza queria o mesmo, mas precisavam levar o coração de Aziz em consideração.

– Ah, meu filho... Que Deus o mantenha em segurança. Salim-jan, me dê o endereço deles. Vou enviar o passaporte. Sua amiga Roksana foi até a estação de trem. Ela nos viu. Sabia quem éramos. É tão gentil, falou que voltará aqui mais tarde. Ela pode me ajudar a mandar o passaporte.

Madar-jan tinha se encontrado com Roksana? Salim sentou-se de novo na cadeira e pousou a testa na mão. Com a cabeça pendendo, fechou os olhos e foi tomado por uma onda de gratidão.

Obrigado, Roksana. Obrigado.

Hakan bateu no relógio de pulso. O cartão telefônico acabaria em breve.

– Madar-jan, não tenho muito tempo neste cartão.

Ele se voltou para Hakan e pediu o endereço, que transmitiu para a mãe assim que Hakan conseguiu rabiscar no papel.

– Salim-jan, *bachem*... vou enviar a passagem e o passaporte. Perdão, meu filho, mas vamos ter que pegar o trem. Talvez amanhã. Aziz precisa de um médico. Tome muito cuidado, por favor! Diga uma oração a cada passo e mantenha os olhos abertos. Querido, acredite em mim, eu preferia não...

Silêncio. Salim segurou o fone. Enquanto a voz da mãe desaparecia, a viagem de Salim se transformava. Estava sozinho. Aquela seria a última noite em que a família Waziri poderia dormir em relativa paz, ciente de onde e como estavam todos. A família de Salim encontrara Roksana, e ela os guiaria nos próximos passos. Fereiba estava reconfortada por saber que Salim estava com Hakan e Hayal. Naquela noite, se pudessem não pensar no dia seguinte, todos conseguiriam descansar um pouco.

Salim se arrastou para o colchão familiar e adormeceu em segundos.

DESPERTOU PELA MANHÃ, OS OLHOS SE ABRINDO para o mesmo reboco rachado que fitara por meses. Voltou às falhas, aos lugares onde a pintura tinha descascado e o teto aparecia, exposto como de fato era. Passou os dedos no cabelo e nos braços. Tocou a lateral do corpo, gemendo quando chegou ao quadril. Esperava sentir as mesmas linhas em seu corpo, lugares onde o peso da carga começara a rasgar a fachada e a expor seu corpo como de fato era.

A luz da manhã entrou pelas finas cortinas de algodão. A neblina estava se desfazendo. Salim tinha dormido mais da metade de um dia e despertara com uma clareza renovada.

Teria que esperar o passaporte. Poderia demorar duas semanas para chegar. Seriam duas semanas sem renda. Só havia uma coisa a fazer. Salim se levantou e abotoou a camisa. Voltaria para a fazenda.

O SR. POLAT DEU UM SORRISO AFETADO E CUSPIU, mas precisava da ajuda. Ordenou que Salim fosse para o campo e começasse o trabalho. A mulher armênia riu ao vê-lo, como se soubesse o tempo todo que ele voltaria. Balançou a cabeça e voltou a trabalhar, resmungando baixinho que ele não compreenderia nem se tivesse berrado para os céus.

Mas Salim compreendia.

De que adiantou? Fez as malas, pegou um barco, rezou e o que aconteceu? Nada mudou, porque nada vai mudar. Tentou se livrar dessas plantas, mas elas só vão prender você com cada vez mais força.

Salim não respondeu, mas ficou um tempo de costas para o sol, a sombra atarracada e nítida entre os tomateiros. A velha estava errada. Tudo mudara desde que estivera naquela fazenda. Ele se transformara num verdadeiro refugiado, mas era um refugiado que vira o mar. Ouvira o som das ondas e sentira o cheiro salgado da água. Cada passo da jornada tinha alterado seu ser, transformado sua essência de forma irreversível. Atravessara as águas uma vez, e atravessaria de novo – não na companhia da família, mas das minúsculas mutações do seu ser que lhe davam a força para fazer tudo sozinho.

CAPÍTULO 35

Fereiba

Não desejo que mãe nenhuma tenha que enfrentar a decisão que precisei tomar. Nada poderia ser mais difícil.

Carrego o peso de uma culpa tão grande que consumo cada grama de força só para botar um pé na frente do outro e seguir em frente.

Não vou saber como Salim conseguiu voltar para Intikal até rever meu filho. Não devia ter permitido que ele deixasse aquele quarto de hotel. Devia ter agido como mãe, erguido a voz e ordenado que ficasse. Senti a pele arrepiar naquele dia, quando ele falou que ia ao mercado. Pode uma mãe cometer pecado maior do que ignorar a intuição? Deixei a sensação de lado porque queria dar a ele o espaço que desejava, o espaço que o pai acreditava ser necessário para que se tornasse um homem.

Mamude nem sempre tinha razão. Agora vejo, tão claro quanto esse céu azul e brilhante. Ele tomava decisões com a mente. Defendia o que acreditava ser correto, lógico e bom – todas as noções românticas que nos falharam. Cabul não era lugar para ideais. Eu sabia. Falei isso para ele. Os ideais e os anjos da guarda são para as crianças e para os tempos de paz. Não têm lugar neste mundo. Devíamos ter deixado Cabul muito antes, seguido meus irmãos até lugares mais seguros enquanto ainda estávamos inteiros. Permiti que ele descartasse minha intuição, torcendo nosso nariz para os avisos de Deus.

Odiá-lo, porém, seria outra blasfêmia.

Ele não está aqui e não posso alterar o caminho que decidimos juntos. Não posso mudar as conversas que tivemos. Fiquei a seu lado porque o amava, confiava nele e queria honrar as escolhas que fizemos. Sua bondade, o néctar que ele oferecia ao mundo, atraiu uma, depois duas, e enfim um enxame de abelhas. Elas o rodearam, zumbindo, até o momento em que soltaram o veneno. Mesmo depois de sua partida, ainda ouço o zumbido em torno de minha família. Mas foi culpa minha. Deixei que Salim, meu primogênito, saísse pela porta e encontrasse um mundo cruel. Agora choro porque ele não voltou. Sou a mãe que jurei que nunca seria.

Tenho motivos para minha escolha. Aziz está com uma aparência terrível. Não ganhou peso, e vejo a tensão em seu rosto pálido, a minúscula veia azul passando por suas têmporas, os ossos de sua coluna parecendo contas num fio. Preciso encontrar ajuda para ele, para que possa sobreviver e reencontrar o irmão. Está tão leve nos meus braços... É meu filho caçula, e o carregarei quanto puder, pois o menino me fará mãe por mais tempo. Quando está desperto, observo seus movimentos. Também vejo Salim nele. Aziz é bem parecido com o irmão mais velho: teimoso e resiliente. Cada um enfrenta suas próprias dificuldades, mas Salim já sabe andar sozinho. Sua voz, vinda da segurança da casa de Hakan e Hayal, disse que ele é capaz de encontrar o caminho.

Tomei uma decisão. Pegamos o trem em Atenas. Poderia ter feito as coisas de um modo diferente? Poderia. Mas minha intuição me avisou que Aziz não conseguiria. Me perdoe, Salim, mas não podemos esperar por você. Por seu irmão, o irmão que sei que você ressente e adora, tive que seguir em frente.

Não há nada pior do que escolher entre dois filhos. Peça que eu escolha entre meu braço direito e o esquerdo, e lhe darei um deles. Mas peça que eu escolha entre dois de meus filhos, e meu coração se parte em mil pedaços. Os filhos são tocados pelo céu – cada respiração, cada risada, cada toque é como um gole de água para quem vaga no deserto. Eu não poderia saber disso quando criança, mas sei disso como mãe, uma verdade que aprendi à medida que meu próprio coração cresceu, se dobrou, dançou e se partiu por cada filho.

Samira me observa em silêncio. Não é mais uma menina, seu corpo assumindo as delicadas curvas de uma jovem mulher. Graças a Deus, parece ser mais sábia do que eu era quando tinha a sua idade. Eu era ingênua. Penso em como eu confiava nas pessoas – o garoto no pomar, KokoGul... Imagino que minha filha se mantenha calada porque sabe que as palavras não significam nada. Desde que deixamos Cabul, ela demonstra a força tranquila de uma mulher. Fez tanto pelo irmãozinho quanto eu: embalou-o durante seus acessos suados, alimentou-o com paciência quando ele rejeitava a comida e suportou o peso de nossas bolsas quando não consegui carregá-las. Tudo isso importa bem mais do que qualquer palavra que ela pudesse pronunciar, embora eu anseie por voltar a ouvir sua voz. Mais do que qualquer outra coisa, quero ouvir seu riso.

Ela sente falta de Salim. Está incompleta sem o irmão e não falará até que ele volte – até que algo lhe seja devolvido por esse mundo, que não para de tirar. Seu coração espelha o meu, e é por ela que seguro as lágrimas. Já aguentei o suficiente. Estou cansada de ficar encurralada. Todas as manhãs, quando acordo e descubro que nada mudou, penso que estou acabada.

E estaria mesmo, se não fosse por meus filhos. Por eles, não posso me sentir derrotada.

Pode ser que eu volte a encontrar Salim. Pode ser que eu envolva meu filho mais velho nos braços, escute sua voz e consiga que ele retorne para a família. Mas, mesmo se tiver essa sorte, não serei mais a mesma. Serei para sempre uma mãe que abandonou um filho. É o inferno onde vivo agora e onde viverei para sempre.

O trem saiu da estação. Estamos a caminho. As pessoas nos encaram, mas nossas passagens não foram questionadas nem nossos documentos. Alguns diriam que temos sorte, mas a sorte é relativa.

Samira fita a janela. A cabeça de Aziz está pousada a seu lado. Ela está pensando no irmão mais velho, sem dúvida, e perguntando a si mesma se a mãe tomou a decisão certa. Não tenho como explicar. É algo que não pode ser dito em palavras.

CAPÍTULO 36

Salim

SALIM CORRIA PARA CASA TODOS OS DIAS, desejando que o passaporte e a passagem de trem tivessem chegado a Intikal. Uma semana depois, se aproximara de Hakan, sem graça, e apresentara algumas notas para compensar a hospedagem e a alimentação. Hakan balançara a cabeça e pedira que Salim não falasse mais em dinheiro. O garoto mordera o lábio e assentira, num gesto de agradecimento pouco eloquente, mas fácil de compreender.

Dez dias se passaram, e não havia sinal do envelope da mãe. O humor de Salim só piorou ao notar o interesse de Ekin por seu retorno. Ela ficava nos fundos da casa da fazenda, fingindo ler ou cuidar da horta que a esposa de Polat mantinha atrás da cozinha. Esforçava-se para ficar sempre visível, observando Salim de canto de olho. Dizia coisas que ele não queria nem precisava ouvir.

– Aonde você foi? – Ekin riu. – Meu pai passou dois dias resmungando, quando você não voltou. Tem sorte de ele ter deixado que voltasse ao trabalho.

Polat volta e meia aparecia e a enxotava de volta para a casa, mas parecia não perceber o fascínio dela por Salim. As conversas eram desequilibradas. Ela falava e Salim ouvia, com medo de dizer algo que pudesse ser mal-interpretado. Segurava a língua enquanto a jovem tagarelava sobre a escola, o rádio e coisas que ele não queria saber.

Dezesseis dias, e ainda nenhum sinal do passaporte. Salim estava com problemas para dormir. Hakan tinha tentado telefonar de novo para o hotel, mas o dono avisara que a família já tinha partido havia muito tempo. Salim esperava que isso queria dizer que tinham pegado o trem, possivelmente com a ajuda de Roksana. Talvez já tivessem até chegado à Inglaterra, embora não soubesse muito bem se Madar-jan tinha um plano para ir da Itália até a Inglaterra.

O passaporte era um assunto completamente diferente. Salim não podia saber se os documentos haviam sido enviados ou se seguiram para um endereço errado. Talvez tivessem sido confiscados pelos correios. Teria que esperar. O livreto precioso com sua fotografia tão séria e a data de nascimento inventada era a única forma de escapar das armadilhas mortais mencionadas pelos meninos de Attiki. Lembrava-se das figuras sinistras que os transportaram pela fronteira até o Irã. Vira o homem pressionar a mãe por mais dinheiro e ouvira histórias piores de outras pessoas. O mundo subterrâneo não tinha leis, códigos nem redes de proteção. Algumas pessoas eram transportadas com sucesso, outras não. Ninguém sabia o que de fato acontecia no mundo sombrio do contrabando, afora algumas histórias que vinham à tona.

NUMA TARDE DE SEGUNDA-FEIRA, Ekin passeava atrás da casa enquanto Salim lavrava o solo para receber a nova plantação e pensava no que faria caso o passaporte não chegasse até o fim da semana.

– Aposto que a água fica preta quando você se banha – provocou a jovem, com um sorriso maroto.

Salem manteve a cabeça baixa e fincou a enxada com força na terra. A garota não entendia muito bem por que ele não rira com ela.

– Você não fala muito. Não sei por que é tão quieto. Você trabalhava numa fazenda, no lugar de onde veio? Moro aqui desde que nasci, mas aposto que você já colheu mais tomates num dia do que eu fiz na minha vida inteira.

Se estivesse em outro estado de espírito, Salim talvez percebesse que a menina estava tentando elogiá-lo. Para ele, Ekin era tão reconfortante quanto uma lixa.

A jovem usava blusa e saia plissada pouco abaixo do joelho. Estava apoiada numa estaca da cerca e começou a brincar com o elástico das meias, puxando uma até o joelho, depois outra. Salim pensou em Roksana. As duas eram tão diferentes.

– Sua mãe também trabalha? – insistiu a jovem.
– Não.
– E seu pai?

Ela não desistia. Os dedos de Salim agarraram o cabo da enxada com tanta força que até ele se surpreendeu. Balançou a cabeça.

– Tenho que terminar meu trabalho. – As palavras se estenderam, tensas, prontas para o ataque.

Ekin não lhe deu atenção.

– Eu sei. Você é um bom trabalhador, foi por isso que *baba* o aceitou de volta. Ele falou que você não é como os outros. – Ekin franziu os lábios. – Ouvi dizer que alguns dos imigrantes trazem drogas. *Baba* diz que é o que deixa tanta gente lenta e preguiçosa.

– Ekin, me deixe em paz! Estou trabalhando! – vociferou Salim.

Não suportaria nem mais uma frase. Ekin ficou boquiaberta.

– Está gritando comigo? – retrucou a jovem, se endireitando.

– Você não sabe nada sobre minha família nem por que trabalho aqui nesta fazenda. Estou cansado de ouvir essas baboseiras!

– Sei mais do que você! – exclamou a jovem, na defensiva. – E você não sabe conversar com alguém que está tentando ser gentil. Só sabe de tomates e estrume! Pelo menos eu vou para a escola e não sou fedorenta! Talvez você devesse aprender algumas coisas, antes de gritar como um doido!

– Você se acha sabida? Pois não sabe de nada! Eu também ia à escola, mas as escolas fecharam quando começaram os bombardeios. Partimos e viemos para esse país, e aqui eu trabalho para ganhar quase nada. Trabalho para tentar ficar com minha família... para alimentar minha família. Sabe como é ser sozinha? Sem ninguém para ajudar? – A voz de Salim vacilou.

Ainda estava com a enxada na mão e trabalhava no solo com uma fúria concentrada. Quase esquecera que Ekin estava ali, a menina não era relevante em meio àquela explosão.

– Não sei onde está minha família – continuou Salim, num sussurro melancólico. – Seu *baba* acha que me paga muito, mas trabalho muitos dias em troca de nada. Só voltei para cá porque não tenho opção.

Ekin ficou quieta. Finalmente.

Salim controlou a raiva e se concentrou no que precisava fazer. Não ergueu os olhos nem viu a expressão no rosto da garota. Não viu quando seus olhos se encheram de lágrimas nem o modo como ela mordeu o lábio nem como se afastou, trêmula. Cavar, tirar, levantar. Cavar, tirar, levantar. Ele manipulava a enxada porque era tudo o que podia fazer.

Depois disso, passou quase uma semana sem ver Ekin. A explosão a afastara, e ele não sentia remorso algum. A cada dia, tornava-se mais irritadiço. Já fazia quase três semanas desde que conversara ao telefone com a mãe. Não sabia por quanto tempo poderia continuar acalentando a esperança de que seu passaporte chegaria.

Então Ekin voltou. Era de manhã cedo, e Salim estava indo para o estábulo, depois de uma rápida saudação a Polat, que já levava o arado na direção de um campo ao longe. O Sr. Polat em geral se mantinha distante, trabalhando longas horas, mas sem qualquer proximidade com Salim ou com a mulher armênia.

Ele entrou no estábulo para conferir os cochos. Procurou um balde para encher de água fresca.

– Salim. – A voz da garota era um murmúrio encabulado.

– Humm – grunhiu ele.

Nem se deu ao trabalho de se virar para encará-la, só foi revirar uma pilha de equipamentos, tentando encontrar um balde.

– Eu... Eu sinto muito.

Ekin estava atrás dele. A alguns centímetros de suas costas. Salim sentiu os dedos em seu ombro e ficou tenso. Um pedido de desculpas. Não tinha antecipado aquilo.

– Não quis dizer...

Ele assentiu com a cabeça baixa, um reconhecimento silencioso do gesto dela. A menina parecia sincera, e ele estava exausto demais para sentir raiva. As palavras significavam mais do que imaginava que significariam. Aquelas palavras o fizeram se sentir mais humano do que em muito tempo. Seu humor se abrandou.

Os dedos de Ekin deixaram seu ombro e foram para sua nuca, numa trilha lenta e deliberada. Salim ficou paralisado, sem saber o que ela estava fazendo. Tinha medo de se mexer. Seu toque era surpreendentemente suave, mais suave do que as palavras tinham sido. Ela se aproximou. Salim sentiu sua respiração morna na nuca.

O que ela está fazendo? Tenho que me afastar. Tenho que...

Os dedos de Ekin se prenderam no cabelo escuro dele e voltaram para o pescoço e os ombros. A outra mão tocava seu ombro e se demorava no braço. Estava vacilante, mas, como Salim não se afastou, Ekin se inclinou e apertou o rosto no espaço entre os ombros dele. Algo se avivou. Os olhos de Salim se fecharam.

Ekin empurrou-o com delicadeza para o fundo do estábulo, para longe da luz do sol. O feno estalava sob seus passos. Os pés seguiam a orientação dela, mas Salim não se virou para olhá-la. Não podia encará-la. A luz era fraca, os feixes penetravam por orifícios do telhado de tábuas.

Por que ela está fazendo isso?

– Só queria conversar com você – murmurou Ekin, tão baixo que Salim não tinha certeza se ouvira ou imaginara.

Ele se virou devagar, o corpo curioso agindo sem pensar. Estavam cara a cara, mas a escuridão era generosa. Ekin tocou o rosto dele. Foi fácil para Salim desconsiderar cada conversa terrível. Havia algo de delicado, empolgante e irresistível em relação àquele momento. As mãos deles se moviam com vontade própria, viajando para a cintura fina, acompanhando os contornos do quadril, subindo... Ekin roçou os lábios no rosto dele. Salim virou o rosto, e as bocas se uniram. Desajeitadas e úmidas. Salim sentiu outra parte de si se encher de ansiedade. Enquanto os olhos ficassem fechados, conseguia ignorar o mundo.

Os pés dos dois se arrastaram na palha.

– Salim... – sussurrou Ekin.

Ele abriu os olhos e recuou de repente, como se tivesse encostado num fogão quente.

Milhares de pensamentos passaram por sua mente em disparada. E se o Sr. Polat entrasse naquele momento? Por que estava tocando Ekin? Deu um passo para trás e bateu na parede. A garota deu um pulo, surpresa com a mudança súbita.

– Eu preciso... Você precisa ir – foi tudo o que Salim conseguiu dizer.

Ekin hesitou, então deu uma volta e saiu correndo do estábulo. Salim ficou ali, parado, imaginando que desfecho deveria esperar daquilo. Se o pai ou a mãe dela descobrissem... seu coração disparou só de pensar.

Andou de um lado para outro, se perguntando se deveria sair antes que Polat viesse atrás dele. Esperou, esforçou-se para ouvir a aproximação furiosa do fazendeiro. Nada. Salim se aproximou devagar da porta do estábulo e espiou para fora, apreensivo. Ao longe, viu o Sr. Polat ainda no arado.

A Sra. Polat estava nos fundos da casa, pendurando lençóis num varal. Não havia sinal de Ekin.

Voltou a trabalhar, hesitante, mas horas se passaram antes que seus batimentos voltassem ao ritmo normal. Os olhos iam de um lado para outro enquanto ele trabalhava, com medo de ser surpreendido. O pôr do sol chegou, e Salim partiu, cansado e suado depois de um dia extraordinariamente exaustivo.

SALIM SE VIU DE VOLTA AO CAMINHÃO, na manhã seguinte, tentando entender se caminhava para uma armadilha. Aproximou-se da fazenda tenso, atento, mas, como no dia anterior, Polat mal registrou sua presença. Salim permaneceu alerta o dia inteiro, mas ficou grato por Ekin não ter aparecido. Tinha pensado sobre aqueles momentos no estábulo, intrigado por seus atos e incapaz de decifrar suas motivações.

Que garota toca num garoto? Que desavergonhada!

Mas também se perguntava por que Ekin se aproximara dele. O tom condescendente e os comentários desdenhosos… tudo aquilo era fachada?

Ficou ainda mais intrigado com a própria reação. Não se afastara.

O corpo reagira com vontade própria. Ainda sentia a pele dela sob a ponta de seus dedos, as curvas quase maduras sob suas mãos. Na noite anterior, desperto no colchão, deixara que os dedos percorressem sua nuca do mesmo modo que Ekin fizera. Sentiu um arrepio.

Ficou imaginando se Ekin se afastara por estar zangada ou envergonhada.

De tempos em tempos, vislumbrava a jovem olhando pela janela dos fundos ou saindo pela porta lateral. Permanecia esquiva. Salim ficou grato. Não tinha palavras para ela.

COM O PASSAR DOS DIAS, SALIM SE TORNAVA ainda mais indócil, à espera do envelope que a mãe lhe prometera. Verificara até com os vizinhos, querendo saber se o passaporte não havia sido entregue no endereço errado. Um mês se passou, sem sinal do documento. Por mais otimistas que Hakan e Hayal tentassem parecer, Salim percebia que os dois também começavam a achar que o envelope nunca chegaria.

Ekin finalmente interrompeu o silêncio. O sol estava se pondo, e Salim acabara de plantar um saco de sementes que Polat lhe entregara. Estava na época da semeadura do inverno, e o agricultor queria plantar beterraba. Salim tinha guardado as ferramentas no estábulo, empilhadas num canto, e se espreguiçava. Ouviu o feno estalando e se virou. A silhueta esguia de Ekin estava perto da porta. Ela não se aproximou.

– Acabou? – perguntou, em voz baixa.

Desviou os olhos, um pé atrás do outro, numa postura tímida. Salim notou seu desconforto e sentiu uma onda de piedade.

– Acabei – respondeu.

Ficou onde estava. A distância entre os dois era uma proteção.

– Não gosta de trabalhar aqui. – Era uma afirmação, não uma pergunta.

Fosse o que fosse que pretendia dizer, Ekin havia ensaiado. Salim quase conseguia imaginá-la observando de longe, pensando no que diria.

– Achei que talvez... Não era minha intenção deixar você zangado nem triste. Eu não sabia. Quero que pegue isso e não volte mais aqui. É melhor se você não voltar mais.

Na mão estendida havia algo envolto por uma folha de caderno.

– O que é isso?

– Apenas pegue e vá embora. Por favor... vá embora. – A voz dela parecia tensa, como uma criança à beira de um ataque de choro.

Ekin deu alguns passos na direção dele, mas se manteve distante. Salim era um fogo que a queimaria caso se aproximasse demais.

O embrulho estava a seu alcance. Salim pegou. Ekin era imprevisível, mas seu comportamento tinha mudado. Sentia que a garota não estava brincando e que a oferta não fora resultado de uma decisão fácil.

Seus dedos se fecharam em torno do embrulho. Ekin deu meia-volta de repente e saiu do estábulo correndo. Salim assistiu à sua partida antes de desfazer o embrulho cuidadosamente. Dentro, havia um grosso maço de notas. Os olhos dele se arregalaram. Era mais dinheiro do que podia calcular, e em notas de diferentes valores.

Salim entrou em pânico, dobrou as notas e as enfiou no bolso. Ficou ouvindo com atenção para ver se passos se aproximavam, mas não houve nada. De onde Ekin tinha tirado aquilo? Quando viu que não havia ninguém por perto, ele se escondeu de novo e tirou o dinheiro do bolso. Enquanto manipulava as notas, seu coração se acelerou, e ele começou a suar. Restou apenas uma pergunta.

Devo aceitar?

Depois de meses trabalhando arduamente por cada lira, depois de vender as últimas joias de Madar-jan por alguns euros e depois de roubar para alimentar a família, Salim não conseguia enxergar outra possibilidade. Precisava daquele dinheiro e acreditava que o merecia. Guardou o maço de volta no bolso e alisou a camisa para disfarçar o volume. Depois de respirar fundo, saiu do estábulo e atravessou o pátio em direção à estrada. Não se virou nem parou para ver se a velha da Armênia estava atrás dele.

Sentou-se na traseira e apertou o bolso contra a lateral do caminhão. Manteve a cabeça baixa e não olhou para ninguém enquanto viajava pela estrada poeirenta de volta à cidade.

No bolso, levava um punhado de esperança. Poderia pagar para que um contrabandista o fizesse atravessar as águas e voltar para a Grécia. Na última semana, Salim chegara à silenciosa conclusão de que o passaporte não chegaria. Cada dia que permanecesse em Intikal seria um dia perdido. Àquela altura, já poderia ter se reunido com a família. O dinheiro no bolso o impelia a tomar a decisão que sabia que precisava tomar.

Também sabia que o dinheiro que Ekin lhe dera tinha sido roubado do pai. Não havia como voltar para a fazenda Polat.

Preciso disso. Aguentei as ordens do Sr. Polat de fazer isso e aquilo e depois tudo de novo porque não estava bom o bastante. Não pude nem discutir quando ele se recusou a pagar. Esse dinheiro pode me tirar daqui e me devolver à minha família. O que importa quais foram os motivos para ela fazer isso?

Quando entrou na casa pela porta lateral, já tinha tomado a decisão. Ouviu Hayal na cozinha. Não tinha como explicar o dinheiro. Não havia explicação. Precisava partir para o porto imediatamente e arranjar um barco para Atenas. Era a única forma.

Assim que teve certeza de que Hakan e Hayal tinham se retirado para a cama, Salim contou e recontou o dinheiro até se convencer de que era real e o suficiente para voltar a seguir viagem. Era bem mais do que a casa de penhores dera pelas pulseiras da mãe.

Salim nunca vira a mãe sem aquelas pulseiras de ouro. Sabia apenas que tinham pertencido à avó, um presente para a filha que nunca conhecera. Sentiu o relógio do pai no pulso.

Madar-jan devia sentir o mesmo em relação às pulseiras. Eram seu único vínculo com a mãe.

Mesmo sem ter ideia de onde a mãe estava, conseguia vê-la e ouvi-la com mais clareza do que em todos aqueles meses que tinham viajado lado a lado, trocando cotoveladas em ônibus e barcos, dormindo no mesmo cômodo, cuidando de Samira e Aziz. A neblina se dissipou, e a mãe se materializou diante dele. Salim fechou os olhos no escuro e se deixou envolver pelo abraço clemente de Madar-jan. Rezou para ter uma nova chance.

CAPÍTULO 37

Salim

Foi mais difícil se despedir de Hakan e Hayal daquela vez. Embora tivesse dinheiro e determinação, Salim não possuía os documentos que facilitariam as travessias.

Os bondosos anfitriões ficaram surpresos com a súbita decisão, mas não tentaram dissuadi-lo. Hayal juntou comida, dois pares de meia de lã, três camisas e uma jaqueta corta-vento. Salim enrolou as roupas e as enfiou numa pequena mochila, que pendurou no ombro. Um vento fresco anunciava a chegada da estação mais fria, e as camadas extras poderiam representar sua salvação.

O maço de notas ficou dentro do bolso, num lugar onde ele podia sentir o volume reconfortante roçando no quadril. Se fosse pego, o dinheiro seria encontrado, mas Salim não conseguia se obrigar a colocá-lo em outro esconderijo.

Refez seus passos e pegou o ônibus de volta para a costa. A pele se arrepiou quando o veículo se aproximou da delegacia de Izmir, onde fora dispensado com tanta brutalidade.

As mãos ficaram úmidas. Em sua solidão, não havia muito que pudesse fazer para reunir forças. Recorreu às palavras que ouvira os pais sussurrando nos momentos de dúvida e esperança e quando desejavam sentir conforto.

Bismillah al Rahman al Raheem...
Em nome de Alá, o mais clemente, o mais misericordioso...

Salim tinha considerado os dois caminhos que conhecia para chegar à Grécia. Sabia que poderia procurar um contrabandista para atravessar as águas, o que custaria muito dinheiro, ainda mais se o homem farejasse seu desespero. Se consumisse todos os recursos que possuía, não teria como deixar a Grécia a caminho da Itália.

Os garotos em Attiki tinham falado sobre pessoas que atravessaram o mar em barcos de carga saindo da Turquia e seguindo para Atenas. Os caminhões eram transportados em navios. Jamal contara como algumas pessoas faziam. Não era uma perspectiva muito otimista.

Primeiro, é só entrar debaixo da carroceria de um caminhão quando ninguém estiver olhando. Os portos são movimentados, então isso tem que acontecer quando o motorista e os guardas estiverem distraídos. Aí você precisa ficar lá, sem se mexer, até o caminhão ser carregado para o navio. Quando estiver no navio, você terá que ficar completamente imóvel e sem fazer barulho, por mais longa que seja a viagem. A parte complicada é a última parada, porque você terá que saltar sem que ninguém perceba.

Em algum ponto entre Intikal e a cidade portuária, Salim decidira tentar atravessar por conta própria. Os contrabandistas representavam um risco grande demais, e ele não podia perder todo o dinheiro quando ainda tinha tanto pela frente.

Saltou do ônibus e dobrou depressa numa pequena rua transversal, a fim de se orientar. Examinou a área discretamente, para ver se havia algum sinal de homens de uniforme. Precisava chegar ao porto. Já estava de tarde, e era pouco provável que conseguisse se esconder rápido num caminhão, mas seria melhor se pudesse encontrar um local seguro nas imediações para passar a noite.

Perguntou a um lojista como poderia chegar ao porto e foi instruído a pegar outro ônibus. O ônibus local, bem menor, o levou ao lugar onde a cidade encontrava o mar. Viu os mesmos navios imensos atracados e os menores que flutuavam perto do cais, com grupos de pessoas entrando e saindo. Com os guardas, os tripulantes e os passageiros rodando por ali, não daria para disparar rampa acima.

Seja inteligente. Seja muito cuidadoso.

O porto estava agitado. Salim ficou do outro lado de uma rua que funcionava como divisa entre a cidade e as docas. Além dos portões, via vários contêineres, grandes caixas de transporte retangulares, em diferentes cores, com inscrições nas laterais. Percebeu que alguns estavam sendo levados para um navio.

Como saber quando o contêiner vai ser transportado ou para onde vai?

Passou a noite observando os barcos, estudando os procedimentos, examinando os detalhes do cais. Precisava encontrar os vãos, os lugares onde teria boa chance de passar sem ser notado.

Mais adiante, havia uma doca onde as pessoas entravam e saíam em barcos de passageiros. Salim, a mãe e os irmãos embarcaram ali para chegar a Atenas. Como aquela travessia tinha sido diferente! Estavam petrificados pelo medo de serem pegos, mas ainda juntos. Tinham se deleitado ao verem e ouvirem o mar.

Não tínhamos ideia de como as coisas eram fáceis naquela época. Como seria bom se tudo pudesse ser tão simples de novo.

Salim continuou andando até chegar a uma área gramada, isolada, próxima à autoestrada, ao lado do porto. Ficava logo atrás de uma obra, e viu os trabalhadores guardando as ferramentas e se dirigindo para a rua. Tinha uma boa visão das docas. Usou a mochila como almofada, apoiou-a numa árvore e estudou a cena. Já estava tarde, e era mais difícil enxergar o que acontecia a distância, mas prestou muita atenção mesmo assim, esforçando-se para observar o que conseguia. Uma hora depois, um crepúsculo magnífico tingiu o céu com tons de laranja e roxo. Em poucos instantes, havia escurecido, e Salim ficou completamente sozinho.

Pegou a mochila e andou hesitante até o pequeno prédio nas proximidades. Ainda estava em construção. Olhou com cuidado pelas janelas empoeiradas e não encontrou ninguém. Havia canos expostos, tijolos e ferramentas por toda parte. As portas estavam trancadas. Foi até os fundos do prédio e tentou as janelas. Teve sorte. Esgueirou-se por uma janela destrancada e aterrissou com uma pancada seca no interior do esqueleto de um aposento onde havia apenas o esqueleto, ainda sem paredes. Cada rangido e uivo o deixavam arrepiado. Vestiu mais uma camisa, fechou a jaqueta e estendeu as pernas sobre uma lona cinzenta dobrada.

Salim despertou com as vozes de homens a distância. Abriu os olhos devagar.

Os trabalhadores da construção! Amanhecera, e os homens tinham voltado para um novo dia. Salim agarrou a mochila e saiu janela afora antes que pudessem chegar aos fundos. Ouviu vozes e gritos, mas não parou nem se virou. Correu, disparando entre os carros, atravessou a autoestrada e se escondeu atrás de um edifício residencial. Estava arfando, a língua espessa e seca como se estivesse coberta com a poeira branca que tirara das roupas e do cabelo. Confiante que ninguém o perseguia, caminhou até uma lanchonete para comprar uma garrafa de suco, depois voltou a se planejar.

Os contêineres eram colocados em caminhões, que seguiam em navios. Salim se aproximou um pouco da área de armazenamento, mas os contêineres estavam todos trancados, impenetráveis, pelo menos até onde podia ver. Não seria fácil entrar neles. Caminhões de carga de dezoito rodas eram carregados devagar enquanto os passageiros formavam uma fila única subindo a rampa até o nível do convés. O plano de Salim começou a tomar forma.

Foi até a bilheteria e pediu os horários dos barcos. A mulher do atendimento lhe entregou um folheto, que Salim levou até as imediações das docas para ler.

No meio da manhã, já tinha visto três barcos atracarem e partirem mais uma vez com novos passageiros e cargas. Estava começando a sentir fome, até que algo chamou sua atenção. Um homem de pele escura, que parecia alguns anos mais velho que Salim, passeava casualmente pela cerca ao redor do depósito de contêineres. Tentava evitar chamar a atenção, mas devia ter quase 1,90 metro de altura. A cabeça virava para os lados a cada momento. Salim reconheceu de imediato aquela marcha nervosa.

Observou o homem escalar a cerca metálica com rapidez e agilidade e entrar no pátio. Virou o pescoço para olhar melhor. O africano abriu caminho pelo emaranhado de contêineres e se postou na margem do terreno em que os caminhões davam ré para entrar nos barcos. Agachado atrás de um contêiner vermelho, ele esperou alguns momentos antes de tentar alcançar um caminhão que aguardava a hora de embarcar. Disparou até o vão entre a cabine e a carreta, tentando encontrar espaço para rastejar. Salim prendeu a respiração.

Dois homens correram na direção dele. Tinha sido visto.

Salim deu alguns passos, aproximando-se, ansioso para ver o que aconteceria. O homem ouviu gritos e se levantou. Saiu correndo pelo labirinto de contêineres, traçando um zigue-zague entre os compartimentos de carga.

Salim mordeu a língua.

Podia ser comigo. Podia muito bem ter sido comigo.

O homem escalou a cerca de novo e atravessou a estrada correndo, a poucos metros do lugar onde Salim estava. Conforme ele se aproximava, Salim notou uma mancha de sangue na mão do sujeito, que não parecia ter percebido o ferimento.

– Oi! – exclamou Salim. – Olá!

O homem se virou para ele enquanto reduzia a velocidade para recuperar o fôlego. Encarou Salim com desconfiança.

– Sua mão!

O homem estava a quase 5 metros de distância. A testa reluzia. Pareceu atônito, mas logo reconheceu o que Salim fazia ali.

– Sua mão! – repetiu o garoto, apontando para a palma da própria mão esquerda.

O homem baixou a vista, sem se abalar. Assentiu para Salim, então desceu a rua, tomando cuidado para não deixar a mão à vista.

A agitação de Salim aumentou. Uma coisa era ouvir as histórias dos meninos em Attiki, outra, bem diferente, era testemunhar as pessoas sendo perseguidas no porto. Só podia imaginar o que aconteceria ao africano se tivesse sido pego.

SALIM DORMIU MAIS DUAS NOITES NA OBRA das imediações, partindo antes de os trabalhadores voltarem. Gastava o mínimo de dinheiro para a alimentação, apenas o bastante para manter as energias. Passava os dias estudando o porto. Certa vez, chegou a ver o africano voltar para avaliar as possibilidades, a mão envolta num curativo de tecido, mantida junto ao corpo. Ele não fez mais nenhuma tentativa audaciosa nem pareceu interessado em conversa.

No terceiro dia, Salim decidiu ir até as docas. Um barco para Atenas chegava ao meio-dia. Trinta minutos antes da chegada, três caminhões se aproximaram e deram ré em direção à rampa, preparando-se para o embarque. Os motoristas saíram das cabines e começaram a conversar, alguns comiam.

Salim começou o flerte perigoso. Jogou a mochila no ombro e caminhou, descontraído, até os caminhões. Os passageiros começavam a formar a fila, empurrando maletas compactas de rodinhas ou carregando bolsas nos ombros. Salim torcia para se mesclar entre eles.

Afastou-se do grupo e caminhou até a lateral, onde os caminhões estavam parados, rolos densos de fumaça escapando pelos canos de descarga. Aproximou-se quando percebeu que ninguém prestava atenção. Dois motoristas estavam de costas para ele, postados diante de um veículo. Salim estava a quase 10 metros de distância. Se pudesse alcançar a parte de trás da cabine, havia uma chance de deslizar por aquele vão e se esconder sob a carroceria. Mas precisaria agir depressa.

Um motorista apontou para alguma coisa ao longe. Salim agiu antes que pudesse voltar atrás. Correu até o caminhão, tentando manter os passos leves. Os motoristas estavam do outro lado, ainda entretidos na conversa. Salim procurou alguma coisa para segurar atrás da cabine. Havia canos e fios enrolados, mas nenhum lugar onde pudesse se esconder e se segurar. Agachou-se e tentou segurar em algo tão quente que a mão recuou por reflexo.

Encontrou uma haste que saía de trás das rodas dianteiras e continuava por toda a extensão do chassi. Era fina, mas talvez o aguentasse. Salim tinha tirado a mochila das costas e deixado em cima da barriga. Ao segurar a haste, uma parte se deslocou e bateu no chão. Os motoristas, alertados pelo ruído metálico no asfalto, foram até a traseira do caminhão bem no instante em que Salim se levantou.

Corra. Só corra.

Estavam atrás dele, urrando e praguejando.

Corra.

Os meninos de Cabul teriam apostado em Salim. Apostariam que ele seria capaz de correr mais do que qualquer um dos motoristas, que nem chegariam perto de encostar nele. Salim sempre fora muito rápido no campo de futebol, tão veloz que tinha tempo de olhar para trás e sorrir para o garoto que o perseguia, arfando e tentando alcançá-lo com o braço estendido.

Mas aquele Salim de Cabul era diferente. Era um menino com pais que o aguardavam em casa. Um menino com a barriga cheia, alimentado pela comida da mãe, e tênis novos nos pés. Aquele menino não existia mais.

O menino que corria dos caminhoneiros estava faminto e sozinho e só tinha a força necessária para se dobrar nas plantações de tomate ou limpar estrume enquanto alguém o vigiava.

Esse Salim era bem mais fácil de alcançar.

Foi agarrado pela gola da camisa e puxado para trás. Os pés, que ainda tentavam avançar, foram erguidos para o ar quando o jogaram no chão. O rosto bateu no asfalto, e uma dor abrasadora atravessou sua mandíbula.

Quanto ao resto, Salim só se recordaria de fragmentos, lembranças deixadas em seu corpo por aqueles homens cansados de serem usados pelos refugiados, cansados de terem os caminhões vistoriados várias vezes pelas autoridades alfandegárias. Botas marrons e palavras zangadas.

Tentou se levantar. Cambaleou.

Uma injeção de adrenalina.

Corra.

Atrás dele, os homens berravam.

As vozes desapareceram à medida que Salim conseguia se afastar.

A mochila batia com força no peito. Ele se apoiou na parede de um prédio de tijolinhos, escondido. Sem a adrenalina, voltou a sentir dor. As costelas latejavam, as pernas pareciam a ponto de ceder. A camisa estava rasgada e as calças, cobertas de sujeira. As batidas do coração martelavam em seus ouvidos, mas não altas o bastante para abafar os gritos.

O lábio sangrava. Salim vagou por ruazinhas estreitas, mantendo-se longe dos pedestres. Queria ser invisível.

Encontrou um armazém vazio e esperou que seus olhos se acostumassem à escuridão. Abaixou-se, apoiando-se na parede. Fechou os olhos e tentou ignorar a dor.

Por favor, Deus, permita que eu possa descansar aqui.

Estava arrasado e não sabia se conseguiria aguentar muito mais.

CAPÍTULO 38

Salim

Durante dois dias, Salim passou a maior parte do tempo dormindo. Perdeu a noção do dia e da noite. Cada vez que tentava despertar, a mente o fazia voltar atrás, incapaz de reunir forças para encarar um novo dia, ignorando a fome.

No terceiro dia, a barriga implorou por comida, insatisfeita com a meia garrafa de suco que ele tirou da mochila. Tocou o lábio e percebeu que o inchaço diminuíra. Conseguia se mexer, doía menos do que antes. Trocou de roupa e se levantou. A cabeça rodava.

Cometera um erro de cálculo. Não sabia o suficiente sobre caminhões ou suas carrocerias, e a ignorância o atrapalhara. Sentia-se um fiasco.

Salim saiu, protegendo os olhos do brilho do sol. Caminhou até um mercado e comprou um pedaço de pão e uma garrafa de leite de um dos quiosques. O dono o encarou com a sobrancelha erguida, mas Salim manteve a cabeça baixa e pagou a compra sem falar, ansioso por desaparecer.

O estômago doeu enquanto comia, mas sentiu que recuperava as forças, que a cabeça clareava. Enquanto o sol se punha no horizonte, ele voltou para o canteiro de obras. Arranjou mais comida no caminho, então encontrou o abrigo empoeirado e familiar.

Não havia alternativas. Ou persistia na fuga ou apodreceria naquele país, longe da família. As feridas sarariam. Precisava aprender com seus erros.

Voltou a observar as docas de uma boa distância, para não ser visto pelos caminhoneiros. Fitava os barcos e tentava encontrar uma chance de entrar. Tripulantes de uniforme azul e branco conduziam os passageiros para dentro. Não havia como passar por eles e alcançar o convés principal.

Poderia tentar os caminhões mais uma vez. Talvez pela traseira, embora um dos meninos de Attiki tivesse lhe contado que um amigo morrera ao inalar a fumaça por tempo demais.

Voltou a atenção outra vez para os contêineres, mas eram muito intimidadores. As esperanças de Salim diminuíram. Começava a acreditar que precisaria encontrar um contrabandista, embora não tivesse ideia de onde. No dia seguinte, prometeu a si mesmo que caminharia pela cidade em busca de refugiados. Alguém devia conhecer um contrabandista. Voltou às docas para mais uma expedição de reconhecimento antes do entardecer.

A última travessia para Atenas sairia em quinze minutos. Quando se aproximou dos barcos, viu um dos motoristas se afastando do caminhão e indo até a área de carga, onde duas jovens de uniformes azul e branco conversavam.

Quando teve certeza de que ninguém olhava, foi para a parte de trás do caminhão e se agachou para olhar debaixo da carroceria. Não viu nada onde pudesse se segurar sem repetir o erro da semana anterior. Levantou-se e fitou o cadeado na parte inferior da porta traseira. Não havia como entrar. Examinou a parte de baixo da porta e percebeu outra coisa.

Havia uma plataforma. Mais do que isso: havia uma pequena trava ao lado da porta.

Subiu na plataforma e agarrou a lateral. Conseguiu se levantar e enfiar o pé direito naquela pequena base. Fincou os dedos na beirada do caminhão, a respiração rápida e nervosa. Ergueu o corpo apoiado na trava, o pé quase escorregando naquele apoio tão pequeno. Esticou-se o máximo que podia para alcançar o topo do veículo, mas não conseguiu prender os dedos no teto dele. Vozes se aproximavam. Os motoristas estavam voltando. Para cima ou para baixo, só precisava se esconder.

Com um último esforço determinado, apoiou todo o seu peso no pé esquerdo e jogou a perna esquerda para cima. As pontas de metal machucavam as mãos. O pé esquerdo alcançou a beirada do teto do caminhão com um som seco. Salim usou toda a sua força para erguer o resto do corpo.

Os bíceps ardiam com o esforço, mas ele conseguiu. Ficou deitado, de bruços, imóvel, a cabeça virada para o lado, torcendo para que a mochila não pudesse ser vista do chão. As vozes estavam muito próximas, mas, pelo tom tranquilo, sabia que não tinha sido pego.

Momentos depois, o caminhão se sacudiu quando o motor foi ligado. Estava se movimentando na direção do navio. Outro sacolejo quando o veículo subiu a rampa de ré. O rosto de Salim bateu no metal frio.

O motorista manobrou até uma vaga, junto de outros caminhões. Mais veículos chegaram depois, e o ar ficou morno e denso com a fumaça do cano de descarga. Salim tampou a boca e o nariz com a camisa. Ouviu uma porta bater e passos que se afastavam. Vozes ecoavam pelo estacionamento, e era difícil dizer de onde vinham. Salim levantou a cabeça bem de leve e viu duas pessoas na rampa, saindo do barco. Havia uma segunda rampa de acesso. Viu a fila de viajantes que subiam os degraus e embarcavam, a bagagem a reboque. Não fazia muito tempo que ele e a família tinham embarcado daquele mesmo modo civilizado.

Mal podia acreditar como chegara longe.

Minutos depois, a buzina soou, os acessos foram erguidos e as portas, fechadas. Salim se agarrou ao teto do caminhão, nas entranhas do barco, com medo de celebrar seu pequeno sucesso. Quando teve certeza de que não havia ninguém na área, ele se sentou devagar e tentou olhar em volta. Estava escuro, e não dava para ver muita coisa, mas aquilo o tranquilizou, pois também ficaria oculto.

A parada seguinte seria em Quios. Pelo que Salim se lembrava, era uma viagem curta, com no máximo uma hora de duração. De Quios, seguiriam para Atenas, um trecho bem mais longo. Talvez nove horas? Salim se questionava como faria para saltar do navio assim que tivesse atracado em Atenas. Vira muitos dos barcos que chegavam a Esmirna sendo descarregados. Tudo o que podia esperar era permanecer no caminhão sem ser notado até que pudesse descer e sair correndo.

Quando ouviu uma mudança nas máquinas do barco, presumiu que se aproximavam de Quios. Deitou-se outra vez de bruços e fitou o relógio de pulso.

Cheguei até aqui, Padar-jan.

Minutos depois, ouviu de novo o som estridente da buzina. Logo estavam de volta ao mar. A essa altura, já era tarde da noite, e os passageiros deviam estar cochilando nos assentos estofados. Abriu a mochila, grato por ter comprado um pacote de salgadinhos e uma garrafa de suco. Precisaria da energia em Pireu.

Pensou na família, se perguntando onde estariam. Num trem? Num centro de detenção? Dormindo numa praça? Os documentos eram muito bem-feitos e permitiriam que conseguissem viajar, dizia a si mesmo.

Sentiu o maço de notas no bolso. Ekin. Lembrava-se do modo como a garota provocara sentimentos nele – sentimentos ao mesmo tempo de vergonha e de curiosidade. Talvez devesse ter permitido que aquilo seguisse em frente… só para saber. Não compreendera a garota nem o que estava acontecendo.

E Roksana. Encontraria a garota novamente em Atenas. Roksana saberia o que tinha acontecido com a mãe e os irmãos. Salim fechou os olhos e viu seu rosto. Sentia falta dela. Sentia falta de ter alguém com quem conversar. Flutuou rumo a um sono leve, a mente transformando o real em surreal. Era Roksana, não Ekin, que tocava seu rosto. As mãos dele na cintura dela, descendo até os quadris. Os lábios se encontrando, uma sensação eletrizante que fez Salim despertar com um tremor estranho.

O navio estava imerso em silêncio, a não ser pelo zumbido do motor. O sonho permanecia. Tentou manter aquela sensação em mente, a proximidade que sentira com Roksana. Tentou impedir que aquilo desaparecesse na vigília, como costuma acontecer com os sonhos agradáveis.

Salim perdera toda a noção do tempo, ali no escuro. Não fazia ideia de quanto faltava para chegar ao porto de Pireu. Fechou os olhos de novo e tentou dormir.

Seus olhos se abriram num sobressalto ao ouvir vozes na área de carga. Imediatamente, deitou-se de bruços, achatado contra o teto. As vozes se aproximaram.

Pireu. Os motoristas voltavam aos caminhões e se preparavam para o desembarque. Os passageiros começavam a se encaminhar para a porta, onde recuperariam as bagagens. A cabeça de Salim doía por conta dos vestígios da fumaça negra que se acumulara no ar. Ignorou a dor e tentou permanecer concentrado.

O navio largou a âncora e se arrastou até parar no porto. Os caminhões estavam estacionados na direção da rampa de acesso. Quando os portões foram abaixados e a luz esperançosa de uma lua crescente despontou, Salim ouviu a porta da cabine se abrir e fechar. Os motores roncaram e ganharam vida. Salim sentiu a troca das marchas enquanto o caminhão desembarcava. Faltava pouco para o amanhecer. O veículo desceu até as docas e freou. Salim ergueu a cabeça por alguns centímetros. Passageiros de olhos vermelhos andavam pelas redondezas, buscando a rua principal ou o ponto de táxi, a alguns metros dali. Ficou alerta, atento a qualquer pessoa de uniforme, qualquer um que tentaria localizá-lo. Estava perto demais do cais, decidiu, e abaixou a cabeça de novo, torcendo para que o caminhão fizesse uma parada antes de entrar na estrada movimentada.

UNS 400 METROS ADIANTE, O CAMINHÃO PAROU. Era um sinal vermelho, a melhor oportunidade para Salim. Agarrou a mochila, jogou-a no ombro e deslizou pela traseira, o pé em busca da trava para ajudá-lo a descer. Ele a encontrou bem no instante em que o caminhão voltava a se mover.
    O pé esquerdo alcançou a plataforma. As mãos deslizaram pela lateral do veículo, o metal ralando a pele. Faróis iluminavam suas costas, buzinas soavam. Ele pulou para o chão, com dor nos tornozelos. O caminhoneiro, alheio ao caos atrás de si, desceu a rua enquanto Salim disparava para um beco antes que alguém pudesse ir atrás dele.
    O sol já se levantara quando parou de andar. Passou por lugares familiares: o primeiro hotel onde se hospedaram, o café onde tinham comprado comida no dia da chegada, a estação de metrô onde Salim entrara para se aventurar em Atenas.

ROKSANA. PRECISAVA ENCONTRÁ-LA. Era a única pessoa que talvez soubesse por onde andava sua família e o que tinha acontecido com seu passaporte. Mas não queria encontrá-la naquele estado. Fazia uma semana que não tomava um banho de verdade. O cabelo estava embaraçado e as roupas, empoeiradas e rasgadas. A temporada no canteiro de obras e nas docas não tinha sido fácil. Salim usou a manhã para encontrar um banheiro público. Lavou-se da melhor forma possível e trocou de roupa.
    Pegou o metrô para Atenas. Era dia de semana, e havia uma chance de que Roksana aparecesse em Attiki depois da escola. Não havia outra forma

de encontrá-la. De volta à praça, contou a Jamal e a Abdullah que tinha sido enviado de volta para a Turquia e separado da família. Os dois balançaram a cabeça, decepcionados, mas não surpresos. Na última vez que estivera ali, Salim se sentira diferente daqueles homens. Sentia-se superior a eles. Tudo isso desaparecera. Sozinho, tinha se transformado em um deles. Via a si mesmos em seus rostos, nas roupas rasgadas, nos sacos plásticos com seus parcos bens.

Dormiu em Attiki naquela noite. Lembrando-se de que estaria a metros do infame Saboor, escondeu o dinheiro na roupa de baixo e prendeu a alça da mochila no pulso. Depois de muitas noites solitárias em Esmirna, parecia bom estar junto de pessoas conhecidas e ouvir os meninos trocando provocações e piadas.

Era seu segundo dia de volta a Atenas. Queria procurar comida, mas tinha medo de perder a visita de Roksana. Sentou-se recostado numa árvore e ouviu Abdullah contar histórias da infância, de como cuspia caroços de melancia num riacho perto de casa e assustava os primos mais jovens com histórias de *djinns*. Abdullah pintava o retrato de um Afeganistão que ninguém ia querer deixar. Estava apenas revivendo o lado positivo, mas Salim sabia que a realidade não era tão boa assim. Todos sabiam.

Então ela veio. Salim levantou-se depressa ao notar as pessoas de camisa roxa tão familiares. Abdullah caiu na gargalhada e bateu nas próprias canelas.

– Ah, então esse é o verdadeiro motivo para sua volta! Acha que ela vai cuidar de você e lhe dar asilo, não é?

– Abdullah, não diga isso. Não é nada disso.

Salim ficou nervoso. Quatro pessoas se aproximaram, e ele prendeu a respiração. Espiou Roksana carregando uma grande caixa. Caminhou até ela, mas sua vontade era correr. Não queria chamar mais atenção para Roksana, para o bem dos dois.

Chamou seu nome baixinho.

Roksana arregalou os olhos, surpresa.

– Salim?

Ela pousou a caixa sobre um banco e pôs a mão no braço dele.

– Salim, por onde andou? O que aconteceu com você? – Ela o examinou. O rapaz perdera peso naquela última semana. – Você está bem?

– Sim, estou bem – respondeu Salim, consciente do toque dela em sua pele.

Seu corpo ficou tenso, e a jovem se afastou. Roksana estava menos arredia. O garoto resistiu ao desejo de abraçá-la.

– Me conte tudo – pediu ela, sentando-se num degrau de concreto. Ela ergueu os olhos para Salim, que se acomodou a seu lado.

– Roksana... minha mãe. Para onde ela foi? Pegou o trem?

Todos tinham partido um dia depois da conversa de Salim com a mãe ao telefone. Roksana fora até a estação e os reconhecera, mesmo que nunca os tivesse visto e que Salim não estivesse junto. Ela disse que achava que tinha sido pela expressão em seus rostos. Parecia que estavam sentindo a falta de alguma coisa... de alguém. Não contou muito sobre a mãe dele, omitindo como Madar-jan realmente estava por trás de palavras simples. Roksana os ajudara a pegar o trem para Patras, embora não soubesse nada sobre a viagem depois disso. Partiram havia um mês.

– Não teve mais notícias deles? – perguntou Roksana.

– Não. Espero que estejam na Inglaterra com a minha tia. – Ele suspirou.

– Consegue ligar para a sua tia?

Salim não tinha o número. Não houvera tempo nem raciocínio suficiente na breve conversa para que Salim pedisse o número à mãe. Não tinha como entrar em contato com ninguém nem como encontrar a própria família, depois que chegasse a Londres.

Roksana queria saber de tudo que acontecera. Madar-jan falara algo sobre a polícia, mas não compartilhara muito além dessa informação.

Salim relatou a história inteira para Roksana, que ouviu com atenção. Ela mordeu o lábio e balançou a cabeça quando ele descreveu o modo como a polícia o chutara antes de soltá-lo na Turquia. Parecia bom ser finalmente capaz de tocar no assunto com alguém como ela, alguém que escutava e não pensava que Salim tinha provocado a própria sorte.

– Salim, isso é ruim. Você precisa fazer alguma coisa. Não pode ficar atolado aqui, como esses outros caras – alertou Roksana, olhando os outros afegãos, que vagavam sem rumo pela praça. – Precisa encontrar um jeito melhor. Queria que pelo menos tivesse recebido o passaporte que eu mandei pelo correio. Tenho certeza de que foi roubado. Não dá nem para confiar que um maldito envelope viaje daqui até ali sem que alguém abra.

– Isso já passou. Agora preciso entrar na Itália sem passaporte. Não será fácil.

– Não. E é muito perigoso. – Roksana refletiu. – Talvez dê para arranjar outro passaporte. Só que é... um pouco arriscado.

– Um passaporte? De onde? – Salim a encarou com curiosidade.

– É caro, eu acho. Um passaporte europeu... talvez custe centenas de euros – explicou, embora parecesse insegura. – Não sei ao certo, mas alguns desses caras aí talvez saibam.

Salim tinha dinheiro e revelou isso para Roksana.

– Guarde bem seu dinheiro, Salim. Talvez seja melhor não dizer nada para os garotos daqui – avisou ela, indicando os outros com a cabeça. – De qualquer maneira, documentos falsos nem sempre funcionam.

Ocorreu a Salim que uma garota como Roksana não devia ter nenhuma relação com a Praça Attiki, uma selva de concreto e mato, emoldurada por edifícios e árvores enganadoramente serenas. Homens vadiavam sob folhas de papelão. Parecia mais um canto do Afeganistão destroçado pela guerra do que um pacífico país da Europa. Roksana deveria ter corrido na direção oposta, mas não correu. Era curioso.

– Por que você faz isso, Roksana? – indagou ele, pensativo.

Ela não respondeu, apenas deixou que a pergunta flutuasse no silêncio entre os dois.

Salim olhou para a garota. O que ela via? As roupas e o cabelo sujo? Um amigo? Um refugiado? Ele não soubera o que esperar da Europa, mas com certeza não aquilo. Não esperava ser jogado de um canto a outro, não esperava encontrar uma ameaça em cada passo. Se Roksana estava tentando desfazer o que acontecera a ele e à família até então, ainda havia muito pela frente.

Antes que ela pudesse responder, um dos voluntários a chamou. Precisavam de ajuda.

– Onde vai ficar essa noite? – A assertividade transparecera na voz dela. Estava de volta à ação. – Quer ir para o hotel?

Salim balançou a cabeça. Talvez Roksana estivesse ali porque ele a fazia se sentir dedicada e generosa. Talvez não tivesse nada a ver com ele, e sim tudo a ver com ela. Sentiu algo amargo se enraizar dentro de si, embora não soubesse a razão e não se orgulhasse disso.

– Não, vou ficar por aqui.

Roksana assentiu, depois se levantou e espanou a roupa com a mão. Salim não tinha como saber quantas vezes ela se fizera a mesma pergunta. Por que se dar ao trabalho de ir até lá? Por que se dar ao trabalho de fazer alguma coisa por um refugiado, quando havia mais mil para chegar?

A garota podia ter se afastado dele para sempre. Podia ter agrupado Salim aos outros. Mas ela não o enxergava da mesma forma.

Roksana lamentava não ter condições de informar mais sobre o paradeiro da família. Vira o trem partir da estação, mas, depois daquele momento, qualquer coisa poderia ter acontecido a Fereiba e seus dois filhos mais novos. Qualquer coisa.

CAPÍTULO 39

Fereiba

Tenho arrastado meus dois filhos de trem em trem, de país em país. A cada fronteira, a cada controle de alfândega, espero pelo momento em que seremos descobertos. Meu pior medo é minha maior esperança: a separação de meus filhos. Penso se ficarei afastada de Salim para sempre ou se ele será o único de nós a chegar ao destino. Samira é jovem, uma época perigosa para ficar sozinha. Aziz é frágil, uma flor que fenecerá depressa se arrancada do arbusto. Nas fronteiras, rezo para que meus filhos recebam asilo, mesmo se me mandarem de volta. Em outras fronteiras, rezo para que sejamos mandados de volta juntos. Mães encurraladas desejam por coisas estranhas.

Nos piores momentos dos bombardeios em Cabul, uma professora que eu considerava amiga tomava decisões malucas a cada noite. Fazia os filhos dormirem junto dela e do marido, todos no mesmo quarto. Outras vezes colocava cada um num cômodo. Cada noite era uma aposta diferente. Poderiam todos sobreviver ou perecer juntos. Ou podiam apostar que talvez um ou dois sobrevivessem. A cada noite, sem exceção, ela rezava com fervor para que Deus não a poupasse, caso os filhos fossem levados. Eram pedidos que só podia fazer para Deus no silêncio de seus pensamentos, porque dizê-los em voz alta teria maculado sua língua.

No ano passado, enquanto tentava dar a meus filhos uma vida segura, eu me senti mais criminosa do que qualquer outra coisa. Mesmo a retidão pode ser algo ambíguo.

Da Grécia para a Itália, da Itália para a França. Estamos no último trecho da viagem, de Paris até Londres, num trem prata e amarelo que parece uma bomba disparando por um caminho subterrâneo. É nesta última viagem que deixo Aziz sob os cuidados de Samira e junto nossos passaportes belgas. Guardo tudo na bolsa de couro preto, que levo até o banheiro do vagão, um quadrado apertado de aço inoxidável. Uma a uma, rasgo cada folha dos passaportes em pedacinhos e deixo caírem no vaso sanitário, como flocos da neve que nos encontrará em Londres. Arranco tudo e desfaço nossas identidades falsas. Volto a ser Fereiba. Meus filhos voltam a ser Samira e Aziz.

Fui alertada por pessoas que chegaram até aqui.

Não podem ver seus passaportes, de jeito nenhum. Não diga como os arranjou. Só diga que quer asilo. Conte por que precisou fugir. Conte que foram atrás de Mamude; o que aconteceu a ele pode ser a única coisa capaz de salvar sua vida.

A travessia da imigração, em Londres, será bem diferente de todas as outras. Dessa vez, seremos honestos e assumiremos a posição mais vulnerável que tivemos até agora. Até aqui, nós nos encolhemos, nos desviamos e mentimos cada vez que passávamos por um guarda. Em menos de uma hora, isso vai mudar.

Minhas mãos tremem enquanto me posto diante do vaso e me asseguro de que o último floco desapareceu no redemoinho de água. Apoio-me na parede e recupero a firmeza com uma das mãos na pia de aço. Tocá-la é uma sensação refrescante.

Metal. Está em toda parte. Os trens, os trilhos, as estações. Cada parada é um fenômeno da permanência. Construídas com solidez, com o resplendor da modernidade. Esta pia, os trilhos, o telhado da estação… são a diferença entre o mundo afegão e este mundo. Este mundo permanece vigoroso, luminoso, hábil. De nossas casas até nossas famílias, o Afeganistão é feito de barro e de poeira, tão efêmero que pode desaparecer com um simples espirro. E assim tem acontecido, repetidas vezes.

Quero uma vida que não se desfaça entre meus dedos. Voltarei ao pó um dia, mas, até lá, quero que permitam que eu e meus filhos sobrevivamos.

Penso em meu pai, sozinho em seu pomar fenecido, dormindo numa alameda de lixo orgânico. Não sei se está vivo ou morto. Faz tanto tempo desde a última vez que ouvi sua voz… Sei por que se recusou a partir.

Aprendeu a amar a transitoriedade de tudo, uma aceitação a que só podemos chegar quando nos aproximamos do fim da estrada. A ele não importa se esse fim vai chegar hoje ou amanhã. Está pronto para voltar à terra. Vai respirar a poeira dos muros dilapidados do pomar e do solo dos jardins todos os dias até que, como uma ampulheta, seus pulmões se encham. Então o tempo vai parar.

É mais fácil amar meu pai a distância. Daqui, não vejo suas fraquezas nem seus fracassos. Daqui, vejo apenas aqueles momentos cintilantes em que ele me olhou como a filha mais querida e mais preciosa, aqueles momentos em que contou sobre minha mãe e me fez sentir inteira. O resto de minha infância... Bem, talvez seja melhor que se desfaça mesmo até não sobrar nada.

Encontro meu reflexo no espelho. Pareço bem mais velha do que me lembrava. Toco a pele do rosto. Parece áspera. Estou quase feliz. Nunca fui muito delicada. Todos os dias, ganho uma camada mais grossa e descubro que estou fazendo coisas que nunca imaginei fazer, nem mesmo com a ajuda de meu marido. Quanto mais forte eu for, maiores são as nossas chances de sobrevivência.

Deixei as crianças sozinhas por tempo demais. Porém, preciso desse momento, um momento em que posso me afastar, recolher meus cacos e voltar para eles como a mãe que merecem.

Mas os segundos passaram, e agora devo retornar para meus dois filhos. O momento para o qual nos preparávamos está quase chegando.

CAPÍTULO 40

Salim

ALGUNS DIAS DEPOIS, ROKSANA VOLTOU. Salim ficou pensando no que ela diria. Não se sentira bem em relação ao modo como a última conversa terminara. Esperava que ela não tivesse detectado seu lado feio. A jovem fez as distribuições costumeiras com os colegas antes de procurar Salim.

– Pode me encontrar no parque onde ficou com sua mãe? Hoje à noite, mais tarde, lá pelas oito horas?

Salim concordou, pronto para se desculpar, mas ela se afastou depressa. Antes que pudesse conversar mais, ela e os outros voluntários partiram.

Salim não queria perder o encontro. Passou a tarde ouvindo Abdullah e Hassan contando pela milésima vez as mesmas velhas piadas do mulá. Aquela do mulá e a abóbora. Aquela do mulá e o burro caolho. Os afegãos adoravam achar graça de seus sacerdotes.

– O homem caminha pela margem do rio e vê o mulá do outro lado, então indaga: "Ei, como passo para o outro lado?" O mulá responde: "Ficou doido? Você está do outro lado!"

Hassan deu risada. Rir de uma piada que ouvira na infância no Afeganistão era lembrar-se de tempos melhores. Havia uma doce nostalgia nesses pequenos gracejos. Se Salim não estivesse ansioso com o horário, talvez os apreciasse mais.

Rodou o relógio em torno do pulso. Julgando pelo céu, devia estar perto das sete da noite.

– Meus amigos – bocejou Salim. Levantou-se devagar, colocando as mãos nos joelhos para se apoiar. Arqueou as costas e soltou um grunhido baixinho para ser notado. – Minhas costas estão tão doloridas... Acho que preciso caminhar um pouco.

– Tem certeza de que quer andar? Se quiser, posso pedir a meu motorista que leve você para um passeio.

Salim obrigou-se a sorrir.

– Deixe para a próxima.

No parque, três meninas pequenas se balançavam, jogando as pernas para a frente e para trás. Dois garotos de idade escolar subiam a escada de madeira e atravessavam a ponte de brinquedo. Os pais tomavam conta, observando Salim de esguelha.

Ele os deixava pouco à vontade. Talvez ficassem mais tranquilos se soubessem quanto o apavoravam.

Afastou-se de propósito, sentando-se num dos bancos mais distantes, com o olhar perdido. Chegou a pensar em sair e voltar quando tivessem levado as crianças embora, mas não queria correr o risco de perder o encontro com Roksana. A garota o fazia sentir-se humano de novo, e não estava disposto a abrir mão disso. Um jornal fora largado num banco próximo. Salim o pegou e voltou para o assento, fingindo que as letras gregas tinham algum sentido para ele.

Roksana finalmente apareceu, postando-se atrás dele sem uma palavra. As crianças já tinham ido para casa e seus pais lançaram um último olhar na direção de Salim. Roksana devia estar atrasada. Talvez soubesse que ele teria esperado a noite inteira.

– Salim.

O rapaz se virou quando ouviu a sua voz. Por que parecia errado que os dois se encontrassem assim? Por que se sentia tão estranho? Havia algo de clandestino em relação ao horário e ao cenário.

– Aqui, prove isso – falou ela, entregando-lhe alguma coisa embrulhada numa folha dobrada de papel encerado e sentou-se a seu lado no banco.

– O que é isso? – perguntou Salim, abrindo o pacote.

– Kebab. Minha mãe faz um kebab muito bom. Achei que você poderia querer provar um pouco. – Ela deslizou no banco, afastando o jornal e sentando-se mais perto. O kebab ainda estava quente, e o cheiro de carne moída e especiarias o deixaram com água na boca. – Aprendeu a ler grego, não é?

Salim deu um sorriso torto enquanto mordia a carne. A primeira mordida derreteu sob seus dentes; o gosto era melhor do que qualquer coisa de que se lembrava.

– Gostou?

– Hummm, tem gosto... tem gosto de casa. – Salim lambeu os lábios e fechou os olhos. – Obrigado!

Roksana riu.

– De nada. Achei que ia gostar. Queria conversar com você e saber se tem alguma ideia. Para encontrar sua família, entende?

Salim suspirou.

– Não tenho.

Partes dele ainda pareciam sensíveis e machucadas por causa da viagem saindo de Esmirna.

– Perguntei para as pessoas que conheço, mas ninguém sabe nada sobre documentos falsos. Acho que todos têm medo de me contar. Sinto muito, Salim. Queria poder ajudar mais.

Salim ficou decepcionado, mas era um sentimento com o qual já estava se acostumando.

– Sei que você tenta. Está tudo bem. Vou encontrar outro jeito.

O trabalho na fazenda, a vida nas ruas, a fome e as surras tinham cobrado seu preço. O corpo de Salim não estava exatamente amadurecendo; estava envelhecendo sob o peso do estresse. Tinha certeza de que era isso que Roksana enxergava quando o olhava.

– *Ela*, tive uma ideia. Estava pensando em seus tios. Quando chegar à Inglaterra, para onde você vai? É um país grande, e você vai ficar perdido sem um endereço. Se puder me dizer os nomes, quem sabe não consigo encontrar um contato? Posso procurar na internet. Não prometo nada, mas seria bom pelo menos fazer uma busca.

– Vai tentar? – Salim usou o papel para limpar a gordura dos lábios. – Minha tia está em Londres. Eles moram num apartamento.

Roksana pegou uma caneta e um pedaço de papel da bolsa a tiracolo.

– Escreva os nomes para mim. Sua tia, o marido, seus primos. Escreva tudo, e vou ver o que consigo encontrar.

– Minha tia, o nome dela é Najiba. É irmã da minha mãe. O marido se chama Hamid Waziri. Ele é primo do meu pai. São os nomes que vi nas cartas que mandaram para a gente, no Afeganistão.

– Ótimo – disse Roksana, guardando o papel na bolsinha. – E outra coisa, Salim.

Qualquer coisa, pensou. *Só fique aqui sentada comigo e não pare de falar.*

Salim ficava satisfeito em ouvi-la, em observar o movimento dos lábios, a forma como ela afastava a franja e como os cílios estremeciam.

– Sei que não é fácil ficar em Attiki... – Attiki era um jeito gentil de dizer "sem teto". – E achei... Só queria dizer que, se você quiser, pode passar na minha casa este fim de semana para tomar um banho decente. Talvez possa lhe ajudar a se sentir melhor.

O rosto de Salim se iluminou. Ele se virou para encará-la. Sob a luz do poste, Salim percebeu que Roksana corava.

– Minha mãe e meu pai estarão fora de casa durante parte deste fim de semana. Se quiser, pode vir passar uma hora.

Pensou se deveria aceitar a oferta. Os pais não saberiam da visita. E se voltassem para casa de supetão? Valia o risco? Olhou outra vez para Roksana. Aquela curva perfeita dos lábios, a rebeldia silenciosa dos olhos. Sim, com certeza valia.

– É muito bom. Sim, por favor.

Roksana assentiu e apontou para um prédio na rua. Pediu que ele prestasse atenção no toldo verde na frente. Ele deveria passar na tarde de sábado. Ela escreveu o número do apartamento em outro pedaço de papel e o entregou a Salim. Levantou-se para partir.

– Está tarde. – Ela se virou de volta, como se tivesse lembrado de algo. – Salim, você não vai contar nada para os outros em Attiki, não é? Não somos... Quero dizer, as pessoas da organização... Não devemos manter contato com... Nosso trabalho deve ser feito somente em Attiki. Você entende?

Salim assentiu. Não tinha a menor intenção de compartilhar nada daquilo com os garotos na praça. O mau-olhado sempre espreita em águas rasas, e aquilo era tudo de que precisava para emergir até a superfície.

Ficou olhando enquanto ela ajustava a alça da bolsa e se afastava. Não conseguia tirar os olhos do balanço sincronizado do cabelo e do quadril de Roksana, uma feminilidade delicada.

FALTAVAM TRÊS DIAS PARA O SÁBADO. Salim descansou a cabeça naquela noite imaginando o momento de entrar na casa de Roksana. Fechou os olhos e sonhou.

No sonho, estava no banheiro. Água morna jorrava sobre a cabeça e os ombros. A pele parecia mais leve. Encheu as mãos e levou a água aos lábios. Enrolado numa toalha, entrou num aposento grande, vazio, suficientemente escuro para que não conseguisse ver as paredes. Roksana se aproximou usando aqueles jeans que celebravam cada curva adolescente. Sorriu, tocou seus ombros molhados e secou as gotas de água em seu peito. Puxou-o para junto de si.

Salim despertou num sobressalto e se sentou. Estava completamente escuro.

Lembrou-se de que estava na praça, nos degraus de uma velha construção, com os roncos de Abdullah a alguns metros. Andara sonhando. Teve aquela sensação familiar, mas ainda desconfortável, da excitação e jogou a cabeça para trás, esperando que desaparecesse.

Então sentiu algo mais.

À medida que seus olhos se acostumavam, percebeu a forma volumosa de um homem agachado a seus pés. Salim reconheceu os contornos. Era Saboor.

– O que você quer? – proferiu Salim.

– Você devia estar tendo um sonho bom – sussurrou Saboor. Salim distinguiu o desdém na voz dele.

Ele se posicionou. A mão foi para o lado, para confirmar se o dinheiro continuava intocado. Enrolara as notas num farrapo e prendera o volume na roupa de baixo, o lugar mais seguro em que conseguiu pensar. Sentiu que o embrulho roçava sua virilha.

– O que você quer? – repetiu Salim.

O ronco de Abdullah continuou, ininterrupto.

Saboor cheirava a suor azedo. Salim sentiu a mão rechonchuda em sua canela, subindo até o joelho. O toque o fez pular. Estavam de pé, olho no olho.

– Só queria ter certeza de que estava dormindo bem, meu garoto querido. – Saboor riu. – Agora pode voltar para seus sonhos, e eu voltarei para os meus.

Salim observou enquanto o homem se afastava na escuridão, quieto, passando por um labirinto de corpos, voltando para a própria tenda improvisada.

Foi impossível dormir depois daquilo. Ficou fitando o escuro, atento ao barulho de passos. Amaldiçoou Abdullah por continuar dormindo durante todo o episódio. Fazia quanto tempo que Saboor estava ali? Será que pusera as mãos em Salim, enquanto ele dormia?

Esse último pensamento o deixou louco de medo. Ouvira os outros falando sobre os furtos de Saboor, mas nada além disso. Era tão esquisito que quase acreditava ter imaginado toda a situação. No entanto, mesmo sob o manto da noite, aquilo era real, incomum, e deixava sua pele arrepiada.

Ao amanhecer, suas pálpebras estavam pesadas. Mesmo na relativa segurança da luz do dia, era difícil não resistir ao desejo de fechá-las.

Abdullah despertou e o viu piscando devagar.

– Já acordou? Bom dia, amigo! Seja bem-vindo a mais um dia em Attiki. Queria poder lhe oferecer um desjejum decente, mas, se o fizesse, você não teria como desfrutar da verdadeira experiência de Attiki – brincou.

Salim, com o rosto sombrio, ficou subitamente alerta – o sono desapareceu depressa com a necessidade de compartilhar o evento da noite.

– Abdullah, uma coisa estranha aconteceu na noite passada – começou Salim, a voz firme e tensa.

Não sabia bem como o amigo reagiria. Talvez a história inteira parecesse invenção.

– Não é tão estranho assim, na verdade. Acontece com todos os homens. Bem-vindo à idade adulta, garotinho. – Abdullah se sentou e esticou os braços sobre a cabeça.

– Pode me escutar por um minuto, por favor? Acordei no meio da noite, e Saboor estava sentado bem ali, perto de meus pés. – Salim apontou para o lugar onde vira o homem agachado.

– O bastardo... estava tentando roubar nossas coisas!

Abdullah se virou e examinou a sacola plástica com seus pertences. Só relaxou quando viu que tudo estava no devido lugar.

– Não sei por que ele estava aqui. Acho que não estava roubando. Estava agindo... estava agindo de um jeito esquisito.

– Esquisito? Como assim, esquisito?

– É que ele… Pois bem, quando acordei, ele estava… estava ali sentado me observando. – Salim esfregou os olhos para clarear a visão. Era difícil formar as palavras. – Então ele tocou na minha perna.

Abdullah endireitou as costas. O rosto ficou tenso, alarmado.

– Tocou na sua perna? Por que não me acordou?

Salim balançou a cabeça. Não sabia por quê.

– Perguntei duas vezes o que ele queria e achei que você fosse acordar, mas aí ele se levantou e eu não entendi o que aconteceu.

Salim se sentia excepcionalmente imundo naquela manhã. Odiava que Saboor estivesse a apenas alguns metros de distância.

Abdullah parou, esfregou os olhos de forma grosseira e baixou a voz:

– Havia um menininho aqui no mês passado, lembra? Era só um garotinho em idade escolar. Estava aqui com o irmão mais velho. De qualquer maneira, um dia o garoto acordou como se os *djinns* o tivessem visitado à noite. Quando despertamos de manhã, ele estava vomitando. O irmão tentou conversar, mas o garoto começou a gritar feito louco. Não fazíamos ideia do que tinha acontecido. Por acaso reparei que o menino olhou duas vezes na direção de Saboor. O maldito lançou o olhar mais gélido que já vi. Fiquei assustado de verdade. Dois dias depois, o menino atravessou correndo uma rua movimentada e foi atropelado. Morreu bem ali, na rua.

Abdullah balançou a cabeça com a lembrança.

– Foi terrível. O irmão ficou arrasado A polícia veio e o levou. Ninguém falou muita coisa. Não teria sobrevivido, da forma que estava vivendo. – Abdullah soltou um suspiro profundo. A lembrança o perturbava. – Não sei o que aconteceu, mas desde então fico pensando se Saboor teve uma relação com isso tudo. Havia alguma coisa muito estranha no modo como o menino o encarou. E Saboor… Era como se ele calasse o menino apenas com um olhar, do outro lado da praça.

Salim sentiu um nó na garganta.

Abdullah sentou-se com as pernas dobradas, os joelhos junto ao peito. O pé direito batia no chão, para acentuar a urgência da história.

– Já é muito ruim ficar preso aqui, mas ficar preso com ele… Que Deus tenha piedade de nós. Vou avisar Hassan e Jamal, pelo menos. Se começar a falar com todo mundo, não dá para saber o que aquele animal vai fazer. Temos que tomar conta de nós mesmos e uns dos outros, Salim. É o único jeito de sobreviver num lugar desses.

Salim assentiu. Precisava se proteger. Percebia que estava sozinho e indefeso. Nos meses anteriores ao seu desaparecimento, Padar-jan passara a dormir com uma faca sob o colchão. Achava que os filhos não sabiam, mas Salim vira aquilo e perguntava a si mesmo de que Padar-jan sentia tanto medo, para também temer. Mas, com o privilégio da infância, conseguira fechar os olhos e se sentir reconfortado porque o pai defenderia a todos do que quer que fosse. Talvez fosse num momento como aqueles que uma criança se tornava adulta – no momento em que seu bem-estar deixava de ser responsabilidade de outra pessoa.

Tinha que tomar conta de si, como Abdullah dizia.

Arranjaria uma faca, como Padar-jan. Encontraria algo pesado e mortal, nenhum brinquedinho.

Podia ter dormido, mas preferiu caminhar. Andou pelas lojas do mercado, contemplando as vitrines, entrando em algumas que pareciam promissoras. Encontrou facas de cozinha, uma adaga antiga com bainha decorada em metal e um canivete com a bandeira da Grécia. Nada daquilo serviria.

Numa loja minúscula num beco, encontrou exatamente o que procurava. A vitrine tinha uma densa exposição de produtos, um prenúncio da confusão no interior: uma máquina de costura, um tamborete, uma pilha de livros, utensílios de cozinha, roupas infantis, um par de botas de trabalho, um velho globo terrestre... Salim entrou, tilintando o sino da porta. Em algum lugar no meio daquele monte de coisas devia existir uma boa lâmina. O dono da loja era um homem mais velho, com óculos de armação metálica. Tinha uma minúscula chave de fenda nas mãos e mexia no interior de um velho relógio, cujas peças tinham sido desmontadas e espalhadas sobre o balcão de vidro. Uma fila de relógios antigos estava atrás dele, em variados estágios de degradação. Salim o cumprimentou com um aceno de cabeça e começou a caminhar pelos três corredores estreitos.

Tigelas sobre almofadas, uma garrafa térmica cercada de fitas cassete, óculos de leitura junto a uma caixa de lâmpadas... a loja era uma bagunça. Os olhos de Salim vasculharam tudo, até que pousaram numa prateleira mais embaixo. Havia um cabo de bronze enterrado sob uma pilha de toalhas de mesa. Salim puxou e viu que estava inserido numa bainha decorada, também de bronze. Ele deslizou a cobertura arranhada e encontrou uma lâmina de 15 centímetros manchada de ferrugem. Era velha, porém mais bonita do que qualquer faca que Salim já tinha visto.

Era exatamente o que queria. Tocou de leve na lâmina. Parecia audaciosa e intimidante em sua mão. Ainda estava afiada o bastante para arranhar a ponta do dedo quando a tocou. Devolveu a faca à bainha e segurou-a junto à cintura. Caberia dentro da calça. Era pesada, mas ele aguentaria. Salim voltou para a frente da loja, onde o homem ainda mexia no mecanismo dos relógios.

– Quero comprar, por favor. Quanto é?

O homem ergueu os olhos, as lentes quase escorregando pela ponta do nariz. Olhou para a adaga e para Salim.

– Vinte euros – disse, e voltou a se ocupar.

Salim jogou o peso para a outra perna, pensando em quanto estava disposto a pagar.

– Senhor, eu dou 10 euros. Sem problema.

– Vinte euros.

– Senhor, por favor, 10 euros. – O homem ergueu os olhos para examinar Salim melhor. Tirou os óculos e os pousou na mesa.

– Dezoito.

Salim hesitou. Pensou na noite anterior e na mão sobre seu joelho.

– Quinze euros, por favor – ofereceu.

O homem assentiu. Estendeu a mão enquanto Salim contava as notas. Ele enfiou o cabo no cós da calça. Quando ia saindo, parou.

– O senhor conserta relógios?

– Aham. – O dono da loja já tinha voltado ao relógio e nem se deu ao trabalho de erguer os olhos.

– O senhor... o senhor poderia dar uma olhada no meu relógio de pulso?

Com a menção a um relógio de pulso, o velho levantou a cabeça. Estendeu a mão, à espera. Salim soltou a pulseira depressa, tirou-a e deixou o relógio na mão do homem.

O dono da loja virou o artefato, sacudindo-o com delicadeza perto do ouvido. Resmungou alguma coisa e reviravolta uma caixa plástica até que encontrou a ferramenta adequada. Abriu a parte de trás e pegou um conjunto de pinças finíssimas. Tocou com delicadeza nas engrenagens, cutucou e deu batidinhas. As partes eram tão pequenas que Salim não conseguia ver o que ele fazia. Depois de alguns minutos, o homem fechou a parte de trás, virou o relógio e deu corda.

Devolveu o relógio que tiquetaqueava, sem cerimônia.

– Agora está bom. Ajuste a hora.

Salim pegou, sentindo o coração aos pulos ao ver o ponteiro marcando os segundos. O relógio de seu pai voltava a funcionar!

– Senhor, obrigado! Muito obrigado! Obrigado!

Salem debruçou-se no balcão e abraçou o lojista atônito.

– Ok, ok. – O homem escapuliu de seus braços e gesticulou para que ele saísse.

Salim saiu, animado, e encontrou uma faixa de tecido na porta de uma loja de roupas. Prendeu o material em volta do cabo da faca e amarrou a faixa na cintura, dando um nó na fivela do cinto, para ficar no lugar.

Salim olhou para a esquerda e viu uma rua que conduzia ao hotel. Olhou para a direita e encontrou placas apontando para a área do mercado de alimentos, onde roubara as primeiras refeições da família. Mordeu os lábios, envergonhando-se ao pensar em tudo o que pegara. Jurou que não faria isso de novo. *Um homem encontraria um modo mais nobre de alimentar sua família*, pensou. Era importante não se sentir desesperado nem criminoso.

E havia mais uma coisa que Salim faria para restaurar a família Waziri. Madar-jan o aconselharia a não ser tão precipitado, mas Salim decidiu, por impulso, caminhar para a direita. Não seria o tipo de coisa que contaria à mãe, de qualquer modo. Talvez o fato de sobreviver por tanto tempo com os bolsos vazios tivesse dado a Salim a audácia de não agir de forma prática.

Um plano audacioso se formou em sua cabeça, e havia propósito em seus passos. Salim ouviu o tique-taque reconfortante do relógio em seu pulso e abriu um sorriso.

CAPÍTULO 41

Salim

— *D*EPRESSA. — Roksana pegou seu cotovelo. — Temos vizinhos bisbilhoteiros.

Nervoso, Salim entrou na casa de Roksana. Não conseguia imaginar o que aconteceria se o pai dela voltasse e encontrasse um refugiado afegão na sala de estar.

– Talvez eu devesse... – balbuciou.

– Está tudo bem. Só entre logo.

Ela fechou a porta, dando outra olhada no corredor, para ter certeza de que nenhuma das portas dos outros apartamentos se abrira. Satisfeita, conduziu Salim até a sala.

Ele examinou o aposento, apreciando tudo. Belos sofás bege cercavam uma mesinha de centro baixa, com manchas de café expresso, sobre a qual repousavam alguns livros. Nas paredes, havia fotos antigas, em tons de sépia. Persianas de tecido aparavam a luminosidade e davam um ar aconchegante ao aposento. O apartamento provavelmente tinha o mesmo tamanho da casa dos Waziri em Cabul, mas parecia bem mais moderno e espaçoso.

– Meus pais acabaram de sair para passar a tarde fora, então precisamos ser rápidos. Só queria que você tivesse a chance de tomar um banho decente.

A voz de Roksana estava diferente. Ela não parecia a pessoa de sempre, sob controle. Não parava de torcer as mãos e desviar o olhar. Salim não tinha certeza se a jovem estava pouco à vontade por ficar sozinha com ele ou se estava preocupada com a volta inesperada dos pais.

– Roksana, talvez seja melhor...

– Não – interveio ela, compreendendo como parecia pouco acolhedora. Respirou fundo e recomeçou: – Está tudo bem. – Sorriu, recuperando a compostura.

Salim ficou impressionado e com bastante inveja. Seus episódios de ansiedade costumavam dominá-lo completamente.

Da sala, Roksana conduziu Salim por um corredor estreito, onde apontou para uma porta.

– O banheiro é aí, e aqui tem uma toalha. Lá dentro tem xampu e sabonete. Vou esperar naquela porta ali, tudo bem?

Estava mais do que bem. Era maravilhoso. O banheiro não se parecia com nada que ele tivesse visto. Paredes amarelo-limão deixavam o espaço mais alegre e iluminado. A pia era uma tigela de vidro presa à parede. Havia uma fileira de pequenas cerâmicas verde-menta, com um raminho de flores delicadas em cada uma. Uma porta de vidro fosco deslizava para dar acesso ao chuveiro.

Salim sentiu-se desajeitado e deslocado; aquele era o banheiro mais bonito que já vira. Teve dificuldade com a torneira. Tirou as roupas e embrulhou a faca e a bolsa do dinheiro no jeans. Entrou no chuveiro e deixou que a água quente escorresse pelo corpo, um torvelinho turvo descendo pelo ralo. Esfregou o corpo até a água ficar límpida, lavou o cabelo três vezes, então, relutante, fechou a torneira. Ficou um tempo no banheiro quente e cheio de vapor.

Água com certeza é *roshanee*, pensou, com uma apreciação renovada.

Salim secou o corpo com a toalha, vestiu as roupas e saiu para o corredor. À esquerda, grandes portas semiabertas abriam-se para um escritório. No meio do aposento havia uma escrivaninha de madeira cheia de entalhes. Em três das paredes havia estantes da mesma madeira, cor de cerejeira. Tantos livros! Lembrou a Salim da ocasião em que o pai o levara a seu escritório, no Ministério de Água e Eletricidade. Os dois visitaram a biblioteca, com suas prateleiras repletas de textos, manuscritos e encadernações empoeiradas. Na ocasião, estava extremamente consciente de que nenhuma outra criança de 5 anos tinha permissão para vagar por aquelas fileiras, um fato mais interessante do que qualquer um dos livros naquela sala enorme.

Por muitos anos depois daquela visita, o pai daria risadas e lembraria a ele da parte mais memorável do dia.

O engenheiro-chefe entrou e indagou se você gostaria de trabalhar naquele lugar um dia, e você respondeu: "Não, senhor. Minha mãe às vezes fica brava, dizendo que Padar-jan se perde nos livros. Não quero que ela fique brava comigo também."

Salim perguntou a si mesmo como era possível que Padar-jan nunca tivesse se cansado de repetir um comentário tão simples e infantil. Ao mesmo tempo, parte dele nunca se cansara de ouvir a história. Com um suspiro, voltou ao presente.

Deve ser o escritório do pai dela, pensou.

Salim deu três passos para dentro do cômodo, a fim de dar uma olhada nas prateleiras, os livros perfeitamente arrumados de acordo com a altura das brochuras. Tocou as sobrecapas envernizadas. Muitos dos livros eram em inglês, alguns em grego. Havia volumes sobre medicina e filosofia, pelo que Salim conseguia entender. Virou-se para a prateleira atrás da escrivaninha. Na fileira de baixo, algo chamou sua atenção: letras persas nas lombadas de uma série de livros.

Salim se agachou para olhar melhor. Era verdade: os títulos eram *Afeganistão: uma história da nação*, *Afeganistão: o império caído* e *Seleção da poesia afegã*. Por que teriam tantos livros sobre o Afeganistão? O pai de Roksana falava dari?

Salim pensou nos primeiros dias em Attiki, quando os garotos faziam comentários zombeteiros, às vezes maliciosos, sobre Roksana, e a forma como ela os olhava com frieza, como se conseguisse entender. Salim examinou o escritório, confuso. Em outra estante, do outro lado do cômodo, havia uma estatueta de não mais do que 13 centímetros de altura. Era uma águia esculpida num bloco brilhante de lápis-lazúli, uma pedra azul afegã, sem dúvida, da cor das *burqas* que as mulheres usavam.

– Você acabou? – Roksana estava parada à porta.

Salim levou um susto e se virou para ela, envergonhado por ter abusado da boa vontade de Roksana.

– Sinto muito. Vi os livros e quis olhar mais de perto... São tantos... Roksana, seu pai fala dari?

– O quê? – Ela ficou visivelmente tensa.

– Tem tantos livros sobre o Afeganistão aqui. E são em dari. E esse pás-

saro, essa pedra é do Afeganistão. Por que... – Os pensamentos ainda sem forma cambaleavam enquanto ele tentava encontrar sentido naquilo tudo.
– Minha mãe. Você conversou com minha mãe? Você *fala* dari? Seu pai... ele trabalhou no Afeganistão?

Roksana balançou a cabeça, suspirou e sorriu, um tanto sem graça.
– *Ela*, Salim, meu pai... meu pai não *trabalhou* no Afeganistão – sussurrou ela, provocante.
– Então por que...
– Ele *morou* lá. Nasceu lá. Meu pai é afegão.

Salim ficou de queixo caído. Estreitou os olhos para Roksana, como se a visse pela primeira vez. Se o pai dela era afegão, então ela era...
– Meio afegã, meio grega – explicou Roksana, com a mão no peito. – Minha mãe é grega. Meu pai veio para cá muito jovem, para estudar Medicina, mas acabou fazendo algo diferente. Casou-se com minha mãe e mora aqui desde então. Aprendi a falar um pouco de dari com ele. Não muito, mas o suficiente para manter uma conversa.

Salim bateu palmas e abriu um sorriso torto.
– Você é afegã! – exclamou em dari, as palavras deslizando de sua boca sem esforço. – Sabia que tinha alguma coisa especial, só não sabia o que era. É por isso que você faz o que faz? Mas seu pai... Ele não ia gostar de saber que você anda com garotos afegãos, ainda mais garotos que... garotos como...

Roksana o salvou de ter que pronunciar aquelas palavras.
– Meu pai não sabe como passo meu tempo. Ele não ia gostar, se soubesse, mas não exatamente pelos motivos que você pensa. É bem mais complicado. Não conto para ninguém porque sei que causará problemas. Quero ajudar, mas imagine como seria difícil para mim se aqueles meninos soubessem que meu pai é afegão.

Salim compreendia perfeitamente. Enquanto fosse vista como grega, Roksana seria julgada pelos padrões gregos. Os homens em Attiki não julgariam suas roupas nem seu comportamento pelos padrões afegãos. Por outro lado, se soubessem que era afegã, talvez não fossem tão tolerantes. Ou talvez a perseguissem. Os homens a abordariam pelos motivos errados. Só de imaginar, Salim queria que ela se afastasse de Attiki.
– Você tem razão. Não vou contar nada.
– Obrigada. Vamos comer, depois vamos embora.

Salim a seguiu até a cozinha, onde Roksana esquentou uma torta de espinafre com massa folhada, frango assado e alguma coisa verde e folhosa. Salim comeu até parecer que a barriga ia explodir. Roksana deu risada quando o viu se recostar na cadeira e gemer de desconforto.

– Como estava? Parece que gostou muito.

– Ah, gostei, gostei muito! Comi por três dias! – Salim riu, batendo na barriga plana.

– Bom, agora vou limpar tudo, depois podemos ir. Me espere na sala se quiser – sugeriu ela.

– Não, eu quero... Vou ficar aqui com você. Posso ajudar – ofereceu, sem graça.

Os olhos de Roksana se iluminaram, e, juntos, limparam todas as evidências daquele almoço clandestino. Roksana pegou um suéter, e os dois foram para a porta.

– Hoje vamos até a Acrópole. Já esteve lá?

– Acro... o quê?

– Acrópole – repetiu ela, devagar. – Venha. Vou mostrar para você.

Ao longo daquele dia, Salim foi um turista – um turista encantado com a guia particular. Os dois vagaram pelas ruas agitadas de Atenas e seus bairros de diferentes sabores e chegaram aos pés da escadaria que conduzia até a Acrópole, ruínas ancestrais no alto de uma colina com uma vista majestosa para Atenas. Salim tinha visto a estrutura de longe, mas nunca se arriscara a se aproximar. Naquele dia, Roksana contou a história sobre o templo dedicado a Atena, que tinha mudado de mãos muitas vezes com o passar do tempo e acabara até sob controle dos otomanos. Ela mostrou o anfiteatro e explicou que o lugar fora o centro da comunidade.

Salim ficou fascinado. Sentaram-se para descansar junto de um muro baixo que cercava o perímetro das construções. Ele chutou uma pedra, amuado.

– O que está pensando, Salim?

– Ahn? Ah, estava pensando que essas construções... são tão velhas, tão antigas. Mas têm uma aparência melhor do que os prédios mais novos de Cabul.

O que ele queria dizer era que dois mil anos de paz podiam ser destroçados por um mês de guerra. Roksana compreendia.

– Sim, as pessoas são muito boas em destruir as coisas. As coisas boas.

– Tudo parece muito ruim em Cabul. Todos estão partindo. Mesmo em Cabul, os afegãos estão vivendo como refugiados. – Ele se virou para Roksana depressa, depois voltou os olhos para o chão. – É como as pessoas enxergam quando olham para os afegãos.

– Salim – começou ela, com delicadeza –, eu não vejo um refugiado quando olho para você. Vejo alguém que devia estar na minha turma da escola, lendo os mesmos livros, praticando esportes, indo a cafés. Vejo você.

A mão dela tocou a de Salim e a apertou brevemente.

– Seu pai sente falta do Afeganistão? Ele está longe faz tanto tempo... Não sei, talvez eu volte um dia. Às vezes sinto falta de casa.

– Não, meu pai não sente falta. Ele ama seu país, mas diz que o Afeganistão é como uma mulher bonita demais para seu próprio bem. Nunca ficará seguro, mesmo junto ao próprio povo. Ele deixou o país quando a vida ainda era normal, mas a situação é diferente, eu acho. Depois das guerras, ele falou que aquele não é mais o mesmo país. Meu pai ouve as notícias e tem contato com a família, mas isso só o deixa mais transtornado.

– Mas viver tanto tempo num país diferente... Ninguém aqui fala dari, a comida é diferente, não tem *masjid* para as orações...

– *Masjid*? Meu pai não é religioso. Ele diz que as pessoas destruíram a religião e que a religião destruiu as pessoas. Ele acredita em Deus, não nas pessoas.

Talvez ele tivesse razão, mas Salim nunca ouvira falar de um afegão que não se considerasse muçulmano.

Salim perguntou como Roksana tinha aprendido a falar dari.

– Com meu pai. E minha avó. Ela morou conosco por uns anos, antes de morrer. Meu pai ama a língua, a poesia. É o resto que parte seu coração. Acho que está feliz aqui na Grécia, mas às vezes... às vezes eu o vejo lendo livros ou examinando fotos antigas. Acho que ainda tem um pouco do Afeganistão em seu coração, e isso o entristece.

Ela se levantou e espanou a calça jeans. Sentia-se desconfortável falando sobre os pensamentos do pai com Salim.

– Está tarde – avisou ela, mudando de assunto. – Tenho que voltar para casa.

Salim temera aquilo: o momento da partida.

– Roksana, obrigado... por tudo. Hoje foi um dia muito bom. – Ele se levantou e botou a mochila no ombro.

– Não precisa agradecer.

Os dois desceram os degraus, tentando não se perder entre as hordas de visitas guiadas, cada uma em um idioma diferente. Ao pé da colina, Roksana se virou depressa.

– Mais uma coisa... Quase esqueci! E é uma boa notícia para você! – exclamou ela, procurando um papel na bolsa. – Acho que encontrei o endereço do seu tio em Londres.

Salim arregalou os olhos.

– Encontrei o nome na internet. Deve ser esse o endereço. Não consegui achar um telefone, mas pelo menos, quando chegar lá, você vai saber aonde ir.

Salim pegou o papel e examinou, incrédulo, os números e o nome da rua rabiscados. Sentia-se infinitamente mais próximo de se reencontrar com a família. Roksana lhe dera um destino real.

– Roksana, você me ajudou. Ajudou minha mãe. Eu realmente... agradeço.

Salim parecia prestes a chorar. Roksana se remexeu e desviou os olhos, desconfortável.

– Vejo você por aí. – Ela apertou o braço dele de leve. – Tenha cuidado, Salim.

Ele voltou para a praça, exausto depois de passear o dia inteiro. Abdullah mexera com ele na volta. Apesar de ter vestido a mesma roupa gasta, Salim parecia muito revigorado pelo banho de chuveiro.

– Ora, ora, ora... Esse aí é o Salim ou é algum astro de cinema? É o dia do seu casamento? Como conseguiu ficar com o cabelo tão limpo? – Ele desarrumou bastante o cabelo de Salim, que se abaixou e deu um sorriso torto.

– Encontrei um frasco de xampu – inventou. – Levei para um dos banheiros públicos e meti a cabeça na pia. Você precisava ter visto o jeito como as pessoas me olharam...

– Imagino!

Era noite. Quase todos já tinham encontrado um canto para descansar. Salim, Abdullah, Hassan e Jamal estavam na mesma área, depois de estender suas folhas de papelão. A necessidade de segurança e a reserva do espaço pessoal se contrabalançavam. Era um código silencioso da praça. Saboor passara o dia inteiro longe e parecia ter voltado exausto. Foi um dos primeiros a se retirar para seu canto, debaixo da árvore.

Bom, pensou Salim. *Durma e nos deixe em paz.*

Ele sonhou outra vez com Roksana. Ela caminhava na praça com Madar-jan, Samira e Aziz. Aziz estava andando, tinha bochechas gordas e rosadas, as perninhas arqueadas acompanhando o ritmo dos outros com dificuldade. Eles riam, tagarelavam. Samira estava toda empolgada, efervescente, de mãos dadas com Roksana. Depois, Roksana se voltava para ele, os olhos brilhando de forma provocante.

E de repente acordou na mais completa escuridão. Não conseguia enxergar nada. Seus sentidos se aguçaram. Sentia um cheiro... Era suor? Salim se concentrou para ficar completamente imóvel. Não ouvia nem via nada.

Está imaginando coisas, disse a si mesmo. *Volte a dormir.*

Salim fechou os olhos e se esforçou para voltar ao sonho. Tinha acabado de começar a cochilar quando sentiu: a mão de alguém deslizava em sua coxa. Salim deu um pulo de medo. Outra mão cobriu sua boca. Salim segurou o pulso do outro com as mãos, mas a garra era firme e calosa. Hálito quente na sua orelha.

— Fique quieto, meu menino. Fique quieto. Apenas relaxe, e podemos ser bons amigos...

Saboor apalpava, tentando abrir a fivela do cinto de Salim, que tentava escapulir, mas o peso imenso do homem o mantinha deitado. Mal podia respirar.

— Fique quieto, ou vai se arrepender.

Não, não, não! Salim tentou tirar a mão da boca e do nariz. Sacudiu as pernas, tentando chutar, mas não acertou nada. Tentou afastar a mão dele, mas era pesada e não se movia. *Não, não, não!* O estômago se revirou ao sentir que a mão chegava à sua cintura.

Salim esticou o braço atrás do corpo e tentou alcançar o cabo preso nas suas costas. Virou-se para a esquerda e para a direita, até que sentiu o cabo entre os dedos. Mal conseguia distinguir a figura sobre ele, mas sentia o hálito podre no rosto.

Segurou o cabo. Em um só movimento, arrancou a faca da bainha e lançou-a no espaço escuro acima. Ouviu um grito, e algo saiu de cima dele. A mão em sua boca se soltou e a que estava na sua virilha recuou.

– Me largue! Me largue! Me largue! – berrou Salim.

A sombra se movia, cambaleando e caindo para trás. Os outros tinham despertado.

– O que está acontecendo?

– Quem está berrando? Está todo mundo bem?

– O que aconteceu?

Salim se levantou. Os olhos se adaptaram à escuridão, e ele distinguiu a silhueta de Saboor cambaleando para longe, a mão apoiada na lateral esquerda do corpo. Sentiu que alguém agarrava seu braço e deu um salto.

– Oi, oi, Salim! Sou eu, Abdullah! O que aconteceu?

O que aconteceu? Salim não tinha certeza. Aquilo era real? O que acabara de fazer? Sentia-se entorpecido, atordoado. Olhou para baixo e viu a lâmina ainda firme na mão.

– Ai, meu Deus... Ai, meu Deus. Ai, meu Deus! – Salim estava desesperado. – Ele estava aqui! Ele estava em cima de mim!

– Ei, é Saboor! Saboor foi ferido! – exclamavam as vozes na escuridão.

– Está sangrando!

– O que aconteceu com ele? Quem fez isso?

Abdullah estava junto de Salim. Ele pegou um isqueiro do bolso e acendeu uma chama. A lâmina enferrujada luziu na mão de Salim. Uma gota pingou da ponta.

– Você enfiou a faca nele? – sussurrou Abdullah, descrente.

– Eu... Eu... Ele estava em cima de mim! As mãos dele estavam...

As vozes distantes continuaram soando. As pessoas estavam confusas e em pânico.

– Está ferido. Alguém faça alguma coisa!

Os dedos de Salim pareciam úmidos, grudentos. Ele olhou para a mão direita.

– Salim, pare! Aonde você vai, Salim? Espere!

Os pés golpeavam o chão enquanto ele corria pelas ruas transversais, entrava e saía dos becos. Deu um passo em falso e caiu na escuridão, tropeçando em pedras soltas. Não tinha como confundir o sangue, agora seco pela brisa, na mão direita. Ele o sentia. Sentia o cheiro – o cheiro metálico de vida. Salim se lembrou de Intikal. Viu o irmão da noiva, as roupas ensanguentadas, o rosto contorcido pela dor.

Queria correr para os braços da mãe, afundar o rosto em seu ombro e ouvir sua voz reconfortante dizendo que ele tinha feito a coisa certa. Queria que o pai estivesse dormindo a seu lado, para que Saboor nunca mais ousasse se aproximar. Mas Salim também sentia gratidão por nem seu pai nem sua mãe estarem ali, naquele momento, para ver o filho fugindo pela noite com sangue nas mãos.

CAPÍTULO 42

Salim

Salim segurou a panela de alumínio acima do fogão improvisado, com tijolos dispostos num quadrado em volta de uma fogueira de gravetos. O cabo ficava cada vez mais quente. Chamas lambiam o fundo escurecido. Salim se aproximou do fogo. Uma friagem no ar fazia seu casaco parecer especialmente fino.

A água começava a ferver.

– Já está pronto? – perguntou Ali, de dentro.

– Sim, acabou de ficar ponto.

Ali saiu e olhou para a panela. Abriu um saco de chá e despejou metade do conteúdo, com todo o cuidado.

– Tire do fogo. Vou arranjar pão para o desjejum. Parece que pode chover mais tarde. O que acha?

Salim puxou a manga da camisa para cobrir a mão e usou o punho para segurar o cabo da panela. Ignorou o último comentário de Ali, que dissera a mesma coisa todos os dias naquelas últimas duas semanas, qualquer que fosse a aparência do céu. Salim não tinha reparado no primeiro dia, mas, no segundo, quando ouviam as gotas de chuva batendo no encerado sobre suas cabeças, Ali voltou a prever que choveria mais tarde. Achou que o rapaz estava brincando, mas, ao se virar, deparou-se com seu rosto sério e pensativo.

Ali devia ter quase a mesma idade de Salim, mas era bem mais baixo. Salim o encontrara nos campos de refugiados afegãos em Patras e quis se juntar a ele porque parecia ser um jovem nada ameaçador. Ali pertencia à etnia hazara, diferente da de Salim. Se estivessem em Cabul, isso teria importado muito. Em Patras, onde todos comiam e dormiam na mesma miséria, aquilo tinha pouca importância.

O campo de refugiados era bem diferente de Attiki. A praça era só um canto abandonado de uma cidade, cercada de edifícios, a metros da normalidade. Patras era uma favela – o que era melhor em alguns aspectos, pior em outros. Em vez de pedaços de papelão, cobertores finos e carrinhos de compras, havia paredes e telhados. Um homem até abrira uma espécie de barbearia, depois de encontrar um tamborete e tesouras. Os encerados grossos funcionavam como telhados para os que não tinham encontrado materiais mais robustos. E as centenas de pessoas que moravam ali, quase todas afegãs, mas também ciganas e africanas, montavam pequenos fogões com pedras e tijolos para preparar refeições simples. As condições de moradia eram melhores, mas, por ser maior, o campo atraía mais atenção da vizinhança. Era uma cicatriz na cidade, um lugar onde os vadios se amontoavam numa imundície desesperadora. Os gregos não sabiam o que fazer com Patras, não conseguiam decidir se destruíam tudo ou se faziam melhorias – era inevitável que os refugiados simplesmente voltassem.

Patras, supostamente, era um ponto de passagem. Mesmo antes dos afegãos, outros refugiados foram para lá a caminho da Itália e do resto da Europa. Havia uma longa tradição de se esgueirar para a Itália em caminhões ou navios de carga. Salim se tornara mais um naquela história compartilhada.

Salim era um viajante mais experiente quando chegou a Patras. Já estava na cidade havia alguns meses, talvez até tivesse passado o aniversário ali, mas era difícil saber e mais difícil ainda se importar. Os dias e as semanas se confundiam.

Preciso sair de Patras, pensava, observando a infusão do chá, a tintura âmbar das folhas e a água quente.

Sua mente voltou para Attiki, como em geral acontecia durante o dia e, o que era ainda mais inevitável, durante as noites. Pensou na última noite por lá, na mão pesada de Saboor sobre sua boca, no espanto de Abdullah ao ver a lâmina e no modo como fugira pela noite, para se afastar ao máximo. Salim lavara o sangue das mãos trêmulas e ficara escondido num beco até o nascer do dia. Não se despedira de ninguém, nem mesmo de Roksana.

Não se dera ao trabalho de buscar a mochila, onde não guardava nada além de roupas extras. Embarcara no primeiro ônibus para Patras, onde não tinha sido difícil localizar o acampamento dos refugiados.

Perguntou a si mesmo se Saboor estaria vivo. Não tinha se arrependido por matá-lo. O que importava era que isso mudaria a definição de Salim. Ferida superficial ou fatal – aquilo permaneceria um mistério. Embora estivesse distante do Afeganistão, a guerra e o derramamento de sangue o perseguiam. Os refugiados não somente tinham que escapar de um lugar, mas precisavam escapar de mil memórias até colocarem tempo e distância suficientes entre eles e a infelicidade, para enfim despertarem num dia melhor.

As noites de Salim eram difíceis. Acordava com frequência e via formas nas sombras. Foi devolvido à infância, à época em que o cérebro já tinha amadurecido o bastante para dar formas a criaturas e perigos na escuridão. Estava cada vez mais indócil, sentindo mudanças em sua personalidade. As pessoas o irritavam ou o assustavam. Havia pouco mais que pudessem fazer.

– Viu a pernas de Wahid? – perguntou Ali. – Costuraram como se fosse um saco de arroz! Ele anda mancando por aí, dizendo que não doeu, mas ouvi que ele chorou como um bebê quando aconteceu.

– É, eu vi.

Wahid tinha sido perseguido depois de ser surpreendido num dos caminhões com destino à Itália, e a cerca de metal que ele escalara rasgou sua canela. Recebera os cuidados de um paramédico a serviço de uma organização de ajuda humanitária que montara um posto perto do acampamento. A ferida de Wahid não era incomum.

– Não sabe que dia é hoje? – perguntou Ali. – É *Da-Muharram*. Guardei açúcar e arroz para hoje. Vou preparar *sheerbrinj* à noite, aí vamos rezar.

Da-Muharram era o aniversário do dia em que o neto do profeta Maomé sofrera martírio numa batalha. A família de Ali seguia a tradição afegã e marcava a data com *sheerbrinj*, ou melhor, pudim de arroz, distribuindo comida para os pobres e rezando.

– Hoje? Sério? – Mais interessante do que a data era a promessa de *sheerbrinj*. Salim ficou com água na boca, lembrando-se de como a doçura cremosa do pudim de arroz de Madar-jan, coberto com pistache moída, se derretia em sua língua. – Sabe fazer?

Ali sabia mesmo fazer o pudim de arroz, e muito bem. Dividiram o *sheerbrinj* com outros três jovens que viviam num casebre adjacente. Amontoados, riram e se provocaram, reservando alguns momentos para abaixar a cabeça e rezar. Ninguém comeu mais do que algumas colheradas, mas era o bastante para adoçar a boca.

– É como dizem – brincou Ali. – Até as sandálias mais gastas podem ser uma bênção no deserto.

Fora daquela data comemorativa, Salim se mantinha isolado. Tinha pouco interesse em fazer amigos. Permanecia em silêncio e ouvia. Todos no acampamento contavam suas histórias, mas Salim não tinha vontade de compartilhar o que lhe acontecera. Nômades não devem forjar relacionamentos, dizia a si mesmo.

Para Salim, Patras parecia Esmirna. Era na costa da Grécia, um ponto de saída, e oferecia as mesmas travessias arriscadas para o próximo território. Fizera algumas poucas tentativas de se esgueirar nos caminhões, mas fracassara terrivelmente e por pouco não fora pego. Ficava observando os esforços frustrados dos outros e tentava aprender com os erros deles.

O tempo todo, mantinha suas duas salvaguardas junto ao corpo: o dinheiro e a lâmina. Tomava cuidado para que ninguém visse nenhum vestígio dos dois e os deixava por perto mesmo quando se banhava no chuveiro improvisado. Olhava a todos com desconfiança. Precisava do abrigo fornecido pelo acampamento, e o humilde Ali era o melhor dos companheiros, naquelas circunstâncias. Ali gostava de falar e raramente fazia perguntas. Era um arranjo adequado.

Salim estava ansioso para partir antes que alguma coisa acontecesse. Até a equipe médica grega tinha se tornado alvo no conflito crescente, por ter manifestado críticas ao governo. Os refugiados estavam inquietos. A polícia aparecia cada vez com mais frequência, parando as pessoas para pedir documentos.

Todos os dias eram iguais: Salim acordava, sentia o dinheiro e a faca, saía para olhar os pontos de trânsito e tentar encontrar uma oportunidade de entrar na Itália.

Era manhã de novo. Salim ouviu quando Ali saiu e se aliviou atrás do quarto. O garoto voltou sorrindo.

– Está acordado! Bom dia para você. Tive um sonho tão bom na noite passada... Estávamos caminhando, nós dois, por essas ruas com altos edifícios, como no cinema. Tinha gente por toda parte, todos usando roupas bacanas e dirigindo carros bacanas. Perguntamos a alguém que país era, e adivinhe o que responderam? Estados Unidos! Pode imaginar? Acho que, se a gente andar o bastante, acaba chegando lá, não é? – Ali deu uma risadinha.

– Esqueça os Estados Unidos – resmungou Salim, os olhos ainda pesados de sono. – Já está bem difícil para chegar à Itália.

– É verdade. – Ali soltou uma gargalhada. – Hoje não parece um bom dia para caminhar, de qualquer maneira. Parece que vai chover. – Ele abriu a porta, pôs a cabeça para fora e contemplou um céu azul sem nuvens.

Salim não tinha interesse em contrariar ninguém tão cedo. Ele se lavou depressa com a água que ficara gelada no ar da noite. O acampamento era um bairro arruinado feito de barracos de um só cômodo, um grudado no outro. Não havia fornecimento de água ou eletricidade, mas alguns refugiados tinham instalado um encanamento vindo dos edifícios de apartamento próximos. Uma bomba de água servia a todo o assentamento com uma inconsistência que os refugiados aceitavam alegremente.

Salim voltou ao porto e à dança familiar de caminhões, barcos e passageiros. Observou alguns homens tentando passar, galgando cercas de metal preto e se aproximando dos veículos com cuidado. Inspecionaram as rodas e procuraram apoios, remexendo em puxadores para ver se conseguiam subir nos reboques.

Salim olhou em volta, observando a atividade a alguns metros de distância. Três caminhões estavam enfileirados, e nenhum motorista à vista. Seus pés coçavam de vontade de tentar.

Vasculhou mais a área enquanto o potencial do momento fazia o coração acelerar e deixava a língua seca. Disparou, atravessando a rua, e escalou a cerca, passando a perna por cima e pulando para o chão do outro lado. Correu até os caminhões abandonados. Alguns dos homens do campo estavam por lá, pensando na melhor forma de subir.

Um sujeito tentava arrombar a fechadura de um reboque. Dois outros já tinham se abaixado para verificar o chassi. Salim viu seus pés pendurados logo acima do chão, enquanto se aprontavam para a curta viagem até o cargueiro.

Abaixou a cabeça para ver o que estavam segurando. Havia um rapaz mais ou menos da sua idade, considerando os pelos faciais. O rosto estava vermelho com o esforço para manter o corpo inteiro longe do chão. Ele notou que Salim o observava.

– Vá embora, irmão! Só tem lugar para uma pessoa aqui!

Salim assentiu, compreensivo. Procurou outro caminhão, outra toca de camundongo para se esgueirar, mas não encontrou. Decepcionado, ele e outros quatro correram de volta para a cerca, a fim de se reorganizarem.

– Polícia! Polícia! Corram, meninos! – berrou uma voz em pânico.

Salim se virou. Uma viatura se aproximava pela rua. Eles aceleraram e subiram a cerca o mais rápido possível. O carro parou a alguns metros dali e as portas se abriram. Dois policiais saíram lá de dentro.

Salim pulou para a cerca com os outros, o tornozelo doendo com o impacto. Ele se levantou, e cada um correu numa direção diferente, se espalhando. A polícia escolheu dois meninos para uma perseguição desanimada de alguns metros, o suficiente para transmitir o recado. Salim virou de repente e se escondeu atrás de algumas lixeiras, perto de um edifício de apartamentos. Estava ofegante, o peito ardia.

Depois de dez minutos, voltou para o campo de refugiados. Ali estava sentado do lado de fora com quatro outros homens. Emborcaram baldes e caixotes de compensado de madeira para se sentarem.

– Onde você estava, Salim? – indagou Ali.

– Fui ao porto – respondeu Salim, sentando-se com os outros. Não estavam surpresos. Não havia mais nenhum lugar para irem em Patras, ainda mais considerando as hostilidades crescentes.

– Sem sorte, não é? – comentou um dos homens. Salim já os tinha visto antes, mas não conseguia lembrar seus nomes. Fared? Ou Faizel?

– Não. A polícia apareceu e veio atrás da gente.

Haris balançou a cabeça. Estava na casa dos 30, um verdadeiro idoso naquela comunidade de jovens. Sua perspectiva era um pouco diferente.

– Como culpar os gregos? Já olhou para esse acampamento? As pessoas não querem abrir a janela e ver isso.

Fez-se silêncio. Haris tinha razão, mas era melhor ficar com raiva. O ressentimento era uma emoção unificadora entre os refugiados. Parecia bom ficar sentado e concordar, ter um inimigo em comum e uma luta compartilhada. Parecia bom ser compreendido. A racionalidade de Haris não daria a eles a energia de que precisavam para continuar.

Ali olhou para o céu.

— Deve chover hoje.

— Pelo amor de Deus, qual é o seu problema com a chuva? — explodiu Salim, com a força de uma garrafa de refrigerante depois de ser sacudida. A conversa sobre os acampamentos e a fuga daquela manhã mexeram com seus nervos, e ele descontou tudo em Ali. — Todos os dias você fala isso!

Houve uma pausa. A revolta de Salim surpreendeu os outros. O rosto de Ali ficou paralisado, depois vermelho, cheio de manchas. Salim se arrependeu imediatamente, mas era tarde demais. Baixou o rosto, envergonhado e incapaz de encarar Ali.

O colega se levantou e entrou no barraco.

— Você não sabe nada sobre ele, não é? — perguntou Hakim, num tom de reprovação.

Salim ergueu os olhos.

— Não tem nenhum respeito pelo sujeito que compartilhou seu espaço com você?

— Eu não...

— Quer saber o que aconteceu com ele? Ali morava na minha rua, em Cabul. Não estava em casa quando a mãe gritou para que ele e o irmão entrassem. Disse a eles que parecia que ia chover e que deveriam entrar. O irmão obedeceu. Ali não. Ele falou que ia procurar alguém para brincar e desceu a rua. Foi quando as bombas acertaram a casa dele. Mataram a família inteira. Ali voltou correndo e encontrou o irmão cambaleando, desmaiando, em chamas. Ali tentou apagar o fogo que o consumia, mas não dava mais tempo. Aquilo acabou com ele. Ali só pensa em como a mãe o chamou para entrar em casa porque parecia que ia chover. Só pensa em ouvir a voz dela, que se repete em sua cabeça sem parar. Acho que ele gostaria de ter voltado para casa e sido destroçado por aquelas bombas, em vez de conviver com a lembrança de ter assistido às mortes deles.

Salim fitou a terra. O rosto ardia de remorso.

— Então deixe Ali em paz. Ele e sua conversa maluca.

— Eu não sabia...

— Claro que não sabia. Mas você por acaso acha que *alguém* aqui tem uma história feliz?

Salim ficou de boca fechada. Hakim se levantou e soltou um suspiro de frustração. Os outros o acompanharam, mas por um motivo diferente. Uma multidão começava a se reunir ali perto. Alguns homens corriam e chamavam os outros.

Salim se sentiu um forasteiro.

– O que está acontecendo? – perguntou Hakim.

– Chamem Akbar! – berrou um dos homens. – É Naim! Foi morto no porto! Estão trazendo o corpo.

CAPÍTULO 43

Salim

AKBAR NÃO ERA UM MULÁ DE VERDADE. Nunca recebera treinamento formal na religião, mas era um dos mais velhos do acampamento e tinha memorizado um repertório decente de suras. Mais importante: tinha um tom convincente, reconfortante e que preenchia as lacunas de suas qualificações.

Só quando o corpo foi trazido de volta é que Salim percebeu que Naim era o rapaz debaixo do caminhão, o que insistira para que ele procurasse outro veículo.

Naim quase chegara ao barco, então se soltou do chassi e escorregou. A fumaça do escapamento provavelmente o deixara tonto. Enquanto o caminhão roncava, aguardando o embarque, o motorista sentiu um baque grotesco sob as rodas e ouviu as vozes que urravam ao longe. O homem emitiu um guincho aterrorizante quando encontrou o corpo mutilado sob os pneus ensanguentados.

Uns poucos afegãos que ficaram por ali observaram tudo de longe e viram o rapaz cair, rolar e se contorcer sob as rodas. Estavam muito distantes para fazer qualquer coisa, mas caíram de joelhos e gritaram. Quando chegaram ao caminhão, não havia o que fazer, apenas recuperar o corpo.

Naim foi carregado por dois homens, seu corpo pendendo, flácido. Quando se aproximaram, os detalhes horríveis ficaram evidentes. O rosto e o corpo tinham virado um hematoma gigante. O antebraço esquerdo balançava de um jeito incongruente, pendurado pelo cotovelo.

Salim desviou o rosto. Sentiu o estômago se revirar e fechou os olhos. Caminhou devagar, depois mais depressa, aí correu até as latrinas no canto externo do acampamento. Esvaziou o estômago uma, duas, três vezes. Respirou fundo e lembrou-se da determinação no rosto de Naim. Quase conseguira. Quase.

Akbar deu as instruções. O garoto seria enterrado naquela mesma noite. A pressa era ditada pelas normas islâmicas e pela preocupação silenciosa de que as autoridades locais quisessem intervir. Lavaram o corpo imóvel de Naim e o embrulharam num lençol branco, como costumava ser feito em casa. Escolheram enterrá-lo numa área verde perto do campo, cheia de árvores.

Havia um burburinho na comunidade, dizendo que a polícia poderia chegar ao assentamento, mas isso não aconteceu. Os policiais não tinham o menor interesse em andar por entre os barracos cobertos por encerados. Só se preocupavam quando o caos se espalhava para o resto de Patras.

Akbar instruiu os homens a ficarem lado a lado. Olhavam na direção de Meca, o corpo de Naim diante deles. Salim juntou-se aos outros, embora desejasse estar em qualquer outro lugar. Ali permaneceu a seu lado, o rosto molhado pelas lágrimas. De modo solene, em uníssono, seguiram os comandos de Akbar. Formaram três fileiras, cerca de cinquenta homens no total, as cabeças baixas, as mãos juntas pouco abaixo da altura do umbigo, cotovelos junto do corpo. Akbar começou a recitar. Todos sussurram os versos juntos. As pontas dos dedos seguiam para as orelhas e de volta, em movimentos sincronizados.

Salim não rezava desde a morte do pai, mas o *dua* saiu de sua boca com naturalidade. Um sussurro que recitara milhares de vezes quando criança, sons que falavam de uma experiência compartilhada, de um caminho comum para a cura. Sentiu-se apoiado pelos desconhecidos em volta. A oração era uma viagem por si só, os versos tranquilos levando-o de volta para casa. Ele se movimentava com os outros e compreendeu. Não havia nada além de uma única respiração entre eles e Naim. Um único momento devastador poderia devolver todos ao pó, de onde tinham vindo. Naim estava perto o bastante para ser tocado, porém inalcançável de modo irreversível.

Salim rezou junto ao corpo do jovem. Por respeito. Por culpa. Por medo. Podia ter sido ele debaixo daquele caminhão. Podia ter sido seu corpo ali, deitado diante de desconhecidos.

Perdera o lugar. Esforçava-se para ouvir o vizinho sussurrar enquanto Ali fungava.

Meu pai não teve nem isso como funeral. Só Deus sabe como seu corpo foi tratado. Não havia nenhuma boa alma para lavá-lo e rezar por ele, para carregá-lo a um lugar de descanso e enterrá-lo com alguma cerimônia. Eu deveria ter carregado meu pai. Eu teria feito essas coisas por ele, se soubesse. Deveria ter procurado o corpo. Nunca rezarei diante de sua sepultura.

Salim não conseguia se concentrar. Raciocinava em direções desesperadas, pensando na guerra, no pai, na família, em quanto tempo conseguiria viver com os pés longe do chão. Uma hora acabaria caindo e se espatifando.

Ali começou a urrar. Gritou por Naim e cobriu seu rosto com as mãos. Falou aos soluços. O som de sua voz deixou o corpo inteiro de Salim tenso. Ele se remexeu, tentando bloquear a voz de Ali, tentando ouvir a própria voz rezando.

Hakim e seu primo saíram da fileira de homens e levaram Ali embora, puxando-o pelos braços. Conduziram o rapaz com delicadeza, para que as orações do *jenaaza* pudessem prosseguir sem distração. A voz foi sumindo enquanto se afastavam. Salim compreendia. Às vezes, a tempestade dentro da mente é muito agitada.

Todos carregaram o corpo de Naim. Todos os homens queriam ajudar a dividir seu peso. Akbar reparou que Salim ficou para trás e o chamou para que se juntasse à procissão.

– É nosso dever carregar nosso irmão, *bachem*. Venha participar.

Bachem, ouviu Salim. *Meu filho.* Os ombros relaxaram. Ninguém o chamava de *bachem* fazia meses. Sua alma estava faminta por aquela palavra.

– Há *sawaab* nesses atos.

Salim deu um passo para a frente. Talvez as bênçãos por uma boa ação pudessem lhe fazer bem. Obedeceu Akbar. O corpo de Naim foi erguido por duas fileiras de homens. Salim se apertou e ergueu a mão direita. Tocava o joelho do morto. A mão tremia, e ele fixou seus olhos nos pés do homem diante de si.

Não pense. Apenas siga em frente.

Mas era difícil não pensar. Sentia-se sufocado enquanto os homens se aglomeravam para carregar o corpo. O peito ficou tenso, como se tivessem espremido todo o ar que guardara naquele pequeno espaço. Uma respiração. Uma respiração o separava de Naim.

Outros se aproximaram para revezar. Salim estava ansioso para que assumissem seu lugar. Permaneceu às margens da multidão. Akbar olhou e assentiu em aprovação.

Os homens baixaram o corpo de Naim numa cova que tinham cavado com as mãos, pedaços de metal e fraternidade. Não havia caixão, apenas dois pedaços de papelão. Era o melhor que podiam fazer, o melhor que qualquer um deles poderia esperar caso estivesse no lugar de Naim: uma sepultura improvisada marcando o fim de uma vida improvisada.

CAPÍTULO 44

Salim

*E*MBORA TENHA LEVADO MAIS TEMPO do que gostaria de admitir, Salim recuperou a coragem para voltar ao porto. Os outros estavam igualmente apreensivos para tentar de novo. Descobriram, pelos paramédicos e voluntários em Patras, que ninguém no porto sabia o que tinha acontecido. Alguns diziam que o menino deixara o local do acidente andando, outros alegavam que havia sido levado por amigos. A morte não levantara muitas perguntas.

Salim sentia-se desmoralizado, mas não tinha escolha. Ficava parado, observava os caminhões e os passageiros a distância. Quando fechava os olhos, via o rosto de Naim. Sentia-se tentado a voltar para o acampamento, mas, restando apenas 300 euros, precisava aceitar o risco, se algum dia quisesse chegar à Itália e manter as esperanças de concluir a jornada.

Observou, estudou e tentou compreender o cronograma e o padrão de barcos e caminhões. As oportunidades poderiam surgir a qualquer momento, lembrava a si mesmo. Mantinha os olhos abertos e revisava o que fizera em Esmirna. Era possível.

Quando a oportunidade chegou, foi num momento tão comum quanto qualquer outro.

Salim escalou a cerca e se esgueirou cada vez mais para perto dos caminhões. Ficou atrás de alguns contêineres de carga, então ouviu a aproximação de um caminhão. O veículo freava e soltava uma densa coluna de fumaça preta. O motorista corpulento, de antebraços grossos e peludos, saiu e abriu a porta dos fundos. Salim se agachou bem rente ao chão e observou com atenção.

Os eventos seguintes se desenrolaram em questão de segundos, um momento cataclísmico e particular. O celular do motorista tocou, um alerta alto. Ele atendeu com uma saudação despreocupada, a conversa agradável descontraindo seu passo e afastando-o dali. Salim estava a cerca de 2 metros da plataforma. Observou o motorista com o aparelho na orelha, bebendo uma lata de refrigerante enquanto caminhava em direção à cabine.

Salim não parou para pensar. Se tivesse parado, nunca teria saído de Patras. Puxou a porta do caminhão o suficiente para deslizar o corpo esguio para o interior do compartimento.

Entrou. Estava escuro, e precisou se espremer contra o que pareciam pilhas de caixotes. Tateou o caminho, esperando que os olhos se acostumassem... não havia comoção lá fora. Pelo menos não ainda. Salim se escondeu entre duas torres de caixotes e ficou bem abaixado, puxando alguns para formar uma parede e escondê-lo. Então esperou, imóvel e tenso.

Gotas de suor deslizavam por suas costas.

Não pensou na mãe, em Samira ou em Aziz. Se lhe ocorresse como queria desesperadamente estar junto deles, ser abraçado e ver o brilho em seus olhos, seus nervos não teriam resistido. Ele se concentrou, com respirações curtas e silenciosas.

A voz do motorista se aproximou. Estava de volta à porta do caminhão, ainda ao telefone. Salim pousou o queixo no peito e se abaixou o máximo que conseguiu.

A porta se abriu mais. A luz entrou, e Salim prendeu a respiração. O motorista abriu um dos caixotes, vasculhou o conteúdo e fechou-o de novo, com força. Garrafas de vidro batiam umas nas outras. O motorista riu e, para sua sorte, continuou a conversa animada. A porta foi fechada com força e trancada com um estalido metálico.

Totalmente escuro.

Salim estava sozinho.

Voltou a respirar.

CAPÍTULO 45

Fereiba

Saí do Afeganistão com três crianças a tiracolo. Neste momento, seguro a mão de minha filha. Samira e eu não conseguimos nos encarar, não conseguimos nos afastar uma da outra. Há uma xícara de chá preto sobre a mesa diante de mim, junto com algumas revistas e uma caixa de lenços de papel. O chá passou de quente a frio sem que eu desse um gole. As revistas, já muito manipuladas, têm fotos de gente sorridente que não se parece em nada comigo e que não sabe nada sobre minha vida. Sobra apenas a caixa de lenços. Um dos lenços está meio do lado de fora, estendido como uma oferta.

Mas eu recuso.

As paredes são pintadas de azul-claro, a cor de uma burca esquecida ao sol. Não sei bem se algum dia verei essa cor e a associarei a ovos de pássaros ou águas claras. Por enquanto, esse tom de azul me leva para trás, não para a frente.

As mãos de Samira estão mornas. Ela vestiu um suéter que não cabia mais na filha de Najiba. Minha filha parece outra pessoa com aquelas roupas. O rosto já começou a engordar. Que diferença é ver sua franja presa por um arco de tartaruga, um presente da tia. É um luxo pensar em cabelo e roupas. Lembro-me das roupas que costumava usar nos primeiros anos com Mamude. Agora, penso em como as roupas não são importantes... e, mesmo assim, podem transformar uma vida.

As verdades podem ser completamente contraditórias. O mais preto dos pretos e o mais branco dos brancos ao mesmo tempo.

Passam-se duas horas. Os rostos em volta têm sido bondosos, não julgam. As palavras são lentas e pacientes. As enfermeiras sorriram para Samira, que retribuiu. Ficou mais fácil ver meu caçula sendo levado. Ele me encarou enquanto era empurrado para longe, os dedos se contorcendo, apertando meu coração. A enfermeira pousou a mão no meu braço e apertou-o com delicadeza, dizendo, sem palavras, que também era mãe e que tomariam muito cuidado com meu filho.

Se conseguirem consertar o coração dele, haverá esperança.

Nas poucas semanas desde nossa chegada, muito aconteceu. A parte mais difícil foi o primeiro passo: abordamos os inspetores da fronteira com nada além da verdade nua e crua que nos trouxe até aqui, uma bandeira branca com um pedido de misericórdia. O agente fez cara feia, bufou e nos conduziu sob os olhares de outros transeuntes, gratos por não estarem na mesma situação, torcendo o pescoço para acompanhar o que estava sendo dito. Éramos motivo de curiosidade. Mantive os olhos no agente, incapaz de encarar os espectadores.

Passamos horas em uma sala, antes de sermos enviados para outra. Em determinado momento, trouxeram um iraniano. O homem traduzia minhas palavras em um inglês seco, mecânico. Não sorriu nenhuma vez nem nos ofereceu qualquer palavra além do que lhe pediram para dizer. Não estava ali para ser amigo ou defensor e deixou isso bem claro, para não termos chance de pensar o contrário.

O processo tinha começado. Fomos enviados para um abrigo, um prédio com pequenos quartos e banheiros compartilhados. Havia outros refugiados, todos no mesmo processo. Pessoas de todas as cores e línguas. Não falávamos o mesmo idioma, então apenas nos observávamos com cautela e desconfiança, como se disputássemos uns com os outros uma oportunidade única, como se só pudesse haver um vencedor. Imaginávamos quem teria a história mais tocante. Quem, entre nós, seria mais digno de receber a compaixão desse país? Era uma rivalidade perturbadora, silenciosa.

Fomos entrevistados de novo. Dei todos os detalhes. Contei sobre meu marido e seu trabalho, sobre os inimigos que acabou fazendo. Contei da noite em que os homens apareceram em casa e o levaram. Samira fitou o chão e ouviu. Não tocávamos nesse assunto desde que tudo acontecera. O intérprete transmitiu a história para uma mulher que tomava notas, assentia e passava para a página seguinte. Falei sobre Salim, sobre como ele desapareceu no meio caminho. Pedi um registro de meu filho, para quando ele aparecesse. Confirmaram nomes e datas de nascimento, assim como os nomes e endereços dos parentes, todo tipo de detalhe. Perguntaram várias vezes as mesmas coisas, tantas que achei que acabaria tropeçando nas respostas, mesmo que fossem verdadeiras.

Minha irmã, Najiba, recebeu permissão para nos visitar. Caí em seus braços. Estar perto da família é sentir a possibilidade de voltar a estabelecer raízes. Quando perguntaram sobre Salim, meu coração apertou. Eu vinha alimentando a esperança de que ele tivesse conseguido chegar à Inglaterra antes de mim e que já estivesse na casa da tia, me esperando. Minha irmã me abraçou forte. A família veio junto, Hamid e os filhos. A reunião foi agridoce, obscurecida pela ausência de Mamude. Hamid enxugou as lágrimas quando me viu sem meu marido, seu primo. Naquele momento, tudo o que houve entre nós, o jeito torto como entrara para a família, foi esquecido. Eu tinha outras preocupações, mais sérias. Salim continuava desaparecido. Minha irmã fez o melhor para me manter animada.

Ele logo chega, Fereiba-jan. Salim sempre foi um menino esperto. É bem filho do pai dele.

Sim, é mesmo.

Moramos todos num pequeno apartamento de um quarto com uma cozinha minúscula. É ao mesmo tempo modesto e glorioso. Enquanto consideram nossos pedidos de asilo, recebemos carteiras de identidade e algumas libras por semana, para ajudar na alimentação. Acima de tudo, estou grata por terem cuidado de Aziz. O querido Dr. Ozdemir da Turquia tinha razão: encontraram um buraco no coração de meu filho, que precisava de uma cirurgia urgente, de acordo com os médicos daqui. Tratariam dele enquanto esperávamos que nosso caso fosse examinado. Com ou sem intérprete, não havia palavras para exprimir a gratidão que senti ao ouvir aquilo.

Ah, se eu pudesse compartilhar essa notícia com Salim... Procuro por ele em cada lugar aonde vamos. Vejo garotos da mesma altura ou com a mesma cor de cabelo e rezo para que um deles venha correndo até mim. Ouço sua voz na multidão e com frequência me viro, perguntando-me se não estaria passando por ele sem perceber. E se ele estiver aqui, mas não consegue nos encontrar? Samira sabe e não se surpreende com meu comportamento. Ela vivencia a mesma coisa. O mais difícil é não saber onde ele está.

Ouso imaginar um mundo perfeito. Ouso sonhar que a mulher que escreve minha história naquelas tantas páginas vai parar e lembrar que um garoto chamado Salim Waziri está aqui à procura de sua família. Sonho que direi a ele que seu irmão está bem. Sonho que recebemos uma carta dizendo que não seremos expulsos, que teremos permissão para trabalhar, frequentar a escola e permanecer neste país, onde o ar é claro e a vida é mais como o metal do que como a poeira.

E, enquanto penso nisso, uma mulher com o uniforme verde do hospital caminha em minha direção. O cabelo está coberto por uma rede azul, do mesmo tom das paredes. Ela retira a máscara quando se aproxima. Fito seu rosto, ansiosa por saber as notícias que me dará sobre Aziz. Não consigo decifrar nada em seus olhos. Não ouso me levantar, porque ela pode muito bem me derrubar com o que está prestes a dizer. Não tenho escolha além de esperar e ouvir.

Não vai demorar muito.

CAPÍTULO 46

Salim

MAIS UMA VEZ, UMA LÍNGUA DIFERENTE. Mais uma vez, um povo diferente.

Mas tudo era igual. O sentimento familiar de estar perdido. As mesmas coisas deixavam a pele úmida e a boca seca: policiais, refugiados, pontos de inspeção, trens e comida.

Depois de um tempo que pareceu uma eternidade, Salim sentiu que o barco parava de se mover e que os caminhões começavam a desembarcar. O veículo tinha descido a rampa no porto de Bari, na costa leste da Itália. Saltar foi a parte complicada. Ficou esperando que o motorista fizesse a primeira parada e abrisse a porta traseira. Quando isso aconteceu, lançou o corpo encolhido para fora da plataforma, quase derrubando o sujeito. Então, como um camundongo descoberto num cubículo, ele se levantou e saiu correndo.

Corra. Apenas corra.

A luz do sol feria seus olhos desacostumados. Ele correu para a estrada, ouvindo gritos. Correu mais e mais e virou à esquerda numa abertura entre dois prédios. Era uma esquina. Depois de avançar uma boa distância, ele se abaixou entre duas latas de lixo e esperou.

Já estava escurecendo quando saiu de trás das lixeiras. Andou determinado e sem rumo, um tanto assombrado por ter conseguido chegar tão longe. Seus olhos vagaram até o topo dos prédios de muitos andares. Tinha ido parar numa metrópole, daquelas que só vira nos livros do pai.

Aqui consigo me perder, pensou Salim, hesitante e esperançoso.

Vagou pelas ruas estreitas enquanto carros e táxis zuniam ali perto. Uma família caminhava. A mãe empurrava um carrinho de bebê enquanto o pai segurava um menino pequeno nos ombros. Salim desviou o olhar. Apesar de todos os quilômetros e meses entre ele e Cabul, a ferida permanecia próxima, não muito além dos pigmentos da pele. Conseguiria um dia voltar a observar um pai e um filho sem sentir o veneno circular pelo corpo? Até a noite em que Padar-jan fora levado, Salim nunca reparara em pais e filhos. Desde então, seus olhos eram atraídos para eles, um flagelo autoinfligido a que ele não era capaz de resistir, pois cada vez tinha esperança, com aquela parte de menino que se recusa a ser vencida, de que o vinagre voltasse a ser suco de fruta.

E havia as mães. E meninas da idade de Samira. E bebês saudáveis dando os primeiros passos. Cada vez mais, Salim precisava desviar os olhos ao encarar o mundo. Estava mais sozinho do que imaginara.

Conseguiu juntar coragem para entrar numa lanchonete. Trocou alguns euros por um sanduíche e um suco. O dono do estabelecimento colocou a compra num saco e voltou a cuidar de suas coisas.

Encontrou um parquinho mal-iluminado. Passou pelos balanços, o escorregador e a caixa de areia e foi até o gira-gira, um disco pintado em cores primárias. Salim segurou a barra de metal e girou. O brinquedo se sacudiu e girou devagar, soltando um rangido assustador. A noite transformava os parquinhos em cidades-fantasma, esvaziadas do som redentor das risadas e da correria das crianças.

Salim vivia nesses vácuos. Vivia nos espaços desabitados da noite, lugares onde não havia rostos alegres e animados. Vivia em cantos que passavam despercebidos, entre as coisas que as pessoas varriam porta afora, pelos fundos.

Com as pernas encolhidas, dormiu atrás do gira-gira e acordou assim que o sol nasceu. As buzinas soavam, e a cidade voltava à vida. Salim foi para a calçada. Naquele dia, faria planos.

Mulheres com sacolas de compras e crianças pequenas passavam por ele. As lojas pareciam familiares. A língua soava estrangeira. As coisas eram diferentes e ao mesmo tempo iguais. Salim se manteve alerta para não ser surpreendido pelos policiais. Como seu destino era a Inglaterra, precisava encontrar a melhor rota para chegar lá. Conseguira andar de ônibus na

Turquia, então achou que podia tentar a mesma solução ali. Reuniu coragem para se aproximar de uma mulher mais velha, a coluna curvada pela idade. Perguntou onde ficava a rodoviária, numa mistura de grego e inglês. A mulher pareceu irritada e o despachou, batendo com a bengala no chão. Salim seguiu pelo quarteirão, as mãos enfiadas nos bolsos.

Viu um homem grisalho sentado sozinho, diante de um café. Tinha acabado de dobrar o jornal e o colocava debaixo do braço quando Salim se aproximou e se esforçou ao máximo para articular a pergunta.

O homem assentiu, o rosto quase todo coberto pela aba larga do chapéu. A voz parecia meio rouca, gasta pelos anos.

– *Dov'è la stazione? Si, si...*

Gesticulando sem parar, o homem apontou para uma rua movimentada, depois indicou uma curva para a esquerda. Repetiu, falando devagar e com paciência, até ter certeza de que o rapaz tivesse uma ideia geral da direção que precisava seguir.

Salim pôs a mão no peito e baixou a cabeça, demonstrando seu agradecimento. Sentiu-se como Padar-jan ao fazer o gesto.

As placas das ruas não ajudavam muito. Salim chegou a um cruzamento e se perguntou se seria aquele o lugar onde deveria virar à esquerda. Caminhou por mais alguns momentos, então avistou uma estrutura ampla, a fachada toda tomada por entradas em arco e janelas ornadas. Dois ônibus entraram na rua que cercava o prédio. Viu um policial bebericando café mais adiante, então deu a volta discretamente, em pânico, e entrou por uma transversal. Dois quarteirões depois, retornou à rua principal e, com o policial bem longe, foi direto para a rodoviária.

Lá dentro, a estação era mais uma metrópole agitada. Salim desviou-se dos viajantes e ziguezagueou até encontrar uma parede com mapas, quatro grandes pôsteres de escalas variadas. Examinou as rotas locais de ônibus e seguiu para o próximo: um mapa da Itália.

Onde estou agora?

Em algum lugar perto da água. Em algum lugar perto da Grécia. Os olhos se fixaram no ponto vermelho na costa leste.

Muito bem, então estou aqui. Como posso chegar à Inglaterra?

Salim se virou para ter certeza de que não estava chamando atenção. De volta ao mapa. Para chegar à Inglaterra, a rota mais direta seria passando pela França. Mas como?

Pensou na jornada até ali.

Um passo de cada vez. É mais fácil se esconder em cidades grandes. Não fique preso em cidades pequenas.

Roma... A noroeste de onde estava, ficava a cidade marcada com letras maiores; parecia que muitos caminhos chegavam e saíam de lá. De Roma, teria que avançar em direção ao norte, para atravessar a França e depois o canal da Mancha.

Sentiu a corda na cintura, a bolsa de dinheiro. Dentro, guardara o papel com o endereço que Roksana encontrara. Um destino. Era tudo o que tinha. Nenhum número de telefone, nenhum mapa, nenhum retrato. Apenas um endereço.

Com cautela, caminhou até a fileira de balcões com atendentes sentados atrás de paredes de vidro. Parou diante de uma mulher mais velha que mal o olhou. Salim não compreendia nada do que ela dizia.

– Por favor? Passagem de ônibus para Roma? – pediu, rezando para que a mulher falasse inglês.

– Roma? – perguntou a mulher, tirando os olhos do computador. Ela o contemplou por cima dos óculos.

Salim tentou decifrar aquela expressão, já se preparando para correr.

– Ah, para Roma é melhor um trem, não acha?

Salim assentiu. A mulher parecia tranquila, sem desconfiar de nada.

Ele seguiu as instruções para chegar à estação ferroviária, não muito distante. Lá, repetiu as pesquisas cautelosamente e esperou até ter certeza de que não havia policiais por perto antes de se aproximar de uma das bilheterias. Conseguiu comprar uma passagem para Roma num trem que partiria dali a duas horas. Embarcou quando viu que outros passageiros já se adiantavam.

Eram quase dez da noite quando o trem chegou à estação. Antes de ousar se aventurar pela noite, esperou um momento para preparar seu emocional. Dera um passo à frente, mas sabia muito bem como podia ser obrigado, bem depressa, a dar dois passos para trás.

CAPÍTULO 47

Salim

Ele acertou a hora no relógio de pulso do pai de acordo com um mostrador na parede da estação. Adentrou a escuridão familiar da noite no território desconhecido de Roma para buscar um local onde descansar até de manhã. Estava ansioso por encontrar a melhor rota para a França, mas sabia que era melhor não se apressar.

O ar estava gelado. Salim enfiou as mãos nos bolsos, manteve a cabeça baixa e os olhos bem abertos.

As pessoas se espremiam pelos gargalos das saídas da estação, carregando malas de rodinhas. Salim escolheu uma rua bem-iluminada, menos movimentada do que a via por onde seguia a maior parte dos passageiros.

Caminhara cerca de quinze minutos quando as viu: três mulheres perto da fachada das lojas. Usavam saias que mal cobriam os traseiros e blusinhas que pareciam grudadas a seus corpos. Duas tinham pele escura, podiam ser africanas, e o cabelo de uma parecia ter um tom laranja vibrante sob a luz do poste. A terceira tinha a pele mais clara do que a de Salim e o cabelo castanho-avermelhado. Elas se remexiam sem parar, davam alguns passos pelo quarteirão, para cima e para baixo, os braços dobrados, tentando se manter aquecidas. Salim diminuiu o ritmo dos passos e observou.

Os carros reduziam a velocidade ao passar. As garotas colocavam um pé diante do outro e encaravam o motorista, inclinando a cabeça. Salim ficou olhando para a garota mais clara. Um carro se aproximou, e ela olhou para trás e passou a mão pelo cabelo.

Salim detectou nelas o cheiro do desespero, bastante conhecido.

Um veículo pequeno parou. Uma das africanas se aproximou da janela do carona e se abaixou. Pôs uma das mãos no quadril. Então balançou a cabeça, e o carro partiu, sem esperar que ela se afastasse. Ela berrou, furiosa, enquanto os faróis traseiros desapareciam.

Os companheiros nos campos de refugiados tinham falado sobre uma região em Patras onde homens podiam pagar mulheres para dormirem com eles. Salim ria, chegava a gargalhar, quando faziam piada sobre o assunto, mas nunca tinha visto o lugar nem as mulheres. E, mesmo para seus olhos ingênuos, estava claro que era disso que estavam falando. Mas aquelas eram garotas, jovens. Ele ficou se perguntando se estava enganado. Aproximou-se delas porque precisava de informações, mas também estava curioso.

A garota de cabelo castanho-avermelhado viu quando ele se aproximou e deu alguns passos para trás, apoiando-se na fachada do prédio. As outras duas olharam para ele e não deram muita importância, apenas continuaram a conversar, a alguns metros dali.

Salim não conseguia parar de encarar. Começou a perscrutar pelos escarpins grossos com saltos de mais de 10 centímetros. Os olhos subiram pelos contornos das pernas desnudas até as coxas, onde o vestido preto começava – ou terminava, dependendo do ponto de vista. O vestido envolvia a silhueta fina, com uma teia de alcinhas se cruzando na altura do peito e das costas.

– *Buona sera* – cumprimentou a mulher.

O poste iluminava seus traços delicados, lançando sombras travessas em seu rosto. Tinha um nariz fino, olhos verde-claros que cintilavam, mesmo à luz noturna, e lábios pintados de vermelho intenso. Apesar da maquiagem, não parecia ter mais do que 17 anos.

– *Allo* – respondeu Salim, envergonhado.

Procurou as palavras. A mulher parecia impaciente.

– *Allo* – repetiu ela. Sentia que aquele não seria um cliente promissor, e seus modos recatados desapareceram.

– Eu… preciso de ajuda. Como faço para chegar à Inglaterra? – Foi tão eloquente quanto possível, naquele momento tão particular.

A mulher revirou os olhos e deu as costas para ele. Salim insistiu:

– Por favor, preciso ir para a Inglaterra – implorou. – Sabem de algum lugar onde eu possa dormir esta noite? Conhecem algum?

– Não posso ajudar – retrucou a mulher, de supetão. Falava inglês, mas com um forte sotaque, mais difícil de entender do que o de Salim.

Ela deu alguns passos quando um carro se aproximou e reduziu a velocidade, mas depois se afastou. Olhou para ele, irritada.

– Vá embora – ralhou. – Não fique aqui!

– Por favor! Venho do Afeganistão. Sabe onde tem afegãos por aqui?

– Não sei.

– De onde você vem?

– Da Albânia – respondeu ela, e a tristeza invadiu seus olhos por uma fração de segundo. – Agora vá.

Salim nunca ouvira falar da Albânia. Insistiu. Eram quase da mesma idade... Talvez alguma coisa de Roksana lhe desse esperança de que a jovem também o ajudaria, embora ele soubesse que não havia a menor semelhança entre as duas.

Ela deu-lhe as costas, desafiadora. Salim, por fim, desistiu. Circulou pelos quarteirões procurando mais alguém a quem pudesse pedir ajuda, mas já era quase meia-noite, e ele estava exausto. Virou a esquina e encontrou a jovem no mesmo lugar. As outras duas o olharam de longe e atravessaram a rua, balançando a cabeça. A albanesa o encarou de esguelha e jogou a cabeça para trás, bufando.

– Sinto muito. Só queria perguntar... por favor. Preciso dormir em um lugar seguro. Sem polícia.

– Por favor, você me cria problemas. Vá!

Como se tivessem sido convocadas por Salim, luzes azuis giravam ao longe. As garotas começaram a se dispersar.

– Polícia? – perguntou Salim, enquanto a garota de pele clara corria pela rua.

– É – murmurou ela, sem se virar.

Salim se aproximou do edifício e se afastou do meio-fio. As luzes permaneceram distantes. Ele ficou olhando a jovem se afastar, as pernas pálidas na escuridão. Corria sem jeito com aqueles saltos e, na pressa, torceu o tornozelo de repente, o que a fez agitar os braços. Ela cambaleou por mais um ou dois passos antes de se estatelar no chão. Salim correu para ajudá-la. Os joelhos estavam muito arranhados, e ela segurava o tornozelo fazendo uma careta. Tentou se levantar, mas, quando pôs o peso no pé direito, soltou um gritinho.

Salim a segurou pelo cotovelo enquanto ela tirava o sapato. O salto tinha quebrado. Ela parecia prestes a cair no choro. Com o sapato na mão, a jovem saiu mancando. Salim a soltou, mas logo voltou para perto dela quando percebeu que andava com dificuldade.

– Vou ajudar você – ofereceu, e estendeu a mão, muito tranquilo.

A mulher o encarou, resignada, e assentiu.

– Aqui – murmurou, e mostrou o caminho.

Entraram em alguns becos cor de telha. Ela o levou até um sedã enferrujado parado num estacionamento. Tirou uma chave da bolsa, destrancou a porta e deslizou para o banco de trás.

– Sente-se – ofereceu, apontando o lugar ao seu lado.

Salim se sentou, tomando o cuidado de não se aproximar demais. A mulher estava menos agressiva, mas ficar sozinho com ela dentro de um carro o deixou pouco à vontade.

– Seu nome? – perguntou a jovem, com vago interesse.

– Salim. E você?

– Mimi.

Houve um momento de silêncio. Mimi se remexeu e massageou o tornozelo. Olhou para Salim, a testa franzida.

– Por que veio para cá?

– Para cá?

– Itália. Por que veio para a Itália?

– Quero ir para a Inglaterra. Minha família está na Inglaterra.

– Família?

– Mãe, irmã, irmão.

Mimi olhou pela janela do carro. Gotas de chuva caíam sobre o vidro sem fazer barulho.

– Onde está sua família? – indagou Salim.

Mimi esfregou os braços e mudou de posição.

– Sem família – retrucou.

– Ah. – A resposta deixara Salim com muito mais perguntas. – Quando chegou à Itália?

– Dois anos.

– Quer ficar?

Ela franziu os lábios, formando um bico zangado.

– Não há nada aqui.

– Para onde quer ir?

Mimi ergueu os olhos, como se nunca ninguém tivesse ouvido aquela pergunta. Algo na escuridão tornava a conversa ainda mais agradavelmente anônima do que já era.

– Não sei.

A chuva começou a engrossar, batendo no teto do carro com um ritmo metálico. Acalentada pela escuridão e pela chuva, Mimi começou a contar sua história para Salim, num inglês fragmentado que não fazia jus à narrativa.

Mimi vinha de uma família pobre na Albânia. Era a terceira filha, e havia duas mais novas. Aos 15 anos, os pais lhe arranjaram um casamento com um homem que tinha praticamente o dobro de sua idade. Ela protestou, mas não fez diferença. Morou com o marido durante quase três meses, tendo que catar as garrafas vazias e sofrer a fúria dos acessos de bebedeira dele. Depois desse período, tentou voltar para a casa dos pais, que se recusaram a aceitá-la. Mimi então foi morar com a tia.

Apaixonou-se por um garoto da região, que pediu que ela se mudasse com ele para a Itália, onde se casariam e começariam uma nova vida. Ele providenciou uma viagem de lancha da Albânia para a costa da Itália. Mimi não contou nem para a tia nem para ninguém sobre sua decisão de partir. Quando chegaram à Itália, foram morar num pequeno apartamento. Durante uma ou duas semanas, Mimi acreditou que levaria a vida feliz que o garoto lhe prometera. Mas, antes que se passasse muito tempo, o rapaz começou a se queixar de que precisavam de dinheiro. Não conseguia arrumar emprego, dissera ele, e falou para a noiva que sua beleza poderia sustentar os dois. Ele prometeu que não seria por muito tempo e que as coisas não mudariam no casamento.

Salim não a interrompeu.

O rapaz ficava com todo o dinheiro que Mimi conseguia. Gastava tudo em drogas e saía com os amigos enquanto ela trabalhava. Um dia, levou-a para um apartamento e, sem a menor cerimônia, negociou seu corpo com outro homem. Ela implorou, lembrando as promessas e tudo o que já sacrificara por ele, mas o jovem deu-lhe as costas e nunca mais voltou. O novo homem queria que ela trabalhasse. Quando ela se recusou, apanhou e foi trancada num quarto com outras duas garotas, até que as três não tiveram escolha a não ser aceitarem. Isso tinha acontecido sete meses antes.

E aquele não era o tipo de homem de quem ela poderia fugir, como descobrira pelas outras moças.

– Não tenho para onde ir. Não tenho documentos. Minha família não me quer. E, se eu fugir, ele vai me encontrar.

Salim não tinha palavras de conforto nem de encorajamento. Estava grato que a escuridão ocultasse a expressão em seu rosto. Aquela era uma garota usada, o tipo de vergonha que as pessoas não podiam mencionar em público, em Cabul.

Tinha apenas uma pergunta, que Mimi respondeu sem que ele precisasse formular:

– Não sei por que estou contando tudo isso. Você diz que precisa de ajuda. Mas você é um garoto. É livre. Não precisa de ajuda.

Salim ficou furioso com a suposição. Queria odiá-la. Parte dele de fato a odiava. Odiava Mimi por ter contado que vivera coisas tão horríveis que faziam até seus próprios problemas parecerem menores. Odiava Mimi por fazê-lo sentir pena de outra pessoa. Odiava Mimi por fazê-lo se sentir ainda mais inútil – inútil para si mesmo e para os outros.

Olhou para ela de esguelha. Não era difícil imaginar que a família a recusaria. Uma garota que largou o marido e fugiu com outro, só para acabar como prostituta. No Afeganistão, ela teria sido exterminada muito antes, pela desonra que trouxera para a família.

Salim olhou pela janela. Entre tantas gotas de chuva, observou uma em particular enquanto escorria pelo vidro e desaparecia na noite. Não podia odiar Mimi. Apesar do tom brusco e da aparência sórdida, ela era apenas uma menina. O melhor que podia fazer era se manter calado.

– Não tem documentos? – indagou ela.

– Não.

– Hum.

Salim brincou com o relógio. Não sabia se seria seguro ficar ali com ela, mas estava chovendo mais forte, e ele não queria procurar outro abrigo.

– Seu relógio... é bonito.

Salim parou de brincar com a pulseira de couro e endireitou as costas. Depois de alguns momentos, ouviu sua voz interromper o silêncio:

– Era do meu pai.

Enquanto observava os ponteiros contarem os segundos e os minutos, Salim falou sobre sua vida. Relatou tudo com simplicidade, com palavras rápidas. Era surpreendente como os dias e os anos não tinham importância. Sua história, seu cerne, era composta por apenas um punhado de segundos ou minutos. O resto era uma estrada vazia, uma distância que apenas prolongava a viagem de um ponto a outro.

Contou sobre o pai. Contou sobre a partida da fazenda de Polat, na Turquia. A voz se suavizou ao falar sobre as preocupações de Madar-jan, o silêncio de Samira e o coração debilitado de Aziz. Falou sobre Attiki, mas omitiu Saboor e o esfaqueamento, um momento da história que ele próprio ainda não estava preparado para aceitar. Falou sobre Patras e o corpo mutilado de Naim.

– Você é só um menino... – comentou Mimi, por fim. – Sua família espera por você. Vá encontrá-los.

– Mas dá para chegar à França?

Mimi pensou um pouco.

– Eu posso mostrar como... mas talvez seja má ideia.

– Diga – insistiu Salim.

Qualquer ideia era bem-vinda.

– As pessoas vão para a França todos os dias. Algumas levam uma caixa e vão para a França. Tarefa fácil, só é importante a polícia não pegar você, senão vai para a cadeia.

– Só preciso carregar uma caixa? Isso eu posso fazer – afirmou Salim, esperançoso.

– Não sei. Levo você até o homem... ele sabe. Pergunto para ele por você.

Os dois combinaram de se encontrar de novo na noite seguinte. Quando a chuva parou, Mimi comentou que era melhor que ele fosse embora e encontrasse um lugar para dormir até a manhã seguinte. Salim compreendeu e saiu pela noite, grato por ter encontrado Mimi, a garota-mulher.

CAPÍTULO 48

Salim

SALIM PASSOU O DIA PERAMBULANDO pelas ruas de Roma. Observava os turistas deslumbrados, as câmeras penduradas no pescoço. Tinham folhetos reluzentes nas mãos e um ritmo característico ao caminhar – parar, focar, fotografar. Mais alguns passos, e de novo: parar, focar, fotografar.

Fez um mapa mental para registrar o caminho. Os carros buzinavam, e os sons da cidade afogavam seus pensamentos tristes.

Virou uma esquina, e viu uma construção cor de terra à frente, uma relíquia que se erguia sobre uma rua movimentada. O edifício assimétrico abria-se para o céu e parecia estranhamente familiar, para um menino que chegara ao país um dia antes. Caminhou na direção do edifício, uma onda de memórias retornando enquanto se assombrava com a estrutura.

Não podia ter mais do que 7 ou 8 anos, amontoado com a família na sala de estar dos fundos, na casa da tia. Era um dos poucos meninos que tinham um videocassete, e um dos primos pegara emprestada com um amigo uma fita antiga de um filme de kung fu. Como era mesmo o título do filme? Alguma coisa com dragão. E aquele era o cenário de uma das cenas de luta, uma das que fez Salim passar semanas dando socos no ar e flexionando os bíceps minúsculos.

Ele se aproximou do Coliseu, acelerando os passos diante da nostalgia e da curiosidade. Seguiu o denso cordão de pessoas que cercava a construção. Elas compravam ingresso para entrar. Sentou-se num banco do outro lado da rua. Não podia gastar o que tinha nem conseguia se afastar. Imaginava aqueles homens sem camisa, o suor reluzente delineando seus músculos enquanto atacavam com habilidade, abaixando-se e voando pelo ar.

Salim pensou nos caminhoneiros, nos policiais, em Saboor. Suas batalhas não eram nem um pouco parecidas com aquelas do cinema.

Pensou no que Roksana estaria fazendo naquele momento. Devia estar na aula, ouvindo o professor com ceticismo. Recordou-se do dia em que ela o recebera em casa. Visualizou o momento em que ela o conduzira até a sala, conversando durante o almoço. A mão macia na sua, quando ela lhe entregou o endereço da tia. O modo como a camiseta grudava na cintura.

Seus pensamentos saltaram para Mimi, uma garota bem diferente, se é que poderia ser chamada assim. A pele, as pernas, os seios... Era mais do que já vira de uma mulher. Mimi era uma mulher de inocência e vergonha. Por baixo da sombra esfumaçada nos olhos, do cheiro de cigarro nas roupas e do sofrimento no rosto, Salim enxergava doçura. Via no jeito como ela franzia os lábios ou se sentava com o queixo apoiado nas mãos.

Salim não conhecera garotas assim. Não fazia sentido, mas, só de pensar nelas, sentia-se mais homem.

A NOITE CAIU, E SALIM ENCONTROU O CAMINHO de volta até a rua mal-iluminada. Não viu Mimi. Viu outras garotas, de todos os tons, com calças curtas ou blusas de babados, mascarando o tédio em posturas atraentes. Manteve-se distante.

Sentou-se nos degraus da entrada de um prédio abandonado. No relógio, eram nove da noite. Alguns carros passavam devagar. De onde estava, via o poste onde a conhecera. Decidiu que esperaria.

Meia hora depois, um carro parou. A porta do carona foi aberta e uma perna branca despontou, depois a outra. Mimi saltou. Fechou a porta quando o carro já começava a se afastar. Arrumou a saia e caminhou até a calçada com passos hesitantes, o tornozelo ainda machucado.

Vestia uma blusa verde-jade e uma saia branca que cintilava sob a luz do poste. Salim se levantou e foi andando em sua direção. Ela o viu se aproximando, mas agiu com indiferença.

– Mimi – chamou Salim, ansioso.

Manteve as mãos nos bolsos, sem saber o que fazer.

– Você voltou.

Pela forma como ela falou, dava para perceber que não esperava por ele nem que estava particularmente empolgada com sua presença.

– Voltei. Seu pé. Está melhor?

Ela assentiu. Talvez estivesse arrependida de ter pedido que ele voltasse. Salim perguntou depressa, antes que ela pudesse mandá-lo embora:

– Pode me levar para conversar com aquele homem? O que pode me mandar para a França?

– É uma ideia ruim. Sinto muito. Talvez seja melhor você encontrar seu próprio caminho.

A esperança que Mimi acendera nele na noite anterior ardia como uma chama. Ela hesitava; Salim não.

– Por favor, preciso de ajuda. Preciso ir para a Inglaterra... encontrar minha família. Minha mãe, minha irmã, meu irmão.

Mimi se encolheu ao ouvir a menção à família. Pôs a mão no quadril e olhou para trás.

– Não sei o que acontece. Essas pessoas às vezes estão em lugares perigosos. Você veio sozinho para a Itália. Acho que é capaz de encontrar seu caminho, como todo mundo. Você consegue. Não está sendo vigiado nem está preso.

– Mimi, por favor.

– Não é uma boa ideia – repetiu ela, baixinho.

– Não tenho nada – respondeu Salim, com simplicidade. – Preciso disso.

Mas Salim tinha mais do que ela, e Mimi sabia. Invejava o risco que ele podia correr – o risco que ela, um pássaro engaiolado, nunca poderia assumir. Cedeu, depois de ter dado todos os avisos. O que acontecesse dali em diante não pesaria em sua consciência.

– Mostro para você. Mas não diga meu nome.

Salim concordou. Um telefone tocou. Mimi retirou um celular da bolsa e falou brevemente com alguém, os olhos vasculhando a rua durante a conversa. Parecia nervosa, obediente.

– Vamos depressa.

Ele a seguiu. Mimi contou que o levaria a um prédio de apartamentos, onde Salim teria que abordar o homem e pedir assistência para a viagem até a França.

Finalmente, pensou Salim, *estou indo para algum lugar.*

Seu alívio não durou muito.

Tinham caminhado por apenas alguns minutos quando um carro prateado dobrou a esquina e parou diante deles cantando os pneus, quase subindo no meio-fio. Os dois deram um salto, e Mimi quase tropeçou, o pé sem firmeza. Salim estendeu o braço para ajudá-la, e ela aceitou sua mão.

– Você é um cliente – sussurrou depressa. A voz tremia.

– O quê?

Não houve tempo para esclarecimentos. Um homem de jaqueta de couro preta saiu do carro furioso, batendo a porta do lado do motorista. Ele a agarrou pelo braço, afastando-a de Salim, e perguntou algo numa língua que Salim não compreendia. Insatisfeito com a resposta, segurou-a com mais força e sacudiu-a, como se tentasse chacoalhar a verdade para fora dela. Mimi implorava.

– O que está fazendo com essa menina? – rosnou o sujeito, voltando a atenção para Salim e estreitando os olhos frios e escuros.

Era alguns centímetros mais alto do que Salim e uns 13 quilos mais pesado. O rosto com barba por fazer apenas intimidava mais o garoto.

– Eu... eu... estava conversando – gaguejou Salim, antes de se lembrar do que Mimi havia sussurrado.

– Conversando sobre o quê?

– Quero pedir a ela... Eu quero... – Salim hesitou.

– Você a quer? – perguntou o outro, casualmente.

– Q-Q-Quero – respondeu Salim, com toda a convicção que conseguiu reunir. Mimi olhava dele para o homem, nervosa.

– Ótimo. Então onde está o dinheiro?

Salim entrou em pânico. Os euros estavam numa bolsa escondida na cintura. Não conseguiria tirar algumas notas para dar ao homem sem que ele visse que havia mais. Não podia correr o risco de perder tudo.

– Eu... Eu não tenho.

O homem tinha soltado Mimi e espremia as bochechas de Salim com uma única mão.

– Não tem dinheiro?

– Não – guinchou Salim, os lábios comprimidos. A mão apertou mais.

– Não tem dinheiro, é?

O brutamontes berrou alguma coisa para Mimi. Antes que ela pudesse explicar, a mão lhe acertou o rosto. A jovem cambaleou, dando alguns passos para trás. Salim estendeu os braços para ela, mas acabou recebendo toda a atenção do homem.

– Desperdiçando o tempo da minha garota?

Ele golpeou Salim com a mesma força. O jovem perdeu o equilíbrio, tentou se recuperar, mas o segundo e o terceiro golpe vieram depressa.

Não havia como argumentar contra a fúria daquele homem.

Botas pontudas atingiram as costas de Salim, a barriga, as costelas. Ele ouviu Mimi gritar. Tentou se encolher, proteger a barriga dos golpes. Mal conseguia respirar. Sentiu o asfalto frio e áspero no rosto. Então parou.

Salim se arrastou de joelhos, tossindo. Os gritos de Mimi desapareceram a distância. Ele rastejou até um canto e se escondeu atrás de uma pilha de caixas de papelão.

Por favor, que isso acabe logo.

Salim fechou os olhos e se entregou à escuridão.

CAPÍTULO 49

Salim

POR QUE EU NÃO REAGI? QUAL É O MEU PROBLEMA? Salim se sentia quase tão furioso consigo mesmo quanto com o cafetão de Mimi. Amanhecera. Seu corpo protestava ruidosamente enquanto ele mancava até uma lanchonete para comprar algo que conseguisse beber mesmo com os lábios inchados e feridos. O dono do estabelecimento, pensando que ele fosse um encrenqueiro, aceitou o dinheiro com desdém e balançou a cabeça, decepcionado por seu país não impedir a entrada desses baderneiros.

Salim foi à estação de trem e examinou os horários e as rotas para a França. Sentiu que um policial o encarava. Em questão de segundos, Salim desapareceu na multidão, deixando o policial intrigado antes de aparecer no lado oposto da estação.

SALIM SOFRIA COM A POSSIBILIDADE DE NÃO CONSEGUIR chegar à Inglaterra. Abalado pela experiência dos primeiros dias na Itália, sentia-se desesperado para tentar alguma coisa. Mas estava exausto, como se as veias transportassem chumbo em vez de sangue. Cansado de não ter nada para comer e cansado de se preocupar com dinheiro. Cansado de ficar sempre olhando para trás, com medo. Sair de Cabul talvez tivesse sido um erro, afinal. As coisas podiam ter melhorado por lá.

Salim não ouviu o som de passos de saltos altos ali perto. Tinha cochilado com as costas apoiadas na parede de um prédio. Nas ruas escondidas da capital italiana, alguém reconheceu seu rosto maltratado.

– Salim.

Ele abriu os olhos e deu de cara com dois joelhos esfolados, num padrão que lembrava muito as marcas deixadas por pneus no asfalto. Mimi se agachou ao lado dele, perguntando em voz baixa:

– Você está bem?

– Estou ótimo. – Sua voz saiu baixa e nem um pouco convincente. Ele olhou em volta. – Você está sozinha?

– Estou. Burim não está aqui.

O nome dele era Burim.

– Está muito machucado? Sua boca...

– Estou bem. Está melhor agora.

Salim admitiu para si mesmo que era culpa dele que os dois tivessem sido encontrados naquela noite e que era por causa dele que Mimi tinha sido arrastada. Examinando o estado da aliada, achava que Burim não tinha se esquecido rápido. Havia uma marca azul abaixo do olho esquerdo e uma pequena ferida no lábio.

– Eu... sinto muito, Mimi. Não queria que machucassem você.

Mimi se sentou no chão ao lado dele.

– Eu sei. Burim é doido. Eu o conheço. Nada de novo.

– Você precisa se afastar dele.

Para Salim, não parecia complicado. Por que permanecer ali se o dinheiro que ganhava não lhe pertencia e ela vivia com medo? Por que Mimi não ia embora?

– Não posso fazer nada. Ainda não. Talvez um dia, mas agora... agora não tenho escolha.

Eles se encararam, calados. Salim se perguntava por que Mimi não ia embora naquele dia e Mimi sabia que Salim nunca compreenderia.

– Agora vamos levar você até o homem – anunciou. – Talvez você possa ir. Tem mais chance do que eu.

– E Burim?

– Ele está longe daqui. Tem duas garotas lá, garotas novas. Ele precisa se encontrar com elas. Temos tempo.

Salim assentiu e a seguiu. Embora não estivesse em condições físicas para um encontro, tudo o que queria era sair de Roma. Mimi o conduziu pelas mesmas ruas, vigiando para ter certeza de que ele mantinha o ritmo. Chegaram a um prédio de apartamentos com uma maçaneta quebrada e as janelas do primeiro andar fechadas com fita adesiva. Salim balançou a cabeça: entrar lá seria ignorar seus instintos.

– Lá dentro, toque a campainha do apartamento B3 – instruiu Mimi. – Um homem vai atender você. Vai perguntar quem é, e você vai dizer que foi mandado por Mimi. Diga que quer ir para a França, talvez ele arranje um trabalho para você.

– Posso dizer seu nome?

– Pode. Esse homem não é amigo de Burim. Mas você deve fazer tudo o que ele disser. Tudo, entende? Ele é perigoso, mas talvez mande você para a França. Você volta aqui em dois dias – pediu ela, enfática.

Salim ficou aliviado por ter tempo antes de encontrar o contato de Mimi, embora fosse decepcionante que ainda precisasse esperar dois dias antes de deixar a cidade.

– Qual é o nome dele? – perguntou. Mimi já o levava de volta pelo caminho que tinham percorrido. – Qual é o nome do homem?

– Nome nenhum – retrucou ela, com firmeza. – Sem perguntas. Ele não gosta de falar.

– Como o conheceu?

– Ele trabalhou com Burim durante um ano, mas brigaram por dinheiro. Agora não se falam, mas sei que o homem manda pessoas para outros países. Ele diz a você como fazer.

Salim assentiu, compreendendo uma parte, mas não tudo. Mimi estava mergulhada até o pescoço em um mundo composto por personagens desagradáveis. Salim se questionava se não seria um deles.

Talvez eu seja como ela. Como as pessoas que ela conhece. Talvez eu não seja mais um menino inocente em fuga. Talvez, se eu aceitar isso, as coisas melhorem.

Ela foi na frente, o pequeno rabo de cavalo encorajando-o a seguir. Ainda dolorido, ele sugeriu que dividissem um sanduíche que ele carregava no bolso. Mimi acenou com a cabeça para um ponto mais à frente.

– Venha comigo – disse, e Salim a seguiu.

Ela o levou a um apartamento mal-iluminado de um só cômodo, num prédio não muito distante do lugar onde tinham se encontrado. Um lençol simples cobria um colchão de casal sobre uma estrutura de metal. Um abajur estava pousado em cima de uma cadeira de madeira, e as outras duas cadeiras estavam junto à parede oposta. As paredes, pintadas num tom que devia ter sido um vermelho inspirador no passado, estavam rachadas e marcadas pelo tempo. A cozinha ficava a poucos metros, separada do aposento principal por uma meia parede. Os utensílios pareciam enferrujados e pouco utilizados. A porta para o banheiro estava entreaberta, e Salim viu uma pia de porcelana lascada e um boxe estreito com argamassa escurecida.

O apartamento estava em condições deploráveis; se Salim visse aquilo quando ainda vivia em Cabul, com certeza teria torcido o nariz. Mas sua perspectiva tinha mudado. Como Padar-jan sempre dizia: em terra de cego, quem tem olho é rei.

A maior preocupação do rapaz era saber se estar ali era uma boa ideia. Com um olhar, Mimi leu seus pensamentos.

– Ele não vem. Burim tem uma garota nova. Ele fica com ela e volta de manhã. A primeira noite é muito, muito ruim.

Mimi sentou-se na cama, e Salim puxou uma cadeira para se acomodar diante dela. Pegou o sanduíche amassado do bolso, desembrulhou-o e ofereceu metade. Ela aceitou com um murmúrio de agradecimento.

– Você mora aqui? – perguntou.

Ela morava. Os vestidos exíguos e as blusas de malha ficavam pendurados, frouxos, no armário, parecendo tão cansados quanto a dona. Mimi encheu um copo de água na torneira da cozinha, tomou um gole e passou para ele.

O abajur não fornecia muita iluminação, e a única janela se abria para a parede do prédio vizinho, o que não permitia a entrada de luz da rua. Salim estava sentado na beirada da cadeira. Seu joelho roçou no de Mimi.

– Sinto muito, Mimi. Burim também machucou você. Você ainda pediu que eu fosse embora, mas eu... Sinto muito.

A jovem olhou para o chão.

– Tudo bem. Esqueça. Ele não muda. Ele garante a minha liberdade se eu ganhar dinheiro. Ganho dinheiro para a passagem para a Albânia e poder ir para casa. Mas já faz sete meses e até agora nada. As outras garotas trabalham há dois, três anos. Ninguém ganha o bastante para ser livre. Essa é minha vida. Se você está aqui, se não está aqui... é igual.

Ela ergueu a cabeça. Como a gota de chuva que escorria pelo vidro do carro na noite anterior, duas lágrimas deslizaram pelo rosto maquiado de Mimi.

– Mas você... você pode ir. Sua família espera. Quando se encontrarem, eles vão ficar felizes. – Ela arregalou os olhos, imaginando que braços abertos acolheriam Salim, então secou as lágrimas e abriu um sorriso fraco.

Salim queria encorajá-la também. Queria oferecer a mesma gentileza. Ele hesitou, estendeu o braço e pousou a mão no joelho dela.

– Você é forte, Mimi. Vai encontrar um jeito. Algo de bom vai acontecer com você também. Muitas pessoas me ajudaram a chegar até aqui. Você me ajuda. Deus dá a mesma ajuda para você. Alguém a ajudará.

Salim ouvia o vazio daquelas palavras.

– Não tem ninguém para me ajudar. Ele fica com o dinheiro. Sei que nunca vai me deixar ir embora. Ele controla tudo.

Salim sentiu o corpo ficar tenso. Mimi, com toda sua fragilidade, ainda encontrava um jeito de compartilhar. Ele poderia ser mais do que era. Bolsos vazios não significavam uma alma vazia.

– Ele não me controla – afirmou Salim. – Me ajude a encontrar Burim, Mimi. Quero ver esse homem de novo. Posso mudar isso.

Mimi pousou a mão na dele e o encarou. Queria acreditar em Salim, acreditar em todas as suas palavras, mesmo que por apenas um momento. Tocou o rosto dele. Salim sentiu um frio na barriga ao toque daqueles dedos finos em seu rosto. Ela tocou sua outra bochecha, e Salim fechou os olhos. Imaginou Mimi muito tempo antes, uma jovem que sorria, que ria com as irmãs. Imaginou uma menina intocada. Visualizou a garota que ela fora antes que o mundo a esmagasse.

Mimi segurou as mãos dele. Salim sentou-se na cama a seu lado. Deixou que seus dedos se entrelaçassem aos dela antes de deslizarem por seus braços. Encontrou os ombros, a pele leitosa do pescoço. As mãos de Mimi trouxeram o rosto dele para junto do seu, a respiração roçando em seu rosto. Levou a boca à dele.

Ela conduzia, Salim seguia. Estava tímido e nervoso, mas ela o reconfortou com sussurros, com a leveza de seu toque. Mimi o persuadiu, e Salim sentiu que se tornava alguém capaz de coisas surpreendentes. Passou os dedos de leve nos hematomas das costelas dela, e os olhos de Mimi estremeceram. Havia outros machucados, escondidos pelas roupas. Salim queria pedir desculpas mil vezes. Apoiou o rosto no peito dela e ouviu as batidas do seu coração, lentas e constantes. Seu próprio coração martelava com força, indomado e ansioso.

Sentia-se colado à carne dela. Hesitava, as mãos buscavam as respostas certas. Sua inadequação não parecia incomodá-la. Mimi o acolhia, fazendo-o acreditar que havia outros sentimentos além de solidão e mágoa.

Virou-se para o lado e deslizou a mão por todo o braço dela. Mimi, a garota que precisava ser salva, o salvara. Foi só então, quando sua respiração se acalmou, quando ficou mais lenta, quando os músculos relaxaram e se recuperaram, que ele deixou que seus olhos vagassem até o rosto dela, inexpressivo, passivo. Foi então que Salim percebeu que a Mimi vibrante e esperançosa que ele imaginara de olhos fechados não existia, que provavelmente nunca existira.

CAPÍTULO 50

Salim

FICOU ESPERANDO NO ESCURO. Mimi, do outro lado da rua, fez um breve contato visual com ele. Salim a viu subir a saia, o sinal que tinham combinado. Ela se destacava das outras, ignorando de propósito os carros que reduziam a velocidade ao passar. Naquela noite, não.

Duas horas depois, ela deu o sinal.

Haviam planejado na noite anterior, enquanto Salim ainda estava meio despido, meio intoxicado por seu toque. Precisavam ser rápidos e, como muitas atividades de Salim, tinha que ser à noite.

O sinal. Uma onda de adrenalina atravessou o corpo de Salim. Lá estava Burim, desfilando pela rua na direção de Mimi. Salim esperou o momento certo para emergir de trás de um prédio. Correu, mantendo os passos leves, e atravessou a rua a meio quarteirão de distância de Burim.

Você não é covarde.

Salim repetia as palavras sem parar, como um mantra, provocando a própria ira. A ideia tinha sido dele, não podia voltar atrás. Faria com que aquilo acontecesse. Estava cansado de as coisas acontecerem com ele como se fosse um objeto, não um homem. O momento tinha chegado. Como Mimi imaginara, Burim viera verificar como ela estava.

Salim estava logo atrás dele, evitando a luz dos postes, permanecendo perto das fachadas dos prédios. Burim conversava com Mimi. Ela se remexeu, os olhos nervosos e os ombros caídos.

Quando ele me viu, eu parecia fraco desse jeito. Não pareço mais.

Salim deslizou atrás de uma banca de jornal fechada. Os dedos seguraram com força os 30 centímetros de cano enferrujado que levava consigo. Ouvia a voz de Burim, que falava com Mimi. O tom subiu. Ele estava ficando zangado. Mimi balbuciou uma resposta. Burim grunhiu.

Salim respirou fundo e saiu de trás da banca. Golpeou-o com o cano, atingindo as costelas de Burim em cheio. O homem perdeu o equilíbrio e cambaleou para a frente. Antes que ele conseguisse se virar, Salim deu mais um golpe e um chute por trás do joelho esquerdo dele, com força suficiente para derrubá-lo. Burim uivava de raiva.

Mimi se encolhera em um canto, as costas junto da parede, a expressão vazia. Burim rolou e gemeu. Levantou a cabeça e viu Salim acima dele, segurando o cano com ambas as mãos, pronto para atacar. O peito do rapaz arfava com cada respiração. Mimi se aproximou e ficou ao lado dele.

– Sua... sua... puta – cuspiu Burim.

Salim viu a fúria estampada no rosto do homem bem no instante em que a mão direita dele entrava no bolso da jaqueta. Burim puxou uma pistola preta, compacta. Mas, antes de conseguir mirar, Salim bateu com o cano na mão dele e mandou a arma pelos ares. O brutamontes praguejou, segurando a mão ferida.

– Você vai morrer... Você falhou...

Ele se ergueu, apoiando-se nas mãos e nos joelhos e encarou Mimi. Disparou algumas palavras em albanês, palavras que transformaram o olhar perdido da garota em um olhar de raiva.

– Pois veja só o que vou fazer com você! – Burim estava agachado, quase de pé.

Salim notou os braços estendidos de Mimi. A jovem disse alguma coisa e cuspiu nele, a voz trêmula.

Burim se lançou para cima dela com um rosnado. Salim percebeu o que estava prestes a acontecer, e o cano escorregou por seus dedos, caindo no chão com estrépito.

– Mimi! – berrou.

Ouviu um estampido. Burim ficou paralisado e girou, olhando diretamente os olhos confusos de Salim.

O rapaz deu um salto. Olhou para Burim, depois para Mimi.

A jovem tremia. Tinha deixado a arma cair e cobria a boca com as mãos. Encarou Salim.

A rua estava vazia. Os carros mais próximos estavam a cerca de dois quarteirões. Duas ou três luzes se acenderam nas janelas dos prédios. Aqueles que tinham o sono mais leve começavam a despertar. Mimi foi a primeira a se recuperar. Ajoelhou-se junto de Burim e vasculhou seus bolsos, agarrou a carteira, tirou a corrente de ouro do pescoço. Ele gemeu baixinho, mas não ofereceu resistência.

Ela deu uma olhada para trás.

– Vamos.

Partiram, contornando os prédios e entrando em ruas escuras para aumentar a distância entre eles e Burim.

Fugiam em silêncio. Arfavam. Olhavam para trás.

– Espere – pediu Mimi, finalmente. Pôs as mãos nos joelhos e se curvou para a frente, recuperando o fôlego. – Preciso parar.

Ela estava horrivelmente pálida, mesmo sob o brilho amarelado do poste. Salim sabia que também devia estar assim. As coisas tinham dado terrivelmente errado. Burim não poderia ter visto o agressor. Mimi deveria ter parecido surpresa e indefesa. Mas o cafetão vira seus rostos, percebera que tinham armado e conspirado contra ele.

– Mimi, precisamos nos esconder.

Foram para o apartamento dela. Mimi jogou depressa uma pilha de roupas dobradas numa cadeira para dentro de uma bolsa de viagem.

Salim notou que ela não tinha a menor intenção de ficar ali depois daquela noite.

CAPÍTULO 51

Salim

Esperaram a tarde chegar para ir ao prédio que ela indicara.
– Espero aqui – disse Mimi, e apontou para um banco a meio quarteirão de distância. Puxou as mangas do suéter para cobrir as mãos e soprou nas palmas. O sol não ajudava muito a aquecê-las.

Salim entrou no prédio velho. Era uma toca pouco convidativa e decadente, com guimbas de cigarro espalhadas pelos corredores, corrimãos quebrados nas escadas e luzes oscilantes. Aparelhos de rádio e televisão zumbiam atrás das portas fechadas, mas não havia ninguém à vista.

Ele verificou o número do apartamento, respirou fundo e bateu. Deu um passo para trás, ansioso, e esperou. Ouviu um estalo, e alguém olhou pelo olho mágico. Um momento depois, a porta se abriu de leve, e um homem surgiu diante de Salim. Tinha um cigarro na boca, usava camisa preta desabotoada por cima da calça jeans, a fivela prateada do cinto marcando a cintura como um emblema. Estava quase no fim da casa dos 30. Depois de observar o adolescente diante dele, concluiu que não estava impressionado.

Salim engoliu seco antes de falar:
– Procuro trabalho, por favor.
– Quem é você?
– Quero ir para a França. Posso trabalhar.

O homem sugou o cigarro que segurava com dois dedos, depois o jogou no corredor. Estreitou os olhos enquanto soltava a fumaça.

– Quem mandou você?

– Mimi – sussurrou Salim. A mulher recomendara que ele citasse seu nome, com medo de que ele não conseguisse atenção sem essa ajuda.

– Mimi, é?

– É.

Salim seguiu o conselho de Mimi e manteve as respostas curtas. A porta se abriu um pouco mais e, com um meneio de cabeça, Salim foi convidado a entrar.

O apartamento era maior do que o de Mimi, só que bem mais sujo. Havia roupas por toda parte, embalagens de comida amassadas e uma mesa de centro coberta por pratos e celulares. A televisão estava no volume máximo. Salim lembrou que não deveria encarar. A porta se fechou.

– De onde você vem?

– Afeganistão.

– Afeganistão? – repetiu o homem, erguendo as sobrancelhas grossas, surpreso. – Por que quer trabalhar?

– Minha família está em Londres. Quero ir para lá.

Salim começou a se arrepender, sentindo seus batimentos dispararem. Acabara de vislumbrar um revólver enfiado entre as almofadas do sofá. Concentrou-se no homem à sua frente.

– Tem documentos?

– Sem documentos.

– Conhece Mimi.

– Conheço.

– Todo homem conhece Mimi.

Ele deu uma risada, melhorando o humor. Com o polegar e o indicador, deu um beliscão no bíceps de Salim e balbuciou algo para si mesmo. As mãos deslizaram, batendo no tronco de Salim e em torno da cintura. Ele parou quando sentiu a rigidez da bainha da faca. Olhou para o garoto.

– É uma faca – explicou Salim.

Não ousou se mover. Manteve os braços estendidos. O homem soltou a bainha do cordão. Não percebera a bolsinha escondida na roupa de baixo. O dinheiro estava a salvo, por enquanto.

O homem retirou a lâmina do estojo e assobiou, impressionado.

– Muito bonita. Um presente para mim, não é?

Salim abriu a boca para protestar, mas parou a tempo.

– É.

O homem abriu um sorriso de desdém. Lançou a faca no sofá.

– Temos um problema – disse, muito calmo. – Quer ir para Londres e não tem documentos. Tem dinheiro?

Salim balançou a cabeça.

– Nenhum dinheiro... – O homem abriu um sorriso torto, zombeteiro. – E Mimi mandou você aqui.

– Sim. Quero ajudar.

– Ah, quer me ajudar? – indagou o homem, com ironia, abaixando a cabeça em um gesto de falsa gratidão.

Salim se encolheu.

– Você não me *ajuda*. Você *trabalha* para mim.

Salim assentiu.

Um segundo homem apareceu, vindo de outro aposento, as mangas da camisa enroladas, deixando expostos os antebraços tatuados. Olhou para Salim com curiosidade e falou algo para o companheiro antes de se acomodar no sofá.

– Então quer trabalhar para mim, Sr. *A-fe-ga-nis-tão*? – perguntou, estendendo as sílabas de forma dramática.

– Quero.

– O que acha, Visar? – perguntou para o homem no sofá.

Visar deu de ombros. Reparou na faca enfiada no sofá e a pegou, admirando a bainha, assim como Salim fizera quando a vira pela primeira vez.

– Gosta, Visar? Presente do garoto.

O homem gesticulou para que Salim se sentasse à mesa da cozinha. Salim obedeceu e esperou. O homem foi até um armário e jogou uma caixa quadrada sobre a mesa.

– Abra.

Salim puxou a fita adesiva e abriu a caixa. Dentro dela, havia um ursinho de pelúcia grande, mais ou menos do tamanho de um recém-nascido. Ele o virou, confuso.

– Leve isso para a França. Dou documentos e uma passagem de Roma até Paris. Você não fala com ninguém até partir. Em Paris, um homem irá ao seu encontro. Entregue isso a ele. Entendeu?

– Sim, entendi.

– Ótimo. Agora olhe aqui.

Ele apontou para a pequena lente de uma câmera arredondada em cima da mesa e foi procurar o notebook. Salim fitou a bola, sem saber exatamente o que estava procurando ou para o que estava olhando. O homem apertou alguns botões, grunhiu e afastou a lente de Salim.

– O trem sai hoje à noite, às oito, lá da estação Termini. Você deve trocar de trem em Milão, depois vai para Paris. Tem malas?

Salim balançou a cabeça. Não tinha nada.

O homem se levantou e foi até um armário no corredor, de onde tirou uma mochila vazia. Jogou lá dentro três camisas, uma calça e uma revista que encontrou na bagunça do apartamento.

– Leve. Precisa carregar uma mochila, como um turista. Coloque isso aí dentro – instruiu, pegando o urso das mãos de Salim e enfiando-o na mochila. – Agora saia daqui. Volte em duas horas para pegar os documentos e a mochila. Não se atrase.

Salim hesitou.

– Eu mandei você ir agora.

O garoto obedeceu. Marcou a hora para saber quando voltar, sem vontade de chegar mais cedo ou mais tarde do que o combinado. Saiu do prédio para a tarde clara mas gelada. Mimi não estava no banco, como prometera. Ele deu uma volta no quarteirão, examinando os becos e a pequena lavanderia na esquina. Mimi tinha desaparecido.

Teriam planejado aquilo? Salim só podia conjecturar. Tantas coisas tinham acontecido naqueles dois dias... Mimi estava distante desde a noite anterior, sem querer conversar sobre o que acontecera. Não parecia chocada nem perturbada. Havia uma tranquilidade melancólica em sua voz.

Pelo menos ela tem dinheiro, pensou Salim. Quando finalmente pararam de fugir, Mimi pegou as notas e a corrente de ouro na bolsa. Contou 420 euros. Olhou para Salim.

Fique com isso, dissera o garoto. *Aquele homem tirou o bastante de você.*

Ela o encarou, tentando aferir a sinceridade. Como Salim não vacilou, Mimi enfiou o dinheiro na bolsa e protegeu o fecho com a mão. Não havia família esperando por ela na volta para a Albânia. Não havia ninguém para sorrir quando ela chegasse a algum lugar. Para onde iria? Salim balançou a cabeça; àquela altura, sabia que a liberdade e 400 euros não a salvariam.

Como prometido, voltou ao apartamento duas horas depois. Visar não se deu ao trabalho de convidá-lo a entrar. Entregou a Salim um envelope de papel pardo e a mochila.

– Ei, garoto! Seu trem parte em trinta minutos. Não se atrase.

Visar estava prestes a fechar a porta quando agarrou Salim pela nuca, os dedos afundando na carne do rapaz.

– Se não estiver em Paris para entregar o pacote ao homem, ele vai encontrar e matar você. Entendeu? – O tom era gélido.

Salim engoliu o nó na garganta e assentiu.

Foi solto.

Andara dois quarteirões quando notou que estava na direção errada. Verificou o relógio. Tinha vinte minutos para pegar o trem. Abriu o envelope e tirou um passaporte grego que parecia autêntico, com seu retrato e um nome falso. Devolveu o documento ao envelope, depressa, e olhou em volta, para ter certeza de que ninguém tinha visto. Dentro do envelope também encontrou uma passagem de trem. Voltou a caminhar, sem tempo a perder.

Entrou na estação com um novo medo. Pensou bem na situação: tinha documentos que pareciam válidos para mostrar a qualquer agente curioso, algumas roupas e um brinquedo recheado com algo certamente ilegal. Se o parassem e revistassem a bolsa, o urso com certeza causaria suspeitas.

Cinco minutos.

Salim tentou encontrar na passagem algum dos portões listados no quadro de partidas.

Alguém bateu em seu ombro. Salim se virou e deu de cara com um policial que o encarava, franzindo o cenho. Sentiu um frio na barriga. Antes que pudesse sair correndo, o policial perguntou:

– Para onde você vai?

– Tenho uma passagem – balbuciou Salim.

– Mostre para mim. – O homem pegou a passagem da mão trêmula de Salim e olhou para o quadro. Apontou para a esquerda. – Portão 7. Depressa.

Salim murmurou um agradecimento desajeitado e se esforçou ao máximo para não correr até o portão. Tinha toda a expectativa de ouvir uma voz ordenando que parasse. Não ousou olhar para trás.

Continue andando. Não pare. Procure o Portão 7.
Encontrou o portão e virou-se depressa para trás. Ninguém o seguira. Um minuto.

Salim embarcou e encontrou o assento designado na passagem. Bem a tempo.

Tirou o urso de pelúcia da bolsa. Uma mulher sentada do outro lado do corredor olhou e abriu um sorriso terno. Como ele devia parecer estranho... um garoto, quase homem, viajando com um bichinho de pelúcia. Apertou o urso. Havia algo firme e quadrado no enchimento. Guardou o urso de novo na bolsa e recomendou a si mesmo que não fosse curioso demais.

O condutor deu o sinal da partida. Do outro lado da janela, o trem parado na outra pista parecia se mover. Então apareceram árvores e túneis. Verde e cinza. Vivo e morto. Salim estava tão seguro quanto inseguro.

Entregou a passagem ao condutor e aguardou um olhar acusador ou pelo menos uma pergunta. Mas, com a mochila, Salim se parecia com os muitos estudantes embarcando naquele vagão. Havia outros atrás dele, rindo alto, trocando revistas. O condutor passou para o vagão seguinte, e os estudantes, um de cada vez, colocaram seus fones de ouvido ou caíram no sono apoiados no ombro do vizinho, deixando nada além do zumbido do trem.

Salim pensou em seus amigos de infância no Afeganistão. Se tivessem crescido juntos, sem bombardeios, com certeza seriam igualmente joviais e barulhentos. Mas a guerra tinha um efeito domesticador. As crianças de Cabul não permaneciam crianças por muito tempo.

Roksana não era como aquele grupo. Parecia ter absorvido um pouco da solenidade dos companheiros afegãos, mesmo sem jamais ter colocado os pés no país. A altivez do pai despertara nela a obrigação de lidar com as lutas de seu povo. Salim a admirava por isso, embora duvidasse de que teria as mesmas inclinações.

Salim não sabia direito como seria, caso tivesse tido uma vida parecida com a de Roksana. Pai e mãe, escola, um país pacífico... Não teria sido aquele Salim de agora. Aquele Salim era a soma de uma série de eventos terríveis.

Girou o relógio no pulso. Mais alguns arranhões no vidro, provavelmente da noite anterior.

Veja só o que aconteceu com a gente, Padar-jan.

Se Salim e sua família tivessem deixado Cabul antes, teriam tido mais oportunidades. Podiam ter levado uma vida pacífica em Londres, talvez perto da família de Khala Najiba. Salim e Samira estariam na escola, frequentando as aulas e se esforçando com os deveres de casa, aprendendo um novo idioma. Era uma imagem tão perfeita, tão imaginária, que passava como um desenho animado em sua cabeça.

Mas Padar-jan decidira manter a família em Cabul e esperar que os dias melhorassem, mesmo com a agitação crescente, as mortes, as secas.

Por que decidiu isso por nós? De que adiantou ficar lá por tanto tempo depois que todos partiram?

SALIM ACORDOU COM UMA SACUDIDA. O trem tinha parado. Olhou em volta e viu que novos passageiros embarcavam. Outros já tinham desembarcado. Um homem guardava a bolsa no compartimento sob o assento.

– Perdão... Milão? – Salim apontou para a janela.

– *Sì* – respondeu o sujeito, assentindo.

Salim agarrou a mochila e saiu correndo porta afora, quase derrubando um casal de idosos. Ergueu as mãos, num breve pedido de desculpas. Foi informado de que tinha apenas trinta minutos para encontrar a conexão que o levaria a Paris. Procurou a passagem no envelope e mais uma vez tentou conferir a informação do bilhete nas telas que piscavam acima.

Paris. Portão 4. Dez minutos.

Salim correu. Estava diante do Portão 17. Desviou de passageiros e malas de rodinhas. Rezou para que ninguém o parasse.

CAPÍTULO 52

Salim

O TREM CHEGOU A PARIS PELA MANHÃ. Salim finalmente estava na França, mas, antes de prosseguir na jornada, precisava entregar o pacote às mãos certas. Torcia para que fosse fácil encontrar o tal sujeito.

Seus olhos seguiam os trilhos, buscando ao mesmo tempo localizar policiais e qualquer um que se parecesse com os albaneses que encontrara em Roma.

Alguém agarrou seu braço. Salim tentou se soltar, mas a mão era firme. Virou-se. Bastou um olhar para saber que o contato o encontrara.

O sujeito tinha dentes amarelados e olhos escuros penetrantes. Usava jeans justos e desbotados, além de uma jaqueta de poliéster preta por cima de uma camiseta cinza-escura com uma ilustração que imitava uma arte de grafite, na diagonal, na altura do peito.

– É o garoto. Está vindo de Roma?

Salim assentiu. As mesmas regras deveriam ser aplicadas ali, então manteve a boca fechada.

– Ótimo. Traz alguma coisa para mim?

Ele soltou o braço de Salim, que tirou a mochila do ombro e começou a abrir o zíper.

– Aqui não! Idiota! Venha.

Salim permitiu que o homem o conduzisse pela multidão enquanto os alto-falantes da estação davam instruções aos passageiros, que corriam de um lado para outro, cruzando seu caminho. Os dois foram até um banco perto de um guarda-volumes. Sentaram-se lado a lado, como se esperassem um amigo que chegaria no trem seguinte.

– Abra a bolsa.

Salim estava com a mochila no colo. Ele a abriu devagar e pegou o ursinho ridículo, entregando-o ao homem.

O sujeito apalpou o urso, sentindo o enchimento. Olhou para o pescoço e as pernas do brinquedo, para ter certeza de que ninguém desfizera as costuras. Satisfeito, pegou a mochila de Salim e começou a vasculhá-la.

– Onde está o passaporte?

Salim pôs a mão no bolso de trás e tirou o documento. O homem pegou-o, abriu na página de identificação com o retrato e jogou a mochila de volta no colo de Salim.

– Acabou. Pode ir.

– Mas o passaporte... por favor... – começou, nervoso.

– O quê? – retrucou o homem. Já estava de pé, pronto para sair depressa da estação ferroviária.

– Preciso do passaporte para chegar à Inglaterra.

– Passaporte? – Tinha o sotaque forte e arrastado como o de seus amigos em Roma. Uma risada altiva deu a resposta para Salim. – Quer pagar pelo passaporte?

– Não tenho dinheiro. Mas preciso encontrar minha família – implorou.

Como poderia negociar com aquele homem? O passaporte já estava em seu bolso, tão próximo que Salim queria agarrá-lo.

– São 800 euros – cobrou o sujeito, com um sorriso de desdém. – Por 800 euros. Barato para você.

A bolsinha de dinheiro de Salim, desfalcada, não carregava 800 euros. Guardava apenas algo que adquirira em Atenas e que não estava disposto a ceder.

– Por favor, senhor. Tenho pouco dinheiro. Oitocentos é muito. Um pouco menos?

– Quanto você tem?

Ousaria admitir a quantia da bolsinha? O livreto com seu retrato e um nome falso poderia ajudá-lo a chegar a Londres, a se reunir com sua família. Valia tudo o que possuía, decidiu.

– Cento e cinquenta.

– Cento e cinquenta? – zombou o homem. – Está doido!

O passaporte desapareceu. O sujeito já tinha se virado e avançado alguns passos quando Salim o chamou mais uma vez.

– Senhor, por favor, como faço para ir a Londres?

O homem o encarou por um momento, depois bufou e deu um passo em sua direção.

– Londres?

Salim assentiu.

– Vá para Calais. Toda a sua gente vai para Calais. Em Calais tem um túnel. – Ele riu, uma indicação de que mandava Salim para um caminho com pouca esperança de sucesso. – Vai que você dá sorte?

CAPÍTULO 53

Salim

COM A AJUDA DE UMA IDOSA DE ROSTO BONDOSO, Salim localizou Calais num mapa. A cidade, encarapitada no litoral noroeste da França, ficava bem perto da Inglaterra, com um canal estreito separando os dois países. Comprou uma passagem na mesma hora, sem querer ver mais de Paris, ansioso por continuar o percurso. Chegou a Calais de manhã, sem nenhum incidente.

Salim passou horas andando pela cidade, misturando-se à multidão. Deixou a estação para trás e explorou as ruas, ansioso para encontrar o porto. No caminho, passou por altos edifícios, com colunas grossas e janelas com sacadas. Mesmo os menores prédios tinham janelas enfeitadas, com faces gorduchas esculpidas.

O cheiro do mar era o que havia de mais familiar em Calais. Salim seguiu a maresia até chegar ao porto. Os embarcadouros eram reconfortantes, pois passara a conhecer o ritmo básico e a cultura dos gemidos lentos das buzinas dos navios e do tráfego de passageiros e de caminhões.

Aquele porto em particular era lindo. Dedos de litoral se projetavam nas águas do canal da Mancha. Mastros verticais de veleiros cortavam a vastidão horizontal do mar. Adiante, navios gigantescos estavam atracados, preparando-se, assim como Salim, para a viagem seguinte.

Ele saiu da rua e caminhou por uma trilha de cascalho para se aproximar dos barcos. Reparou em dois homens de cabelo escuro andando ao longe – o olhar amuado, derrotado dos refugiados.

Devo estar com a mesma aparência. Só não quero admitir.

Seus instintos acertaram. Eram afegãos, e ficaram felizes em acolhê-lo. Salim já começava a se sentir à vontade. Caminhou com eles até o campo de refugiados, conhecido em Calais como Selva.

A Selva era uma parte transplantada de Patras. Um terreno baldio a curta distância da costa. De seus limites, dava para distinguir os contornos da Inglaterra, com seus penhascos brancos e vertiginosos de aparência pré-histórica.

Os refugiados definhavam, os olhos fixos no horizonte, com a promessa de uma vida melhor. A Selva não era um lugar onde criar raízes.

Rodeado por árvores altas e cercas de metal, o campo era uma clausura ao ar livre. Salim entrou por um caminho de terra batida guardado por três homens. Embora se sentisse apreensivo, percebeu que os outros não estavam. Um deles, Ajmal, notou sua curiosidade e explicou, com a satisfação de alguém que tem conhecimento para partilhar:

– Os homens não vão incomodar você. Só estão aqui para evitar que crimes aconteçam. Entramos e saímos à vontade. Só que as coisas são diferentes no porto ou no túnel... Lá, os policiais estão atrás de nós e não hesitam em nos agarrar pelo pescoço, quando conseguem nos alcançar.

– O túnel?

Salim tinha visto o porto, mas Ajmal falava de um túnel – o mesmo que o homem de Paris citara.

– Sim, o túnel. Ah, você é tão novo aqui! – Ele riu. – O túnel sai daqui e vai até a Inglaterra. São quase 50 quilômetros. Muitas pessoas atravessaram, algumas em caminhões, outras em porta-malas ou até mesmo andando. Mas tem muita polícia. Sei de um homem que atravessou o túnel duas vezes e, nas duas vezes, foi capturado pouco antes de sair do outro lado! Pode imaginar o azar? Duas vezes!

O outro homem riu junto.

Salim viu a Selva. Uma colônia de barracos improvisados, com folhas de zinco no telhado e lonas azuis no lugar das paredes, se estendia diante dele, cercada por um fosso de dejetos. Quando se aproximaram, Salim foi atingido pelo fedor. Centenas e mais centenas de afegãos moravam ali, junto com alguns iraquianos e iranianos, segundo foi informado. Organizações humanitárias apareciam uma vez por dia para distribuir refeições simples. Alguns dos homens tinham feito fogueiras, embora fosse raro ter a boa sorte de dispor de algo para cozinhar. Era pior do que Patras.

O outro homem se foi, deixando Ajmal com a tarefa de apresentar as condições deploráveis a Salim. Sanitários, espalhados aqui e ali para uso dos habitantes, transbordavam de dejetos humanos. Nuvens de moscas zumbiam logo acima. Havia placas pintadas em inglês.

QUEREMOS LIBERDADE
NÃO HÁ VIDA NA SELVA
RESPEITO PELOS SERES HUMANOS

– O governo francês quer fechar o campo, mas a maioria aqui busca asilo. Temos esperança de que não nos mandem de volta. Tem família na Inglaterra?

– A família da minha tia. Minha mãe, minha irmã e meu irmão também estão lá. Quer dizer, espero que estejam.

– Espera?

– Fomos separados na Grécia.

– Sua mãe foi sozinha com duas crianças?

– Sim, mas tinham documentos – explicou Salim. – Espero que não tenham sido pegos no caminho.

– Então você veio como o resto de nós – comentou Ajmal, compreendendo. – Fique grato por sua família ter documentos. É um trajeto cruel até aqui, e com certeza não há como uma mãe viajar com seus filhos. Deus salve nossas mães.

Salim deixou que as últimas palavras de Ajmal ressoassem antes de indagar:

– Você tem alguém na Inglaterra?

– Tenho. Minha irmã mora lá com o marido e os filhos. E tenho uns primos. Estou aqui há cinco meses. Atravessei o Irã e a Turquia, mas fui pego na Grécia e enviado a um centro de detenção. Disseram que iam me mandar de volta para o Irã e que eu precisaria partir em trinta dias, mas não havia a menor chance de eu voltar. Não depois de tudo o que paguei para chegar até ali! Só que agora estou preso aqui com os outros.

Salim fez a pergunta óbvia:

– Tentou atravessar?

– O porto tem cercas altas de metal. Você viu hoje, não viu? O túnel é a melhor forma de atravessar, mas já fui pego duas vezes. Não é fácil.

Salim compreendia. Tinha reparado nas camadas de cercas no porto. Era mais isolado do que os outros por onde passara. Precisava considerar a experiência de Ajmal e dos demais. Apenas 50 quilômetros de túnel o separavam da Inglaterra. Salim sorriu ao pensar como estava perto, finalmente.

– Pode ficar comigo esta noite. Somos cinco morando juntos, mas abriremos um espaço para você. Amanhã podemos ver quem tem uma vaga. Todos aqui compartilham as coisas. É como vivemos. Bem-vindo à Selva, meu amigo!

Ajmal abriu bem os braços, num gesto irônico, apresentando o campo em toda a sua glória. Salim riu. Pegou a mochila e seguiu Ajmal até o barraco.

Estava com fome, mas não tinha nada para comer e estava exausto demais para procurar. Os companheiros de alojamento de Ajmal eram jovens alegres, com idades entre 13 e 21 anos. Ajmal estava mais ou menos no meio, entre a adolescência e a idade adulta. Eles se levantaram e se arrastaram para abrir espaço, dando a Salim um pedaço de papelão bem gasto para descansar. O garoto conseguiu dormir bem à noite, embalado pelos roncos dos companheiros.

No dia seguinte, o campo fervilhava com notícias de fora.

– Vão arrasar o campo. É o que estão dizendo. Vão levar todo mundo.

– O que podemos fazer?

– Temos que nos mudar. Temos que sair daqui antes que cheguem e nos mandem de volta para o Afeganistão.

– Está maluco? Para onde vamos?

– Podemos ir para o túnel. Se formos ao mesmo tempo, não vão conseguir prender todos. Nossas chances aumentam. Vamos ter que ir hoje à noite, bem no feriado. Deve ter menos guardas.

– Como se uma pessoa não chamasse atenção suficiente! Acha que todos temos que caminhar juntos para os braços da polícia?

O debate prosseguiu durante duas horas. Assim como Patras se cansara de sua praga, Calais se exaurira da Selva. Enquanto Salim ouvia a tagarelice, os olhos foram atraídos para um canto. Um homem de barba branca estava sentado sobre um balde emborcado. Observava o debate, sem participar. *Estranho*, pensou Salim. Era raro que um homem daquela idade viajasse para fora do Afeganistão. A não ser quando encontravam uma forma legítima de sair, gente como ele estava destinada a acabar naquela terra ensopada de sangue.

O homem parecia estranhamente familiar, embora Salim não soubesse bem por quê. Ele o observou, esperando que a mente fizesse a conexão. O homem olhou para Salim, inclinando a cabeça. O garoto desviou o olhar por um segundo. Quando tornou a encarar o sujeito, abriu um sorriso tímido.

Ele me conhece? Ou só me viu olhando?

Salim manteve a cabeça baixa e, ao olhar de novo, o homem tinha desaparecido.

Vários homens foram explorar uma nova parte da cidade. A Selva poderia ser fechada, mas isso não significava que ofereceriam outro abrigo aos desalojados. Alguns diziam que a polícia estava à espera do momento certo para varrer longe os refugiados. Salim não podia ter chegado em hora pior.

Comeram arroz com tomate. Não tinha muito gosto, mas descia quentinho.

No início da noite, dois dos companheiros de Ajmal decidiram deixar a Selva e montar acampamento em outro lugar. Acreditavam naqueles que diziam que os dias da Selva estavam contados. Embalaram frigideiras enferrujadas, canecos e roupas extras em sacolas plásticas e partiram. Ajmal ficou decepcionado, mas ofereceu o espaço para Salim, que aceitou com gratidão.

Na manhã seguinte, Salim foi até as latrinas infestadas de moscas. O campo estava quieto. Acabara de amanhecer, e poucos homens tinham acordado. Enquanto circulava por um grupo de tendas, Salim quase atropelou o idoso que vira na véspera. O homem sorriu.

– *Sohb-bakhair, bachem.*

– Bom dia para o senhor também. Perdão... Não tinha visto o senhor.

– Nós, idosos, nos tornamos invisíveis muito antes do que imaginamos – respondeu o velho, sorrindo.

– Deus nos livre disso. Foi descuido meu – retrucou Salim, com humildade.

O homem devia ter 70 anos no mínimo, com pele fina, morena, uma farta barba branca e bigode. Os cantos dos olhos se enrugavam sob sobrancelhas pesadas, brancas como a neve. Usava uma longa túnica bege e uma calça um tom mais escuro.

– Chegou faz pouco tempo – murmurou o velho. – Como se chama e de onde vem?

– Meu nome é Salim Waziri. Minha família morava em Cabul.

– Todos aqui dizem que são de Cabul. Mas, pelo seu sotaque, vejo que foi criado lá. Caminhe comigo. Quero saber mais sobre você.

Salim seguiu o velho, fascinado pela rouquidão suave em sua voz. Afastaram-se do barraco de Ajmal, indo até o ponto mais isolado do campo, de onde podiam ver os penhascos calcários da Inglaterra.

Sinto que conheço o senhor, Salim queria dizer. Resistiu e seguiu o homem. Atravessaram a rua principal que cortava a Selva.

– Uma família de Cabul. Qual é o nome do seu pai?

– Mamude Waziri. – Salim brincou com a pulseira de couro gasta em seu punho.

– Waziri. Mamude Waziri? O nome me parece familiar. Deixe-me ver... Está falando de Mamude Waziri, o engenheiro? Trabalhava para o Ministério de Água e Eletricidade?

Salim sentiu o peito ficar quente.

– Sim, sim! Conhecia meu pai?

Ele ficou paralisado e examinou o rosto do idoso. Os lábios finos do homem se abriram num meio sorriso.

– Não vê esses cabelos brancos, meu amigo? Sou velho o suficiente para ter conhecido muita gente. Conheço gerações de homens. Ouso dizer que boa parte da história de Cabul preenche o espaço entre minhas orelhas.

Salim abriu um sorriso maroto.

– Claro que conheci seu pai. Ele não está com você... – Uma afirmação delicada, mais do que uma pergunta.

– Não, ele foi... levado – esclareceu Salim depressa.

– Uma vergonha, uma verdadeira vergonha. Um homem tão inteligente. E sua mãe? Era professora. Onde está?

– Está com meus irmãos mais novos. Acho que estão em Londres. Fomos separados durante a viagem.

– Ah, entendo. Se Deus quiser, sua família está em Londres, em segurança, aguardando você ansiosamente. Um menino muito corajoso, por ter feito a viagem sozinho. Deve ter encontrado muitas dificuldades pelo caminho.

– Nem mais nem menos do que os outros – disse Salim, pensando em Ali, Naim, os meninos em Attiki, Patras e Pagani. Aqueles cuja viagem terminara em águas turbulentas. Aqueles que nunca conseguiram sair de Cabul.

– É sábio de sua parte considerar isso. Todos atravessamos uma centena de picos para chegar até aqui. E haverá mais antes que cada um chegue ao destino que Deus escolheu.

– Eu me preocupo com o destino que Deus escolheu para meu irmãozinho – confessou Salim, cavando o chão com a ponta do sapato. – Ele tem um problema sério no coração. Conseguimos arranjar remédio na Turquia, mas depois disso não pudemos mais ir ao médico.

– Há coisas além de nosso controle, mas existe uma razão por trás do sistema, não importa se acreditamos ou não. Vamos nos sentar. – O homem levou Salim até alguns pequenos rochedos a poucos metros. – Vamos conversar sobre assuntos mais agradáveis do que o destino da Selva. Salim-jan, conheci seu pai pela reputação. Era um engenheiro brilhante, um dos maiores talentos de Cabul. Entende bem o trabalho que ele fazia?

– Não, tio – disse Salim, com respeito. Ficou com o rosto vermelho diante da própria ignorância no que dizia respeito aos projetos do pai. – Só sabia que tinha relação com água.

O homem foi piedoso.

– Você era jovem, sem dúvida. A especialidade de seu pai era levar água para a periferia de Cabul e as áreas do entorno. Tinha vários projetos engenhosos de irrigação, que fez avançar atravessando montanhas de burocracia. Montanhas de burocracia quando as coisas ainda estavam boas. – O homem parou por um momento. – Depois, houve obstáculos bem maiores para os projetos. Não adiantava tentar realizar nada em Cabul naquela época. As pessoas estavam assustadas. Nada acontecia. Todo mundo só queria sobreviver. Quando seu pai foi morto, você e sua mãe tiveram que cuidar dos mais novos?

– Sim. Não tínhamos dinheiro. Não sabíamos se voltariam para nos pegar, estávamos encurralados. Precisamos sair de Cabul.

– Nunca é fácil deixar seu lar, ainda mais quando só existem portas fechadas à frente.

– Meu pai nos deixou sem nada. Era inútil ficar ali. A maior parte da família já tinha ido embora. Meus tios já estavam em Londres, levando uma vida normal. Não... como aqui. Meus primos nunca viram as coisas se tornarem ruins em Cabul. Essa também poderia ter sido nossa história.

Salim não tivera a intenção de parecer tão ressentido. Era um sentimento que tentava manter enterrado, mas que voltava à tona de tempos em tempos, em especial quando se sentia exausto pela jornada.

– É possível que, caso seu pai tivesse levado a família para fora de Cabul mais cedo, sua história fosse diferente. Talvez estivesse morando em algum lugar da Europa, com os pedidos de asilo aceitos. Mas só se esse fosse o destino que Alá reservava para você. E há algo mais que você precisa compreender. Acha que era inútil que seu pai permanecesse em Cabul, continuasse seu trabalho no ministério... mas centenas de pessoas discordariam disso.

– Como assim? Que pessoas?

– Que pessoas?! Pois bem, as centenas de pessoas que passaram a *ter* água por causa dele. As centenas de pessoas que foram capazes de *sobreviver* por causa dele. Seu pai era o único que insistia nesses projetos, que exigia que fossem colocados em prática. Outros cuidavam de seus próprios interesses, do dinheiro e das armas engordando seus ventres, em vez de ajudar a alimentar o povo de Cabul. Seu pai fez diferença. Ele mudou a vida das pessoas. Nunca soube o nome de ninguém. Nunca viu nenhum rosto. Mas salvou muitas vidas.

– Eu não sabia – sussurrou Salim, a voz abafada pela culpa.

– Não teria como saber – respondeu o velho, com delicadeza.

Salim fitou os sapatos e tentou conter as lágrimas.

É preciso uma vida inteira para conhecer os pais. Para os filhos, os pais são maiores do que a vida. São os braços fortes que carregam os pequenos, os colos cálidos para cabeças sonolentas, as fontes de alimento e de sabedoria. É como se os pais nascessem no mesmo dia que os filhos, sem terem existido em nenhum momento antes.

Enquanto os filhos se encaminham lentamente para a adolescência, o pai se transforma. Ele é uma autoridade, uma fonte de respostas e uma voz punitiva. Dependendo do dia, pode ser objeto de ressentimento, imitação, questionamento ou desafio.

Apenas quando se torna adulto é que um filho consegue imaginar o pai como uma pessoa inteira, como um marido, um irmão ou também um filho. Só então um filho consegue enxergar como ele se encaixa no mundo além das quatro paredes. Salim tinha apenas fragmentos do pai, quase tudo lembranças de uma criança. Sabia que passaria o resto da vida tentando reconstruir o pai com o pouco que conseguia lembrar ou com o que ouviria da mãe.

Mas, primeiro, precisava admitir que havia um ano inteiro de lembranças maculadas pela discreta ira que guardou porque Padar-jan os mantivera em Cabul quando deviam ter partido. E agora descobria que o pai adiara a decisão porque sabia da importância de seu trabalho. Traçara planos de fuga quando percebeu que a família estava em perigo, mas já era tarde demais.

Colha frutos nobres, meu filho.
Salim gaguejou:
– Eu... Eu amava muito meu pai.
– Claro que amava. Está questionando. Quer respostas. É natural. É exatamente o que seu pai teria feito.

O velho mencionara algo mais anteriormente.
– Conhecia bem minha mãe? – perguntou Salim, esforçando-se para que a voz assumisse a cadência normal.
– Sua mãe, o nome dela é... Ah, minha memória está me traindo... Qual é mesmo?
– Fereiba.
– Ah, sim, Fereiba-jan – concordou ele. No entanto, Salim achou que o velho já sabia o nome dela o tempo todo. – Uma mulher encantadora. Como falei, lembro que era professora. Fazia cada aluno e cada lição parecerem importantes. Sabe, quando ela era jovem, o mundo a tratou com crueldade. Mas sua mãe não deixou que esse começo injusto a estragasse. Se um dia encontrar algum dos antigos alunos dela, você se sentirá honrado ao ouvir que tipo de professora sua mãe era.
– Como a conhecia?
– Acho que poderia dizer que fui amigo do avô dela. Era dono de um belo pomar, com frutos abundantes, a inveja de toda Cabul. Quando ela virou uma moça, passei a vê-la cada vez menos. Fiquei feliz ao saber do casamento afortunado com seu pai. O sucesso deles me deixou orgulhoso. Sabe, meu filho, você é afortunado. Vejo seu pai e sua mãe em você.

"Afortunado" não era a palavra que Salim teria escolhido para se descrever. No último ano, sentira-se tudo, menos afortunado.

– Então, meu garoto, vejo em seu rosto que atravessou uma estrada muito difícil. Como pretende chegar à Inglaterra?

– Acho que o túnel é a melhor rota. Estive no porto, e as cercas são muito altas. Só não sei como. Quase todo mundo foi pego tentando atravessar.

O velho se levantou e fitou o canal. Dali era fácil ver as correntes, as marcas lineares de água num tom diferente do resto do mar, como passagens secretas dentro das profundezas.

– Por mais alta que seja a montanha, meu filho, sempre existe um caminho para o outro lado.

CAPÍTULO 54

Salim

Durante duas semanas, os garotos da Selva permaneceram numa incógnita, num tempo mais acelerado do que os anos que tinham passado em trânsito, clandestinos. Naquelas duas semanas, o velho pareceu ter desaparecido. Salim perguntou a Ajmal sobre ele, mas o colega deu de ombros e respondeu que não conhecia todos entre as centenas de afegãos que viviam no assentamento.

A cada dia, homens com jaqueta corta-vento e calça comprida bem-passada visitavam o acampamento. À distância, apontavam, tomavam notas em pranchetas e tiravam fotos antes de apertar as mãos e partir em direções diferentes. Algo estava prestes a acontecer.

Um grupo de garotos preparou um plano. Uma data festiva aconteceria dali a alguns dias. Dois homens tinham reunido muitos seguidores, cerca de duzentos refugiados. A ideia era aproveitar a ocasião. A equipe mínima de plantão estaria dispersa, com refeições festivas compensatórias e alguns brindes durante o serviço. Ninguém no campo sabia dizer exatamente o que seria comemorado – não que alguém ligasse. Tudo o que importava era que, enquanto os guardas franceses aproveitassem os festejos, os refugiados aproveitariam um pouco mais.

Os garotos conversavam sobre o assunto todos os dias, transformando a teoria num plano mais sólido.

– Se atravessarmos todos ao mesmo tempo, quantos eles conseguiriam prender? Talvez alguns, mas a maioria vai passar.

– Está vendo?! Até você assume que alguns serão pegos.

– Todos os dias alguns tentam atravessar, e quantos têm sucesso? Nossas chances serão bem maiores. A Selva está prestes a desaparecer. Será nossa melhor oportunidade.

Salim debatia a ideia em sua cabeça. Era um plano decente, decidiu. Mas enfrentar o túnel com centenas de refugiados parecia contrariar seus instintos. Todas as suas travessias tinham sido feitas sozinho, procurando atrair a menor atenção possível.

Salim ouvia ao longe, desejando a opinião de alguém em quem pudesse confiar, mas as vozes mais desejadas estavam distantes demais para ouvir.

Decida logo. O tempo está acabando. Esse dinheiro não vai durar muito.

Com o pôr do sol, a agitação começou. As pessoas se mexiam, as pernas indóceis. Salim e Ajmal observavam à distância.

– Parece que já vão arranjar encrenca – comentou Ajmal. – São malucos de fazer uma coisa dessas.

Salim mordeu o lábio enquanto andava para um lado e para outro. Embora ainda não tivesse decidido se seguiria os outros, suas pernas também estavam indóceis.

– Talvez sejam malucos. E talvez não sejam – retrucou.

Numa decisão de momento, correu para dentro do barraco que dividia com Ajmal, pegou a mochila e pôs as alças nos ombros.

– Deseje-me sorte, irmão. Quem sabe? Talvez eu volte. Mas preciso pelo menos tentar.

Às 23h15, com uma lua pálida e alaranjada baixa no céu, cerca de cem garotos começaram a caminhada até o túnel. Eles se dividiram em pequenos grupos, sussurrando, com risadas ocasionais para aliviar a tensão. A maioria parecia soturna e silenciosa.

Salim correu para acompanhar os retardatários. O caminho era familiar. Passara muito tempo sentado no alto da colina, fitando a entrada do túnel, mas nunca reunira coragem de se aproximar. Os garotos alcançaram uma fileira de cercas metálicas. Os elos estavam arrebentados em dois ou três lugares, convidando-os para passar. Como os outros, Salim teve que se espremer, gemendo quando a cerca arranhou suas costas.

A entrada do túnel, concreto perfurado na base de uma planície gramada, era num vale ladeado por colinas verdejantes. Havia aberturas para os trens que seguiam nas duas direções, uma rede de trilhos conduzindo para os buracos escuros. Um canteiro estreito e íngreme separava a entrada do trem da que era usada pelos automóveis. O vale era um leito de metal, asfalto e concreto, iluminado por fileiras de postes.

Salim deixou que os outros fossem na frente. A caminhada tinha sido longa. Esfregou as mãos para aquecê-las. Ficou grato por estar usando a *parka* que ganhara de um dos homens do assentamento. Sombras escuras correram para junto da entrada, procurando os guardas, as luzes ou as sirenes. A noite estava silenciosa.

Vá com eles. Em breve estarão na Inglaterra. Essa é sua chance.

Dois ou três por vez, entraram no túnel e desapareceram. Salim permaneceu atrás de uma árvore, observando do ponto de vista de um garoto desencorajado. Frustrado, socou o tronco.

Chega. Vou junto.

No instante em que decidiu se livrar do medo e agarrar o fruto suculento na beirada da estrada, os gritos começaram a soar. Luzes brancas se acenderam na névoa laranja suave. Três viaturas pararam na entrada, cantando pneu. As lanternas indicavam o caminho.

Salim ficou com o coração apertado. Eram tantos... A captura prosseguiu durante horas. Homens foram conduzidos para fora, as mãos presas nas costas, arrastando os pés, decepcionados. Haviam considerado a possibilidade de que alguns seriam presos, mas aquilo era bem pior. Pelo menos metade fora levada, pelas contas de Salim. Tudo o que aqueles meninos fizeram, todo o dinheiro que gastaram, todos os riscos que correram e as noites frias que suportaram... tudo havia sido em vão.

Os demais provavelmente seriam presos do outro lado, pelas autoridades britânicas. O que aconteceria? Teriam a chance de pedir asilo ou seriam transportados de volta para a França?

Aquela noite não tinha sido a melhor ocasião para ir atrás da lua. Quando restou apenas uma viatura ali perto, Salim deu meia-volta e caminhou para a Selva.

CAPÍTULO 55

Fereiba

NAJIBA-JAN TEM SIDO BOA CONOSCO. Vejo na expressão de seu marido que tudo o que ele quer é que a gente vá embora. A Alemanha oferece muito mais benefícios aos refugiados, argumenta Hamid, embora não saiba explicar por que ele mesmo não vai para lá.

Descobri aos poucos, assim que os encontrei, que minha irmã não tinha ideia de como ele desencorajara nossa viagem para a Inglaterra. Ela até economizara e separara algum dinheiro para que pudéssemos comprar roupas e comida até conseguirmos preencher os documentos certos e nos candidatar ao asilo.

O marido dela me enxerga como uma intrusa. Deseja que minha família desapareça. Não consegue me encarar e tem dificuldade de travar até uma conversa simples.

Quero lhe dizer que não precisa ficar tão ansioso. Os dias de flertes e promessas românticas que preenchiam meu céu são parte de uma época da qual mal me recordo. Tanto aconteceu desde então... Embora Mamude, meu *hamsar*, não esteja mais ao meu lado, meus anos com ele são muito mais significativos do que meus sonhos de menina. Sou grata pelo tempo que passamos juntos, apesar de curto, e pelos filhos que criamos.

Hamid, o garoto do pomar, desempenhou seu papel na minha aproximação com Mamude. O sentimento de traição se desfez assim que conheci meu marido. Não foi o caminho mais curto, mas me levou para casa.

Hamid não compreende isso. E não posso explicar, porque ele é marido de minha irmã, e não quero abrir portas que há muito foram fechadas. O coração de Najiba é grande e acolhedor. Não quero provocar nenhum sentimento ruim.

Até KokoGul. Devo ser grata até a ela, que empurrou Najiba bem debaixo do nariz de Shirin-jan. Foi ela quem achou que sua filha mais bela, sua filha de verdade, merecia mais nosso querido vizinho. E sei que, quando a mãe contou a ele sobre a beleza de Najiba, Hamid mudou de ideia e parou de visitar o pomar. Manteve sua escolha em segredo, o covarde.

Chorei durante dias, mas não deveria. Somos míopes para celebrar os momentos que merecem ser celebrados.

Khala Zeba, minha queridíssima sogra, enxergou o que os outros não conseguiram. E meu marido confiava na mãe. Como tive sorte de ter os dois na minha vida... Alá escolheu meu *nasib* com sabedoria. Na foto do casamento, estou solene e insegura. Khala Zeba tinha erguido meu véu verde e me encarado com olhos carinhosos e maternais.

A mão de Mamude se juntou à minha naquele dia, as pulseiras de minha mãe batendo delicadamente uma na outra, em um brinde próprio. Meu pai tinha uma aparência sombria.

Você é muito parecida com ela, minha filha.

Lembro o nó na garganta, por sentir saudade da mãe que nunca conheci, do avô que cuidara de mim e do velho no pomar, que prometera iluminar o caminho à minha frente. Fiquei nervosa com o homem ao meu lado, meu novo marido. Mas aquelas pessoas de quem eu sentia tanta falta, aqueles rostos que eu só veria em sonhos, sussurraram em meu ouvido que tudo ficaria bem.

Os filhos de Najiba herdaram os traços delicados e o temperamento doce da mãe. Do pai, apenas a natureza incansável. Eu os vejo na praça, subindo escadas e rindo quando caem de lado ou descem pelo escorregador. Samira se sente velha demais para brincar com os primos. Já é quase uma moça, e os únicos parques de sua juventude foram esconderijos em noites chuvosas. Fico me perguntando se é isso que ela vê quando observa as crianças nos balanços.

Agora ela fala. Pronuncia frases curtas, mas vem melhorando aos poucos. Ela espera, assim como eu, que Salim se junte a nós. Sei que quando voltar a vê-lo ela estará completa de novo, uma criança inteira e perfeita.

Aziz é nervoso demais para se afastar. Observa as outras crianças brincando e imita suas ações a distância. As pernas engrossaram e agora sustentam bem seu peso. É magro, mas sorri com lábios rosados e olhos brilhantes de um modo que faz os meus se encherem de lágrimas. Obrigada, Deus. Obrigada.

Algo me diz que Salim está por perto. Continuo esperando por ele, e me ocorreu que ser mãe é isso, não é? Esperar que uma barriga arredondada cresça até estar pronta; ouvir o berro de fome durante a noite; ouvir uma voz ansiosa mesmo sob os ruídos do trânsito, a música alta ou o zumbido de máquinas. É olhar para cada porta, cada telefone, cada silhueta que se aproxima e sentir uma leve animação, a pequena oportunidade de voltar a ser... mãe.

Essa noite vi Salim em meus sonhos, nadando por um mar azul brilhante, que se agitava e cintilava sob o sol quente. A brisa trouxe a maresia até minhas faces enquanto eu o observava. Havia água em volta, e ele deslizava, dando braçadas harmoniosas e fortes, como se estivesse sendo erguido pelo oceano. De longe, eu via seu sorriso travesso, o triunfo orgulhoso de um menino que encontrou seu caminho para casa.

Foi um bom sonho para uma mãe, e acordei animada como havia muito não me sentia. Graças a Deus pela água, pois a água é *roshanee*, a água é luz.

CAPÍTULO 56

Salim

— Quantos pegaram? Bateram neles?
— Não sei. Talvez cinquenta, sessenta. Também não tenho ideia do que aconteceu do outro lado do túnel.

Já tinha amanhecido, e Salim contava pela segunda vez o que vira a Ajmal. Embora tivesse relatado tudo na noite anterior, ele quis ouvir de novo à luz do dia.

— Sabia que era uma má ideia. – O homem balançou a cabeça. – Eu teria sido pego. Não tenho sorte com a polícia.

— Mas não estamos numa situação muito melhor. Olhe só para nós. Quanto tempo acha que poderemos viver aqui? As pessoas estão ficando doentes. A cidade quer acabar com a Selva. Até os funcionários da Cruz Vermelha estão dizendo que teremos problemas em breve.

— Para onde podemos ir, Salim? Não temos documentos. Não temos dinheiro. – Ajmal sentou-se no chão, os joelhos junto ao peito em posição de proteção. A testa tocou seus braços dobrados. – Se eu soubesse como as coisas eram por aqui, não sei se teria deixado o Afeganistão. Talvez fosse melhor morrer na nossa própria terra do que ser perseguido como um cão vadio.

O mesmo pensamento tinha passado pela mente de Salim, mas, naquele momento, descartou a ideia depressa.

— Está falando como os velhos. Tivemos que sair. Se não planejarmos, não haverá amanhã.

Ajmal ergueu os olhos. Os ouvidos zuniam com a convicção que transparecia na voz de Salim.

A COMOÇÃO COMEÇOU MENOS DE UMA HORA DEPOIS. Ajmal e Salim saíram da tenda para descobrir o que estava acontecendo. Uma multidão de jovens manifestantes franceses se reunira diante do campo. Alguns repetiam refrões. Outros erguiam os punhos no ar. E alguns carregavam cartazes.

PELO FIM DAS FRONTEIRAS
LUGAR DE IMIGRANTE NÃO É NA PRISÃO
DIREITOS HUMANOS JÁ

– Vejam todos eles! – exclamou Ajmal.
Devia haver centenas de pessoas ali. Homens e mulheres. Havia também pelo menos trinta policiais com uniformes pretos austeros e capacetes, tentando cercar o grupo e controlar o caos. Era uma situação estranha. A polícia estava ali por causa dos manifestantes. E os manifestantes estavam ali por causa da Selva.
– Seu povo está gritando em nossa defesa!
Mas Salim viu mais do que isso ao olhar para a massa. Aquelas pessoas deviam saber de alguma coisa. Talvez tivessem ouvido falar do que quer que fosse. Salim percebeu que mais ativistas se juntavam ao grupo, dois ou três por vez.
– Ajmal, isso não é bom. Temos que ir embora.
– Agora? Acabamos de encontrar centenas de amigos! Aposto que as coisas vão melhorar. Só precisamos esperar para ver.
– Não quero ver. Vamos ficar presos no meio disso. Como no Afeganistão.
Ajmal suspirou.
– Talvez a gente devesse acampar em outro canto da cidade, como os meninos fizeram.
– Não – retrucou Salim. – Acho que devemos tentar atravessar o túnel.
– O túnel? Ficou doido?
– Eu sei, eu sei... Mas olhe só onde está toda a polícia. Aqui! Pode ser a distração perfeita.

Ajmal estava tão desesperado quanto Salim. Seu silêncio transmitia isso.

– Ouça, Ajmal. Andei pensando. Existem duas entradas para o túnel. Os homens passaram pela entrada para carros e caminhões. Mas tem outra.

– Está falando dos trilhos do trem?

– Isso. Os trilhos do trem.

– Você quer morrer? Algumas pessoas tentaram pular nos trens enquanto passavam. Foram eletrocutadas pelos cabos. Além disso, sabe a velocidade deles? Se for atingido por um daqueles trens... nem sua mãe reconheceria o corpo.

– Acho que vale a tentativa. A cerca ainda está aberta, podemos dar uma olhada. Não vejo outro jeito. É quase impossível pular nos caminhões. E as balsas estão bem guardadas. Não é como nos outros portos. Vou tentar atravessar o túnel andando perto dos trilhos.

Ajmal respirou fundo.

– Quando vai fazer isso?

– De noite, assim que o sol começar a se pôr. A escuridão vai ajudar.

Ajmal considerou o raciocínio de Salim. E assentiu.

– Vamos pedir a Deus que isso funcione.

Salim ignorou a hipocrisia de rezar apenas quando estava vivendo os momentos de maior desespero e torceu para que Deus também a ignorasse.

Quando a noite chegou, Salim e Ajmal nada contaram aos outros no campo. Juntaram toda a comida que tinham armazenado no barraco e guardaram nas bolsas. Com 50 quilômetros de trilhos para percorrer, precisariam de cada pedacinho de alimento. Desceram o caminho de terra batida e saíram da Selva. Os manifestantes iam e voltavam com cartazes. Salim não conseguia entender o que diziam e desviou o olhar. Era estranho se afastar daquilo, mas o ar estava carregado.

Chegaram à entrada do túnel, e Salim conduziu Ajmal até a abertura na cerca. As autoridades ainda não tinham descoberto o buraco ou não tiveram tempo para consertar. Eles se agacharam atrás de algumas árvores e procuraram os guardas. Não havia ninguém nas redondezas, mas notaram um fluxo constante de carros. Como ainda não estava completamente escuro, decidiram esperar. Não adiantava se apressar.

Em uma hora, tudo o que restava do sol era um brilho arroxeado no horizonte. Desceram a encosta e foram até a pista na ponta dos pés, evitando os trilhos com cuidado.

A primeira olhada no túnel foi assustadora: havia apenas uns 70 centímetros de espaço de cada lado. Teriam que manter a barriga colada à parede quando os trens passassem. Vacilar ou perder o equilíbrio seria fatal.

– Vai ficar escuro – alertou Salim. – Temos que ficar juntos e ouvir o barulho dos trens chegando.

– Sim, ficar juntos. E ouvir os trens.

Salim notou o temor na voz de Ajmal.

– Ajmal, não precisa fazer isso se não quiser – disse o rapaz, com delicadeza. Não queria ser responsável pelo que poderia acontecer se o nervosismo tomasse conta de Ajmal durante a travessia.

– Estou bem, Salim. Quero ir.

Adentraram a escuridão. Salim sentiu o papelzinho com o endereço de Khala Najiba guardado em segurança no fundo do bolso.

Tinham caminhado quase 2 quilômetros quando seus pés sentiram um leve tremor nos trilhos.

– Salim!

– Fique contra a parede e não se mexa! Não se mexa! – berrou Salim.

Ele pressionou a face contra a parede fria do túnel e tentou se grudar ao máximo nela. Fechou os olhos, com medo por Ajmal e por si mesmo.

O trem chegou quase instantaneamente, as luzes berrantes anunciando sua passagem. Viajando a quase 160 quilômetros por hora, o trem atingiu os garotos com uma forte onda de ar.

Um... dois... três... quatro... Salim contou com os dedos agarrados na parede de concreto. Nove... dez... onze... e continuou. Catorze... quinze... dezesseis... até que finalmente, misericordiosamente, o ruído ensurdecedor desapareceu.

Salim, imóvel, soltou o ar que tinha prendido, desesperado. Aos poucos, percebendo que estava inteiro, seu corpo relaxou. Aquilo podia funcionar!

– Ajmal?

Não houve resposta.

– Ajmal!

Ainda silêncio.

– Ajmal, você está bem?! Me responda!

Salim tateou atrás de si, no escuro.

– Sim, sim, estou bem. Eu só... Ah, Salim, passou tão perto!

– Mas você está bem?

– Sim, estou bem.

– Podemos continuar?

– Meu amigo, depois de subir metade da colina com o burrico, não tem mais como fazer com que ele volte.

O riso de Salim ecoou pelo túnel escuro. Seguiu adiante, como um farol na noite. Ele só precisava seguir.

Tateou por dentro da calça e sentiu a bolsinha. Pensou na volta à casa de penhores em Atenas e na expressão surpresa do dono do estabelecimento, quando enfiara a mão no bolso e entregara uma quantia que dificilmente podia se dar ao luxo de gastar.

Madar-jan, estou a apenas alguns quilômetros de distância. Estarei a seu lado e mostrarei a Padar-jan que posso ser o homem de que minha família precisa... o homem que quero ser. Não vou parar até ver essas pulseiras de volta em seu pulso, Madar-jan.

Com a garganta tomada pelo doce sabor das promessas, Salim gritou para o amigo invisível:

– Ajmal, meu amigo, vamos lá!

AGRADECIMENTOS

Minha profunda gratidão a meus pais, que viveram uma história de amor verdadeira e são meus maiores defensores. E a meu *hamsar*: esta história não existiria sem você e sem sua convicção de que eu era capaz de escrevê-la. Zoran, Zayla e Kyrus, meus maiores críticos: vocês tornam a narrativa desafiadora e recompensadora, amo vocês de todo o coração. Fawod e família, sua torcida ultrarruidosa alimenta minha alma. Obrigada, Fahima, por me conhecer tão bem que consegue mandar todas as inspirações. Você torna a caixa de entrada de meu computador feliz. Para meu tio Isah e outros familiares que compartilharam detalhes de suas jornadas muitas vezes comoventes. Emine, meu conselheiro turco imensamente talentoso, suas informações criativas foram preciosas, e espero que o mundo veja os momentos importantes que você capturou (www.eminegozdesevim.com). Para Laura, minha guia helênica superqualificada, *efxaristo koukla mo*. Para minha sábia editora, Rachel Kahan, obrigada por fazer meus amigos imaginários se transformarem em seus amigos imaginários e por cuidar tão bem deles. Helen Heller, minha agente astuta, obrigada por encontrar um lar para esta história e por respirar poesia no título do livro (mais uma vez). Para toda a família na William Morrow/HarperCollins americana, obrigada por sua criatividade, dedicação e entusiasmo. Sou eternamente grata a todos os amigos que apoiaram minha escrita de tantas formas criativas: o LadyDocs, a turma do Queens, o professor Holly Davidson, os Warwickians, entre outros.

Os poemas que Fereiba e seu pretendente declamam foram escritos por Ibrahim Khalil (1896-1987), meu tataravô. Durante seus 91 anos neste mundo, Ibrahim Khalil foi calígrafo, escritor, poeta, professor na Universidade de Cabul, conselheiro do rei Amanulá e prisioneiro político. Em outros tempos, suas obras já foram publicadas no Afeganistão. Foi uma honra traduzir pelo menos alguns versos e homenagear seu legado nestas páginas.

Esta história foi inspirada nas multidões por todo o mundo que buscam um lugar para chamar de lar. É uma história de ficção, uma pequena tentativa de representar o dilema dos refugiados. Muita gente vem documentando as verdadeiras experiências humanas, e sou grata pelo trabalho fundamental que fazem. O que desejo? Como sou um terço sonhadora e dois terços realista, desejo um mundo que não crie refugiados. Mas, até lá, me satisfaço com a chance de que a humanidade em cada um de nós permita que essas histórias tão importantes sejam compartilhadas e ouvidas.

NOTA DA AUTORA

Com frequência, os leitores dizem que minha história os fez quererem saber mais, uma das coisas mais gratificantes que um escritor pode ouvir. Fico empolgada ao saber que a relação que desenvolveram com os personagens e suas dificuldades se estende para além da última página e adentra o mundo real. Este romance, como *A pérola que rompeu a concha*, é uma obra de ficção baseada em duras realidades. É inspirado pelos refugiados afegãos na Europa, cujas experiências são compartilhadas por refugiados de outras partes da Ásia Menor e do Oriente Médio. Patras e a Selva de Calais são reais, bem como o Eurotúnel. Os países europeus estão carregados de gente em busca de segurança e de um novo começo dentro de suas fronteiras, como é fácil compreender. As ilhas gregas como Kos e Lesbos são algumas das principais entradas e suportam o peso da crise.

Escrevi este romance em 2009, quando o número de pessoas sem lar ainda estava abaixo dos dez milhões. Enquanto escrevo estas palavras, o número se aproxima dos sessenta milhões e continua a aumentar. A agência da ONU para refugiados estima que mais ou menos metade de todos os refugiados têm menos de 18 anos. De modo alarmante, a crise continuou enquanto a compaixão do mundo sofreu oscilações. Choramos ao ver a foto do corpo de Alan Kurdi, de 3 anos, as esperanças da família para uma nova vida destruídas nas águas agitadas que tentavam atravessar para chegar a um lugar seguro. Preparamos o jantar enquanto os apresentadores dos noticiários relatam que mais cinquenta homens, mulheres e crianças pereceram no Mediterrâneo, depois que um barco virou. Mudamos de canal, com medo de que a inocência de nossas crianças seja ameaçada pelas imagens fortes. Soltamos suspiros de alívio quando abrimos o Facebook e vemos fotos de voluntários entregando cobertores e agasalhos aos refugiados. Nossas mentes estão concentradas em prazos de entrega enquanto ouvimos pelo rádio relatos sobre o Afeganistão, a Síria e a Somália, sobre a violência que continua a fazer com que pessoas desesperadas arrisquem suas vidas. Parece não ter solução. Parece que não há mais novidade nisso, não é mais uma notícia. Em algum momento, o desespero constante de milhões se transforma em música ambiente.

Quando escrevi esta história, não poderia ter imaginado que a crise de refugiados explodiria como aconteceu. Então também senti que o número de voluntários, das organizações de ajuda humanitária, de boas almas na minha história, parecia ser apenas um desejo, não uma realidade.

Por sorte, não é assim. Grandes organizações estão montando operações na Grécia. Indivíduos viajam até Lesbos para resgatar barcos improvisados e levá-los até a costa para lhes entregar roupas secas e fazer traduções para as autoridades. Pessoas engenhosas, com sentimentos humanitários, reúnem e enviam suportes para bebês, que serão úteis para famílias que cruzarão as fronteiras da Europa carregando sua carga mais preciosa junto ao peito.

Se não fosse o coração grande e pulsante da compaixão, haveria muitos outros famintos, molhados e com frio. Se não houvesse braços abertos, tantos não teriam forças para dar mais um passo. Se não fosse a manifestação de humanidade, todos estaríamos perdidos.

Existem muitas organizações como o Alto Comissariado das Nações Unidas para Refugiados e a Human Rights Watch que se esforçam em defender esses indivíduos e em documentar o número atordoante de pessoas despatriadas ao redor do mundo, assim como suas tentativas angustiantes de redefinirem o que é um lar. Para ver cenas filmadas e documentários reveladores sobre os refugiados de Mianmar, da Síria, sobre os curdos fugindo do Estado Islâmico ou sobre o dilema do gerenciamento de Calais, procure o farto material disponibilizado pela *Vice* no YouTube. Se quiser ajudar, existem múltiplas formas de contribuir. Encontre uma organização que lhe desperte confiança e a apoie, encoraje aqueles à sua volta a se informarem e a assumirem posições de compaixão, passe as férias como voluntário, doe artigos para os refugiados que se assentarem na sua região ou apenas sorria e acene para seu novo vizinho.

Os rostos assustados e nervosos na tela da televisão não são diferentes daquele que você encontra no espelho. São maridos e esposas, filhos e netos. São professores, médicos, engenheiros, estudantes. São artistas, jornalistas e técnicos de informática. Praticam esportes, dançam e rezam. Estão por baixo, mas não estão mortos. Sei de refugiados que encontraram um abrigo seguro e ressuscitaram antigas carreiras ou construíram novas. Hoje são economistas, médicos, empresários, consultores... Os refugiados não precisam ser refugiados para sempre. Podemos acolhê-los num local seguro e testemunhar sua recuperação.

GLOSSÁRIO

Ameen: Amém
aroos: noiva
aush: sopa de massa
azaan: chamado para a oração
b'isme-Allah: em nome de Alá/Deus
bachem: meu menino/filho
Bibi-jan: querida avó
Boba-jan: querido avô
Dokhtar: filha/menina
dua: oração
Eid: feriado
espand: incenso usado para afastar o mau-olhado
fatiha: serviço funerário
hamsar: esposo
iftar: refeição noturna que interrompe o jejum do Ramadã, ao anoitecer
inshallah: Se Deus quiser
jan/janem: querido/meu querido
jenaaza: enterro cerimonial
Jumaa: sexta-feira
Kaka: tio
Khala: tia
Khanum: senhora
khastgaar: pretendente
khormaa: tâmara
Madar-jan: querida mãe
mahram: parente próximo do sexo masculino

mantu: bolinhos recheados de carne
masjid: mesquita
moallim: professora
nakhod: grão-de-bico
nam-e-khoda: Deus seja louvado
nasib: destino
nazar: mau-olhado
nikkah: cerimônia de casamento islâmico
noosh-e-jan: à sua saúde
Padar-jan: querido pai
purdah: véu/isolamento
qandem: minha doce
roshanee: luz/fortuna
sawaab: recompensa espiritual
sheerbrinj: pudim de arroz
shirnee: doces/bandeja de doces utilizada para simbolizar a aceitação de um pretendente
sura: versos do Corão
tasbih: contas de oração
wa-alaikum: e para você
xador: lenço de cabeça

CONHEÇA OUTRO LIVRO DA AUTORA

A pérola que rompeu a concha

Filhas de um viciado em ópio, Rahima e suas irmãs raramente saem de casa ou vão à escola em meio ao governo opressor do Talibã. Sua única esperança é o antigo costume afegão do *bacha posh*, que permite à jovem Rahima vestir-se e ser tratada como um garoto até chegar à puberdade, ao período de se casar.

Como menino, ela poderá frequentar a escola, ir ao mercado, correr pelas ruas e até sustentar a casa, experimentando um tipo de liberdade antes inimaginável e que vai transformá-la para sempre.

Contudo, Rahima não é a primeira mulher da família a adotar esse costume tão singular. Um século antes, sua trisavó Shekiba, que ficou órfã devido a uma epidemia de cólera, salvou-se e construiu uma nova vida de maneira semelhante. A mudança deu início a uma jornada que a levou de uma existência de privações em uma vila rural à opulência do palácio do rei, na efervescente metrópole de Cabul.

A pérola que rompeu a concha entrelaça as histórias dessas duas mulheres extraordinárias que, apesar de separadas pelo tempo e pela distância, compartilham a coragem e vão em busca dos mesmos sonhos. Uma comovente narrativa sobre impotência, destino e a busca pela liberdade de controlar os próprios caminhos.

Para saber mais sobre os títulos e autores da Editora Arqueiro,
visite o nosso site e siga as nossas redes sociais.
Além de informações sobre os próximos lançamentos,
você terá acesso a conteúdos exclusivos
e poderá participar de promoções e sorteios.

editoraarqueiro.com.br